D1287287

UNE MORT HONORABLE

Du même auteur

L'Anti-livre (coll.), Éditions de l'Étoile magannée, 1972.

Raconte-moi Massabielle, Éditions d'Acadie, 1979 ; coll. « 10/10 », 2010.

Le Récif du Prince, Boréal, 1986 ; coll. « Boréal compact », 1988 ; coll. « 10/10 », 2010.

Les Portes tournantes, Boréal, 1988 ; coll. « Boréal compact », 1990.

Une histoire de cœur, Boréal, 1988 ; coll. « Boréal compact », 1992 ; coll. « 10/10 », 2009.

Le Cirque bleu, La Courte Échelle, 1996 ; coll. « 10/10 », 2010.

Les Ruelles de Caresso, La Courte Échelle, 1997 ; coll. « 10/10 », 2011.

Un train de glace, La Courte Échelle, 1998 ; coll. « 10/10 », 2011.

Les Soupes célestes, Fides, 2005 ; coll. « 10/10 », 2009.

La Vraie Histoire de la série Les Lavigueur – Les carnets de l'auteur et le scénario, Stanké, 2008.

Cinq secondes, Éditions Libre Expression, 2010 ; coll. « Expression noire », 2012.

JACQUES

SAVOIE

UNE MORT HONORABLE

Catalogage avant publication de Bibliothèque et Archives nationales du Québec et Bibliothèque et Archives Canada

Savoie, Jacques, 1951-

Une mort honorable : une enquête de Jérôme Marceau
(Expression noire)
ISBN 978-2-7648-0549-7
I. Titre. II. Collection: Expression noire.

PS8587.A388M67 2012 C843'.54 C2012-940051-3
PS9587.A388M67 2012

Édition : André Bastien
Révision linguistique : Caroline Hugny
Correction d'épreuves : Isabelle Lalonde
Couverture : Axel Pérez de León
Grille graphique intérieure : Chantal Boyer
Mise en pages : Axel Pérez de León
Photo de l'auteur : Sarah Scott

Remerciements
Nous reconnaissons l'aide financière du gouvernement du Canada par l'entremise du Fonds du livre du Canada pour nos activités d'édition. Nous remercions le Conseil des Arts du Canada et la Société de développement des entreprises culturelles du Québec (SODEC) du soutien accordé à notre programme de publication. Gouvernement du Québec – Programme de crédit d'impôt pour l'édition de livres – gestion SODEC.

Les Éditions Libre Expression
Groupe Librex inc.
Une compagnie de Quebecor Media
La Tourelle
1055, boul. René-Lévesque Est
Bureau 800
Montréal (Québec) H2L 4S5
Tél. : 514 849-5259
Téléc. : 514 849-1388
www.edlibreexpression.com

Dépôt légal – Bibliothèque et Archives nationales du Québec et Bibliothèque et Archives Canada, 2012

ISBN : 978-2-7648-0549-7

Distribution au Canada
Messageries ADP
2315, rue de la Province
Longueuil (Québec) J4G 1G4
Tél. : 450 640-1234
Sans frais : 1 800 771-3022
www.messageries-adp.com

Diffusion hors Canada
Interforum
Immeuble Paryseine
3, allée de la Seine
F-94854 Ivry-sur-Seine Cedex
Tél. : 33 (0)1 49 59 10 10
www.interforum.fr

À Nicole, pour la lumière qu'elle fait rejaillir.

« Le droit à la différence ne doit pas mener
à une différence des droits. »

Yolande Geadah

Convalescence

Un taxi déposa Jérôme Marceau devant le 3190, avenue de Kent, dans le quartier Côte-des-Neiges. Il faisait chaud. Très chaud. Debout sur le trottoir, il admira le parc de l'autre côté de la rue; une tache de verdure dans cet arrondissement qui avait accueilli plus que sa part de réfugiés et d'immigrants depuis vingt ans. Le visage cosmopolite de la ville. Il se demanda pourquoi le quartier ne changeait pas de nom l'été. Pourquoi on l'appelait toujours Côte-des-Neiges, alors qu'on crevait et que la blancheur de l'hiver n'était plus qu'un souvenir. Jérôme avait ce genre de réflexions depuis qu'il était en convalescence, depuis qu'il avait plus de temps qu'il ne lui en fallait pour vivre. Il pensait à des choses inutiles. Comme le nom estival qu'il aurait donné à ce quartier, par exemple. Côte-des-Chaleurs lui vint immédiatement à l'esprit. Pour l'automne, Côte-Grisaille aurait été approprié avant de redevenir Côte-des-Neiges, le froid revenu. Se trouvant ridicule d'imaginer de telles choses, il se tourna vers la maison dont il avait griffonné l'adresse sur un bout de papier, mais hésita avant d'aller frapper à la porte. Il était en avance. Depuis qu'il avait pris un formidable coup au visage huit mois plus tôt, Jérôme avait l'atermoiement facile. Pivotant sur ses talons, il fit quelques pas dans la direction opposée mais se ravisa bien vite. Il avait un autre rendez-vous après celui-ci. Autant prendre de l'avance. Il gravit les quelques marches, mais avant même qu'il arrive à la porte, celle-ci s'ouvrit. L'homme à la peau cuivrée, qui visiblement l'attendait, tenta de masquer son accent :

— C'est vous qui avez appelé ? Vous venez voir le *char* ?

Jérôme crut avoir mal entendu. Sanjay Singh Dhankhar avait pris la peine de lui épeler son nom au téléphone et de lui dire qu'il était indien, de l'État de l'Haryana plus précisément, à un jet de pierre de New Delhi. Pourquoi cet homme lui parlait-il de *char* ?

— La voiture, reprit Jérôme. C'est bien vous qui avez une voiture à vendre ?

Sanjay Singh Dhankhar lui jeta un regard assassin. De toute évidence, l'homme n'appréciait pas qu'il le reprenne. Il concéda, l'œil sombre :

— Oui, c'est ça. J'ai une voiture à vendre.

Jérôme pensa qu'il allait l'inviter à entrer. Dhankhar referma plutôt la porte derrière lui.

— Elle est au garage. Venez, je vais vous la montrer.

C'était à cause de son petit bras ! C'est du moins ce que Jérôme crut au début. Vestige de la thalidomide, ce moignon au bout duquel pendait un semblant de main rebutait souvent ses interlocuteurs. Mais il se ravisa bien vite. L'Indien n'en avait que pour la cicatrice toute fraîche qui lui courait en travers du visage. Cette balafre, souvenir d'un coup de bâton de base-ball infligé par un agent de sécurité d'Hydro-Québec l'hiver précédent, faisait de lui un acheteur suspect, un client douteux. Ce n'était pas tant l'agression de Tony qui lui avait refait les traits du visage, mais plutôt les deux interventions chirurgicales qu'il avait subies à quelques mois d'intervalle. Souffrant malgré tout de migraines assassines, on s'était résolu à lui refaire la mâchoire le printemps venu. L'intervention avait réussi, mais pour favoriser la guérison on lui avait immobilisé le maxillaire inférieur. Rude épreuve que ces six longues semaines sans parler ! Muet, il avait dû écouter sans jamais pouvoir donner la réplique. Une véritable torture ! Mais l'opération avait réussi et les maux de tête avaient disparu. Il n'en avait gardé que cette estafilade sous la mâchoire, qu'il qualifiait à la blague de ride artificielle. Florence, sa mère, n'avait cessé de lui dire qu'il était plus beau. Il n'en croyait rien.

Depuis que l'enquête sur le quadruple meurtre du palais de justice avait brusquement pris fin avec l'enterrement du juge Adrien Rochette – et sans que les motifs de l'agression aient été révélés –, Jérôme Marceau était en convalescence. Aux homicides, on nommait la chose autrement. Il était en congé avec salaire et compensation pour une période indéterminée. Lynda Léveillée, l'enquêteure chef, elle-même en arrêt de travail, lui avait fait comprendre que son retour au SPVM, le Service de police de la Ville de Montréal, ne pressait pas.

— Profites-en, Aileron ! Tu n'es pas encore rétabli. Pars en voyage. Ça te fera le plus grand bien.

Lynda n'était pas sans savoir que dès le moment où il mettrait les pieds aux homicides, Jérôme déposerait un rapport exhaustif sur les circonstances ayant entouré la mort du juge Adrien Rochette. Le document était prêt, mais personne n'en voulait. Ni le SPVM ni la magistrature, qui ne tenait pas à être éclaboussée par cette affaire, pas plus que la veuve du juge abattu, apparemment terrassée par la maladie depuis la mort de son mari. Cette situation privait évidemment Jérôme de la seule chose qui l'allumait dans la vie : enquêter.

Faisant contre mauvaise fortune bon cœur, il avait donc pris sa patronne au pied de la lettre. « Pars en voyage ! » lui avait-elle dit. C'est exactement ce qu'il allait faire. À son retour, Lynda aurait sûrement réintégré ses fonctions. Elle avait apparemment vaincu sa leucémie. Il déposerait alors le dossier du juge Rochette, puisqu'ils avaient convenu d'attendre son retour pour le faire. Le temps jouait en sa faveur.

Malgré son irritation affichée, Sanjay Singh Dhankhar semblait plutôt content d'avoir trouvé un acheteur potentiel pour sa Pontiac Aztek. À ce jour, la petite annonce qu'il avait publiée dans le journal et sur quelques sites internet n'avait pas suscité le moindre intérêt. Depuis que la famille Dhankhar était revenue de vacances et avait décidé de se débarrasser de ce curieux croisement entre une voiture et une camionnette, Jérôme était la première personne à venir frapper à leur porte.

— Elle n'est pas très belle, admit-il d'emblée en ouvrant la porte du garage. Mais elle a un côté pratique. Pour voyager, c'est vraiment très bien.

L'Indien avait susurré ces mots en mode mineur et avec une retenue évidente. Trouver une épithète favorable pour décrire un véhicule aussi laid relevait de la poésie ! C'était tout à l'avantage de Jérôme, d'ailleurs. À voir comment la discussion était engagée, il flairait la bonne affaire. Plutôt que de donner des coups de pied sur les pneus et de demander à voir le moteur, il examina les lieux. Il y avait au fond du garage un escalier, qui donnait certainement sur l'entrée du logement, là où il s'était présenté quelques instants plus tôt. Sanjay aurait pu l'inviter à passer par là. Mais il avait insisté pour qu'ils fassent le tour par l'extérieur. Jérôme n'était pas le bienvenu dans la maison des Dhankhar… à cause de son allure, devinait-il. Même pour cet homme qui venait du fin fond de l'Inde, il était un marginal dont il fallait se méfier. Sanjay était peut-être content d'avoir trouvé un acheteur pour sa laideur motorisée, mais ce n'était pas une raison pour sympathiser et lui offrir le thé !

— Est-ce que vous savez qu'en soulevant le hayon arrière, on peut déployer une tente ? Il suffit de l'accrocher au châssis du véhicule… c'est très pratique pour faire du camping.

Jérôme le savait, bien sûr. C'était précisément pour cela qu'il s'était intéressé à ce véhicule en parcourant les petites annonces. Bien que la Pontiac Aztek soit la voiture la plus hideuse que l'on ait vue sur les routes depuis des lustres, elle était la seule à être offerte avec une tente intégrée. Il se proposait de faire usage de cet abri au cours du voyage qu'il préparait. L'idée de dormir dans sa voiture, un croisement entre un camion et un *char*, parce que l'Aztek était tout ça à la fois, de jouer les romanichels pendant le reste de sa convalescence, lui plaisait bien. Mais il ne fallait pas se montrer trop intéressé. Compte tenu de ce qu'il voulait faire de cette ferraille au terme du voyage, il était important de l'obtenir au meilleur prix possible.

— Est-ce que vous avez fait de la route avec ce machin ? demanda-t-il d'un air absent. Ça roule bien ?

— On revient de voyage, comme je vous l'ai dit. On a passé deux semaines au New Brunswick. Très pratique ! affirma Sanjay.

Il avait dit « New Brunswick » comme on dit New Delhi, ignorant peut-être que dans ce pays un même lieu pouvait avoir deux noms. Être à la fois « New » et « Nouveau ». Sanjay souriait de toutes ses dents en se remémorant le plaisir que lui avait procuré ce voyage. Mais Jérôme n'en croyait rien. Cet homme lui jouait la comédie. Cela se voyait à son regard, qui ne correspondait en rien au sourire qu'il affichait. Ou bien il mentait en affirmant que ce voyage avait été magnifique ou c'était une technique de vente. Le prix qu'il s'apprêtait à demander pour cette horreur allait être exorbitant. Trop pour les moyens de Jérôme, en tout cas.

Lynda Léveillée avait beaucoup insisté pour qu'il aille prendre l'air avant de revenir au service. Elle y était allée de quelques suggestions. Une croisière dans les Caraïbes ou un séjour au Costa Rica, plus précisément au parc Manuel Antonio, dans le sud du pays. Un dépaysement garanti pour celui qui avait passé les trois quarts de sa vie dans les couloirs souterrains de Montréal. Mais Jérôme avait autre chose en tête. Après l'opération qui l'avait enfermé dans le silence en raison d'une mâchoire soudée, il s'était mis à la lecture. Ses migraines étant de moins en moins sévères, il se consolait avec les mots. Des mots à petites doses. Les livres qu'il lisait n'avaient jamais plus de cent cinquante pages. Sinon, des maux de tête l'assaillaient. Un seul roman avait échappé à cette règle et c'est de lui qu'était venue l'idée de son voyage. Un homme partait sur les routes des États-Unis au volant d'une Volkswagen. Au lieu de découvrir des paysages insoupçonnés, des gens qu'il n'aurait jamais croisés sur sa route ou des villes sans souterrains, le héros de cette histoire faisait un voyage intérieur, une expédition dans ses souvenirs. En avançant vers nulle part il reculait dans son passé, pour mieux le comprendre mais aussi pour l'oublier. C'est un voyage comme ça que Jérôme voulait faire. À quelques nuances près. D'abord, ce ne serait pas au volant d'une Westfalia qu'il s'aventurerait sur les routes d'Amérique, mais aux commandes d'une Pontiac Aztek, en raison de son coût nettement moins élevé à l'acquisition. Ce pèlerinage se terminerait en effet d'une façon très différente. Il roulerait vers l'ouest, vers le Pacifique, et avalerait les kilomètres jusqu'à ce que tous ses souvenirs aient défilé, jusqu'à ce qu'il les ait effacés les un après les autres. Alors, sans le moindre regret, il abandonnerait la Pontiac sur le bas-côté et prendrait un avion pour rentrer à Montréal. D'où l'intérêt d'acheter cette laideur au meilleur prix possible. Le véhicule serait une perte sèche.

Depuis la fin abrupte de l'enquête sur la mort du juge Adrien Rochette, et surtout après ce coup de bâton de base-ball qui lui avait redessiné le visage, la vie de Jérôme était émaillée d'actions et de pensées inutiles. Ce projet de voyage était de celles-là. En larguant l'Aztek et ses souvenirs le long d'une route déserte, quelque part dans l'Ouest américain, il s'imaginait que sa vie deviendrait plus légère. En laissant derrière lui ce surplus de bagages qu'il traînait depuis trop longtemps, il aurait droit à un nouveau départ.

— J'ai fait quelques réparations depuis que je l'ai, affirma Sanjay. Les reçus sont dans le coffre à gants. Si ça vous va, je vous la vends deux mille cinq cents dollars.

— Combien ? demanda Jérôme, certain d'avoir mal entendu.

— C'est trop, peut-être. À vrai dire, je me contenterais de deux mille dollars.

La négociation s'était engagée à l'insu du principal intéressé. Le temps de demander à l'Indien de répéter le prix, celui-ci avait déjà baissé de cinq cents dollars.

— Vous êtes certain ?

Sanjay Singh Dhankhar réprima un sourire, en tout point semblable à celui qu'il lui avait servi sur le seuil de sa maison. Un rictus qui faisait office de politesse, mais qui, en réalité, cachait quelque chose de noir. Le regard d'un tueur, pensa Jérôme en s'efforçant de chasser immédiatement l'idée.

— On s'entend pour deux mille dollars ? insista l'Indien.

Rien ne se passait comme Jérôme l'avait imaginé. Il avait repéré une deuxième Pontiac Aztek dans le nord de la ville. Une voiture tout aussi laide, qu'il comptait comparer à celle de l'avenue de Kent, mais l'offre que lui faisait Sanjay Singh Dhankhar était trop alléchante pour qu'il passe son tour.

— Elle a combien de kilomètres, déjà ?

— Soixante-treize mille, répondit-il. C'est très peu pour ce genre de véhicule.

— Je ne veux pas être indiscret, mais pourquoi la vendez-vous au juste ? Vous ne me l'avez pas dit.

L'irritation de Sanjay grimpa d'un cran. À ce prix, il ne fallait pas poser de questions. Un frisson courut dans le dos de Jérôme. Dans son boulot, lors d'interrogatoires serrés, il avait souvent remarqué ce genre de colère retenue. Les suspects à qui on posait des questions qu'ils ne voulaient pas entendre réagissaient ainsi. Même au repos, les tueurs ont le regard qui fusille. Évidemment, cet homme n'était coupable de rien. Il tentait simplement de se débarrasser d'une voiture. Retrouvant ses moyens, il expliqua d'une voix suave :

— Dans un mois, je dois retourner dans mon pays avec ma famille. J'ai à peu près terminé ce que j'avais à faire ici. Et je ne peux pas emmener la voiture là-bas.

Jérôme se mordit la lèvre. Sa prochaine question était déjà prête. Qu'est-ce qu'il était venu faire ici ? Mais justement, ce n'était pas un interrogatoire. Sanjay Singh Dhankhar avait une voiture à vendre. Le prix défiait toute concurrence. Il remit donc dans sa poche le sale côté de sa profession, qui consistait à toujours douter de tout.

— Alors, c'est d'accord ! Je vous l'achète. Est-ce que je peux vous faire un chèque ?

Même pour le chèque, Sanjay se montra accommodant. Il aurait préféré de l'argent liquide, le montant n'étant pas très élevé, mais un chèque conviendrait. Jérôme jeta un œil vers la porte au fond du garage, espérant qu'il l'inviterait à monter chez lui pour régler les formalités. L'Indien posa plutôt les papiers d'immatriculation sur le capot de l'Aztek et inscrivit sa signature au verso du document. De sa main gauche, Jérôme sortit son chéquier et le posa sur le capot lui aussi.

— Vous arrivez à conduire avec une seule main ? demanda Sanjay sans oser le regarder dans les yeux.

— Très bien, merci, répondit Jérôme en lui remettant le chèque. C'est une boîte automatique, de toute façon. Il n'y a pas tellement à faire.

Sanjay se contenta de hocher la tête en examinant la signature. Tout était en ordre. Il lui remit les clefs et marmonna, l'air soulagé :

— Vous n'aurez aucun problème.

* * *

L'idée qu'une voiture achetée à vil prix puisse signifier la fin de ses problèmes fit sourire Jérôme, jusqu'à ce qu'il s'empêtre dans un bouchon de circulation vingt minutes plus tard. Premier constat, la climatisation fonctionnait bien. Cuisinée par une chaleur de plomb, la chaussée semblait avoir ramolli. Des voitures étaient en panne à l'approche du pont, mais rien de tout cela ne l'atteignait. Une fraîcheur de fin de journée régnait en permanence dans la Pontiac, lui permettant de croire qu'il avait fait un bon coup. Florence, sa mère, avait un espace de stationnement dans le garage souterrain du Port-de-Mer, l'immeuble qu'elle habitait sur la Rive-Sud. Ils avaient convenu qu'il y garerait le véhicule jusqu'à son départ.

Lorsqu'il l'avait appelée de son portable en sortant de chez Sanjay Singh Dhankhar toutefois, elle lui avait semblé un peu moins enthousiaste.

— Ah bon ! Tu as vraiment l'intention de faire ce voyage ?

— Bien sûr ! Et j'ai trouvé exactement la voiture qu'il me faut.

— Mais tu ne pars pas tout de suite, quand même ?

— Bientôt. Pourquoi ?

— Parce que j'ai cet examen chez le spécialiste, tu te souviens ? À cause de mes migraines. Tu m'as promis de m'accompagner.

Florence lui faisait toujours promettre des choses, qu'il oubliait aussi vite qu'il s'y engageait. C'était de bonne guerre. Elle les lui rappelait toujours, de toute façon, ce qui faisait partie de leur commerce. Ces oublis volontaires étaient une manière d'alimenter leurs échanges. Bien meilleure d'ailleurs que de parler thalidomide, cette sale affaire qui lui avait coûté un bras et qui était au nombre des choses qu'il voulait oublier au cours de ce voyage vers l'inconnu.

— Très bien, finit-il par dire. Je t'accompagnerai et je partirai après. Rappelle-moi de quoi il s'agit.

— Je te l'ai dit ! C'est un examen de résonance magnétique.

— Ah oui, oui ! Bien sûr. T'inquiète pas, je serai là.

Jérôme compatissait aux migraines de sa mère : il en avait lui-même beaucoup souffert. Dans son for intérieur toutefois, il était persuadé que Florence ne souffrait de rien du tout. Qu'elle avait tout au plus besoin d'attention avant qu'il ne s'en aille. Il partirait donc le lendemain de ce rendez-vous. Ou le jour suivant, cela n'avait pas vraiment d'importance. Lorsqu'on fait ce genre de voyage, on n'est pas à un jour près.

Coincé dans la circulation, il mit près d'une heure à traverser le pont Jacques-Cartier. Lorsqu'il passait dessous pour se rendre chez sa mère, il mettait rarement plus de vingt minutes. Qu'à cela ne tienne, il se familiarisa avec le tableau de bord plutôt rudimentaire de la Pontiac et se permit même de lire quelques passages du manuel du propriétaire, plus précisément le chapitre consacré à la tente, qui se fixait au châssis et au hayon du véhicule. Lorsque en plein milieu du pont il resta immobilisé pendant quinze minutes, il pensa aux passages souterrains, aux corridors de service et au métro qu'il empruntait habituellement et se demanda ce qu'il faisait au milieu de ce troupeau de voitures, dans lesquelles des hommes ou des femmes esseulés parlaient dans leurs téléphones.

Il devait bien être dix-huit heures lorsqu'il se stationna enfin dans le garage souterrain du Port-de-Mer. Florence avait préparé un repas et l'attendait fébrilement, mais il ne put résister à l'envie d'ouvrir le hayon arrière pour voir à quoi ressemblait cette tente qui faisait la particularité du véhicule. Tout y était. La toile, la structure tubulaire, les crans d'arrêt pour maintenir le hayon ouvert afin de tendre les côtés de la tente. Les boutons-pression servant à fixer le tout au châssis du véhicule étaient en parfait état, ce qui donnait l'impression que cet abri n'avait à peu près pas été utilisé. Sous le compartiment servant à ranger la toile, il y avait la roue de secours. Jérôme vérifia le tout et se rendit compte que le cric n'y était pas. Rien de grave. Il lui suffirait d'en acheter un autre avant son départ. Par curiosité, il décida de retirer le pneu de rechange pour voir si on n'avait pas mis l'outil manquant dessous. La roue, qui était coincée, n'avait vraisemblablement jamais servi. Jérôme dut user de toute sa force pour la sortir de la cavité. Et c'est là qu'il aperçut la tache. Une tache rougeâtre qui devait bien faire vingt centimètres de diamètre. Croyant d'abord que c'était de la rouille, il fit la grimace en pensant qu'il s'était bien fait avoir. Sanjay Singh Dhankhar lui avait vendu sa Pontiac parce qu'elle était pourrie. S'il y avait de la corrosion à cet endroit, il y en avait sûrement ailleurs. Avec ce tacot rouillé, peut-être ne parviendrait-il jamais au bout de la route pour oublier tout ce qui lui pesait.

Mais il se ravisa. Et si cette tache était du sang? Du sang séché? Par habitude, il sortit un gant de sa serviette de cuir. Après l'avoir enfilé, il remit la roue de secours en place en s'étonnant une fois encore de l'étroitesse de la cavité. Non seulement elle n'avait jamais servi, mais personne avant lui ne l'avait retirée de son emplacement. Passant l'index dans le trou du moyeu, il sentit quelque chose de rugueux. Encore du sang séché? Le portrait se précisait doucement. Si c'était du sang, c'est par le trou au centre de la roue qu'il avait coulé et s'était retrouvé sur le plancher. On avait pris soin d'éponger et de nettoyer tout ce qui était apparent, mais on ne s'était pas donné la peine de retirer la roue et de nettoyer dessous.

Déterminé à aller au bout de l'affaire, Jérôme retira à nouveau la roue pour examiner le plancher de plus près à l'aide d'une torche électrique. La cavité, faite de tôle galvanisée, comportait deux sections qui se rejoignaient au milieu. La soudure était douteuse et il y avait une fissure par laquelle le sang s'était probablement échappé. La flaque séchée qu'il avait sous les yeux ne représentait donc qu'une partie de ce qui avait coulé par le trou de la roue de secours. Jérôme se glissa sous le véhicule et chercha à voir l'étendue des dégâts. Le réservoir à essence, fixé sous le plancher, lui obstruait la vue. Logiquement, si du liquide avait fui par cette fissure, il devait y en avoir sur le dessus du réservoir. Pour en être certain, il faudrait le démonter, ce qui n'était pas une mince affaire.

En retirant son gant de latex, Jérôme pensa à toutes ces choses inutiles qu'il faisait et imaginait depuis qu'il était en convalescence. Cette flaque de sang – qui n'en était peut-être pas – faisait-elle partie de ces lubies, de ces défaites qu'il échafaudait pour échapper à la réalité ? Se soigner n'avait rien de noble à ses yeux. Il lui fallait absolument s'occuper l'esprit. D'où cet interrogatoire qu'il avait imposé à Sanjay Singh Dhankhar et la piste du sang, qu'il était prêt à suivre jusque dans les entrailles de la Pontiac, quitte à faire démolir le véhicule.

Amusé par ces élucubrations, Jérôme remit la tente par-dessus la roue de secours et referma le hayon. Sanjay n'avait-il pas dit qu'il était indien, de l'État de l'Haryana ? La présence de cette tache de sang, si c'en était réellement, trouvait probablement son explication dans ce détail. Il était peut-être coutume chez les habitants de ce coin du monde de faire cuire un animal à la broche lors d'anniversaires. Les Dhankhar avaient acheté une chèvre ou Dieu sait quoi, qu'ils avaient fait dépecer chez le boucher avant de jeter la carcasse dans l'espace de rangement de la Pontiac pour la ramener chez eux. Du sang avait coulé. Personne ne s'en était inquiété. Ce soir-là dans le quartier Côte-des-Neiges, Sanjay avait sans doute fait un barbecue dans son jardin. Lui et sa famille avaient fêté en mangeant un plat de leur pays, l'Haryana. Il n'y avait rien de plus derrière cette tache de sang. Pourtant, Jérôme attrapa son téléphone dans la poche intérieure de sa veste et composa un numéro qu'il ne connaissait que trop bien. Tom O'Leary répondit aussitôt.

— Salut, c'est Jérôme. Comment vas-tu ?

— Je suis sur le tapis roulant et je ne vais nulle part, répondit O'Leary, le souffle court.

— Je voudrais que tu fasses quelque chose pour moi. J'ai un échantillon. Je crois que c'est du sang, mais je n'en suis pas certain. J'aimerais savoir à qui il appartient.

Il y eut un bruit au bout du fil. Le *bip bip* d'un ordinateur qu'on désactive, d'un tapis roulant qu'on met en pause. Jérôme entendait la respiration de l'Irlandais, qui n'était pas en état de parler. Il en profita.

— Ce n'est rien de bien précis. Une impression comme ça. Mais si c'est du sang, il y en a pas mal. Je te donne l'échantillon, tu le refiles au labo… tu inventes une raison. Tu peux faire ça pour moi ?

O'Leary mit un long moment à répondre. Jérôme comprit qu'il ne l'avait pas convaincu.

— Tu ne peux vraiment pas t'en empêcher, hein ? protesta l'Irlandais. Tu vois du sang partout !

— Attends ! Laisse-moi t'expliquer.

— Non, c'est moi qui t'explique, Aileron. T'as failli y passer parce que cet imbécile d'agent de sécurité s'est pris pour Babe Ruth. Il t'a broyé les os de la gueule comme s'il avait cassé des œufs dans une poêle. Compte-toi chanceux d'être là et surtout d'être au repos. Alors tu respires par le nez, tu n'enquêtes sur rien du tout, tu fais une pause et tu nous reviens en pleine forme dans un mois ou deux. D'accord ?

— Je vais mieux !

— Peut-être, mais il n'y aura quand même pas d'analyse au labo. Lynda a fait passer le mot. Tu mijotes sur le feu arrière parce qu'ils ont peur de toi. Ils n'en veulent pas de ton rapport sur le meurtre du juge, et tant que tu es en convalescence, ça arrange tout le monde.

Les propos d'O'Leary étaient un dur rappel à la réalité. Le court-circuit de Tony, dit la Belette, l'agent de sécurité d'Hydro-Québec qui l'avait envoyé au plancher, lui avait broyé l'os zygomatique et brisé la branche montante de la mandibule à deux endroits. L'affaissement du plancher orbitaire droit ajouté à cela, il lui avait fallu près de six mois pour s'en remettre. Jérôme insista tout de même :

— Il faut que tu comprennes ! J'ai rencontré ce type cet après-midi. Il avait quelque chose dans le regard.

— Quoi ? Qu'est-ce qu'il avait ?

— Le regard du tueur. Tu sais de quoi je parle. Tu l'as déjà vu toi aussi. Le type, il avait ça dans les yeux. Il te regarde et tu as l'impression d'avoir le canon d'un revolver pointé sur le front. Tu sais ce que je veux dire.

— D'accord ! Et tu peux me dire qui il a tué ? Où se trouve le corps de la victime ? Comment il s'y est pris ?

— Il n'y a personne. Il n'y a pas de mort. Seulement une impression pour l'instant. Une drôle d'impression.

— Alors il va falloir attendre qu'il tue quelqu'un, Aileron ! C'est comme ça. Mettre la charrue devant les bœufs, ça ne marche pas. Il faut procéder dans l'ordre. D'abord, il y a un meurtre… après on trouve le meurtrier. Pas le contraire.

— Je veux seulement savoir si c'est du sang. Et je veux que tu m'aides.

O'Leary fit une longue pause, comme s'il cherchait un reste de patience dans l'unique poche de son survêtement. Puis il murmura d'une voix étonnamment posée :

— T'as pris un sacré coup sur la tête, Jérôme ! Écoute, on va s'entendre sur un truc. Tu ne devais pas partir en voyage ? Aller faire du camping du côté du Pacifique ? Alors tu oublies le sang, tu oublies le type qui a le regard d'un tueur et quand tu reviens de vacances, on en reparle.

— Tu penses que je suis devenu dingue, c'est ça ?

— Je crois que ce serait bien que tu reviennes aux homicides parce que tu fais du bon travail et qu'on a besoin de toi, mais si tu t'entêtes à vouloir déposer un rapport que personne ne veut sur un juge qui est mort et enterré, tu te compliques la vie pour rien. Si, en plus, tu te lances dans des enquêtes sur des meurtres qui n'ont pas encore été commis, tu risques de faire rire de toi. C'est pas très bon, ça.

— T'aimes ça jouer au patron, hein ? Tu l'as toujours voulue, la place de Lynda, et là…

— Jérôme, j'essaie de t'aider !

Debout au milieu du garage souterrain, le téléphone collé à l'oreille, Jérôme baissa les épaules. O'Leary voulait certainement l'aider. En tout cas, il l'avait fait sans équivoque lorsque l'impensable s'était produit, dans l'ambulance qui l'emmenait à l'hôpital huit mois plus tôt. Pendant le trajet, il avait subi une chute de tension majeure. La mort était passée dans ses yeux, mais l'Irlandais n'avait jamais lâché sa main. Comme une ancre bien accrochée au réel, il lui avait interdit de s'éloigner, d'abandonner la partie, de partir pour de bon. Et c'est de justesse qu'on l'avait ranimé en arrivant à l'urgence.

— Elle revient demain, baragouina encore O'Leary, l'air déçu. Je sais de quoi je parle. Elle ne veut pas te voir tant que tu n'auras pas rangé ton rapport sur le juge.

Au même moment, il entendit la voix de Florence au fond du garage :

— Ça va, Jérôme ? Tu viens ?

O'Leary avait retrouvé ses moyens à l'autre bout du fil. Sa respiration était régulière maintenant. Après l'hospitalisation de Jérôme, c'est lui qui avait pris la direction des homicides. Une situation qu'il avait appréciée, de toute évidence. Mais le retour de Lynda signalait la fin de la récréation, d'où cette pointe de déception dans sa voix.

— Alors, si je comprends bien, pas d'analyse au labo, résuma Jérôme. La patronne est de retour. Tu te retrouverais dans une situation gênante.

L'Irlandais se garda bien de répondre. Il joua plutôt au bon père :

— Je comprends que tu sois anxieux, Jérôme. Mais il faut que tu t'en remettes. Elle a parfaitement raison, Lynda. Ça te fera le plus grand bien, ce voyage. Il y a autre chose que la police dans la vie.

C'était fabuleux d'entendre O'Leary parler ainsi, lui, l'ambitieux, l'opiniâtre.

— On se reparle, fit Jérôme sans plus insister.

Les bras croisés, Florence l'attendait toujours au fond du garage.

— Monte ! lança-t-il. J'en ai pour quelques minutes.

Elle lui fit un petit signe de la main et rebroussa chemin. Déterminé à en avoir le cœur net, Jérôme fouilla dans sa sacoche en cuir, y trouva un sac de plastique et le couteau suisse dont il ne se séparait jamais. Retirant à nouveau le pneu de secours, il se pencha au-dessus de la tache et la gratta avec la pointe de la lame. Non sans difficulté, il parvint à détacher trois croûtes de deux centimètres sur trois. Des parcelles qui ne constituaient qu'une petite partie de la prétendue flaque de sang. Poussant plus avant la curiosité, il souleva légèrement la tôle à l'endroit où le métal était dessoudé. L'interstice était bouché par une masse rougeâtre. Jérôme replia le couteau, ferma le sac de plastique dans lequel il avait mis les échantillons et glissa le tout dans la sacoche en cuir.

* * *

Jérôme s'arrêta à la pharmacie située au rez-de-chaussée du Port-de-Mer. Le pharmacien eut un drôle d'air lorsqu'il lui demanda du sérum physiologique.

— Vous avez besoin de sérum ? s'enquit-il.

— Oui, mais une petite quantité. Et un compte-gouttes aussi.

Ce n'était pas le genre de requête qu'on lui faisait habituellement. L'homme se montra d'abord hésitant.

— Vous êtes le fils de Mme Marceau, n'est-ce pas ? La dame du septième étage ?

Il acquiesça. À voir la tête du pharmacien, Jérôme comprit que celui-ci l'avait reconnu. Sans doute l'avait-il vu à la télévision pendant l'enquête sur l'assassinat du juge. Rassuré, l'homme disparut dans les allées de sa pharmacie. Deux minutes plus tard, il était de retour avec une fiole, un compte-gouttes et un sourire accroché aux lèvres.

— C'est tellement rare qu'on nous demande cela ! J'suis désolé de...

Il n'était pas allé au bout de sa phrase. Jérôme aurait dû se taire mais il précisa :

— C'est pour ma mère.

Ces mots ne firent que ranimer la suspicion du pharmacien. En quoi cinq millilitres de sérum pouvaient-ils être utiles à une vieille dame ? Avant qu'il ne lui pose d'autres questions, Jérôme glissa un billet de dix dollars sur le comptoir, l'invita à garder la monnaie et laissa tomber :

— Elle a de ces idées, des fois ! Mais ne vous inquiétez pas. Je l'ai à l'œil !

Le pharmacien parut satisfait. Sans plus tarder, Jérôme emprunta l'ascenseur et monta au septième. Florence l'attendait devant la porte de son appartement. Il lui fit la bise et fila tout droit vers la salle à manger, où il chercha un ramequin dans le vaisselier. Sa mère était habituée à ses manières. Sans se formaliser, elle se mit à lui faire la conversation.

— Mon problème, au fond, c'est la mémoire. J'oublie des choses alors qu'il y en a d'autres, en général inutiles, qui tournent et retournent sans cesse dans ma tête comme si elles étaient essentielles... Tu vois ce que je veux dire ?

— Mmm... la mémoire.

— J'ai fait des recherches. Et tu sais ce que j'ai trouvé ?

Jérôme était toujours inquiet lorsque Florence lui annonçait qu'elle avait fait des recherches. Immanquablement, elle en venait à parler de thalidomide.

— On appelle ça une pathologie sympathique. Un peu comme ces instruments de musique qui ont des cordes qui vibrent par sympathie. Tu vois ce que je veux dire ? Sur une vielle, par exemple. Une vielle a des cordes sympathiques.

— Je ne vois pas du tout de quoi tu parles, maman !

Jérôme ouvrit sa sacoche en cuir, prit le sac de plastique dans lequel il avait glissé les échantillons et le déposa sur la table. Enfilant son gant de latex, il plaça ce qu'il croyait être une parcelle de sang séché dans le ramequin. D'un geste précis, il dévissa le bouchon de la fiole et à l'aide du compte-gouttes mouilla l'échantillon avec du sérum.

— Ce que j'essaie de dire, poursuivit Florence, c'est que mes maux de tête, je les ai peut-être par sympathie... parce que tu as attrapé ce vilain coup dans la figure et que tu as eu des migraines toi aussi.

— Ah oui ? fit Jérôme sans vraiment l'écouter.

— C'est un phénomène documenté. Il arrive parfois que des mères souffrent des mêmes maux que leurs enfants. Un transfert affectif, en quelque sorte.

— Maman, je ne suis pas un enfant !

— Non, mais tu as failli mourir. Et tu n'as pas la moindre idée de ce que j'ai vécu. Comment je l'ai ressenti. Si tu étais mort, Jérôme, je ne t'aurais pas survécu. J'en serais morte aussi !

Il abandonna son expérience et se tourna vers sa mère. Florence avait les larmes aux yeux. Elle était si frêle et si vulnérable ! Presque tremblante dans son petit gilet de laine verte, qu'elle tenait fermé de ses deux mains sur sa poitrine.

— Tu m'as fait peur, Jérôme !

Elle lui avait souvent parlé de ce qu'elle avait ressenti après l'incident de la rue Lajeunesse, ce malheureux coup de bâton qui l'avait envoyé aux soins intensifs de l'hôpital Saint-Luc, mais jamais de cette façon.

— Mes migraines, c'est parce que je l'ai un peu reçu moi aussi, ce coup au visage.

— Je ne crois pas, maman. Nos misères nous appartiennent. Si tu as mal à la tête, c'est que quelque chose ne va pas. Tu vas voir un médecin et tout va s'arranger.

Il la serra de son unique bras. Elle s'abandonna complètement à lui mais continua néanmoins de s'inquiéter.

— Pourquoi tu refuses de m'entendre ? Il se peut que j'aie mal pour toi. Ce n'est pas impossible.

— Je te jure que c'est impossible, maman. Ton histoire... ta pathologie sympathique, ça n'existe pas. J'ai pris un coup sur la tête. Ça va mieux maintenant. Et toi, tu as des migraines. C'est autre chose.

— Mais...

— Tu es attachée à moi. Tu as eu de la peine... mais ça, ce sont les émotions.

— Tu ne connais rien aux émotions, Jérôme ! Tu as toujours nié les tiennes. Comment peux-tu me faire la leçon ?

Il ne voulait surtout pas la contrarier. Florence avait vieilli de dix ans, lui semblait-il, depuis qu'il avait failli tirer sa révérence. Et il était vrai que ses pertes de mémoire étaient plus fréquentes. Debout près de la table, il se mit à la bercer. La voix d'O'Leary revint le hanter. C'était bien la preuve que Florence disait vrai. Incapable de vivre l'instant, de partager les sentiments de sa mère, il pensait plutôt à l'Irlandais. À ce que celui-ci lui avait dit. Tant qu'il s'entêterait à déposer un rapport définitif sur les circonstances ayant mené à l'assassinat du juge Rochette, la porte des homicides lui serait fermée.

— Je vais t'accompagner à ce rendez-vous, fit-il en essayant d'oublier cette histoire. Ça va bien se passer, le médecin va te prescrire un médicament et tes migraines vont cesser. Il n'y aura pas de problème.

En prononçant ces mots, il repensa à Sanjay Singh Dhankhar. C'est ce que l'Indien lui avait dit en lui remettant les clefs de la Pontiac. Sa mère tremblait de tout son être, serrée contre lui. Il n'avait qu'une envie, jeter un œil vers le ramequin pour voir si le sérum avait dissous le sang séché. Mais il n'en fit rien parce qu'il devait rester là. Cesser de fuir lorsqu'il se passait quelque chose. Florence lui reprochait d'être incapable de s'abandonner à ses émotions. Il essayait si fort qu'une chose étrange se produisit alors. L'ombre d'un instant, il eut l'impression de tenir une morte dans son bras. Sa mère était tiède. Et inerte. C'était la première fois qu'il éprouvait un tel sentiment. Pire encore, il s'imagina que s'il lâchait prise, s'il desserrait son étreinte, elle s'effondrerait à ses pieds. Il cherchait à comprendre ce qui lui arrivait lorsque Florence lui souffla à l'oreille :

— C'est quoi, cette tache rouge dans le ramequin ?

Ressentir une émotion était une chose, l'avouer en était une autre. Surtout à une mère envahissante comme la sienne, qui se nourrissait de pathologies sympathiques tout en lui disant qu'il était incapable de sentiments. Il continua de la serrer, espérant qu'elle ne ressentirait pas le frisson qui le traversait.

— On dirait du sang.

Florence avait les yeux rivés sur le ramequin, comme si elle regardait le diable en personne. Jérôme relâcha son étreinte, jeta un œil et sentit son cœur s'emballer. Ainsi, il ne s'était pas trompé. En laissant tomber quelques gouttes de sérum sur cette croûte rougeâtre recueillie dans la Pontiac, le sang séché s'était dissous et avait retrouvé sa consistance initiale. Il se pencha pour voir de plus près. Et pour sentir. Il n'y avait aucune odeur. Et surtout, rien ne disait que c'était du sang humain.

— Mais d'où vient donc ce sang ? lui demanda Florence.

Jérôme se garda bien de lui dire ce qui lui avait traversé l'esprit. Florence l'aurait trouvé ridicule. Il lui raconta plutôt qu'il faisait plein de choses inutiles en ce moment, que cela le détendait beaucoup et que ces quelques gouttes de sang faisaient partie du futile et du superflu de son existence actuelle, un passage à vide comme il n'avait jamais osé s'en permettre jusque-là. Elle n'en crut pas un mot.

— Raconte ça à quelqu'un d'autre, marmonna-t-elle.

Comme elle insistait pour en savoir plus, il lui avoua ce qui était sans doute la plus probable des explications.

— J'ai acheté la voiture d'un Indien. À mon avis, il a dû transporter une pièce de viande ou un truc du genre. Du sang a coulé. Il ne l'a pas nettoyé avant de me la vendre. Pas de quoi fouetter un chat.

Cette fois, l'argument trouva preneur. Florence cessa de s'intéresser aux quelques gouttes de sang dans le ramequin et Jérôme se persuada qu'il devait faire de même.

Le troc

Jérôme était rentré chez lui vers vingt et une heures. En empruntant ses pistes habituelles, le métro et une enfilade de corridors climatisés, il avait échappé à la chaleur accablante de ce mois de juillet. Le jardin d'acclimatation qu'était le Montréal souterrain lui seyait aussi bien l'été que l'hiver. Malgré la rigueur de ce pays, il avait une vie tempérée. Sitôt dans son appartement des Cours Mont-Royal, il se mit au lit en étalant ses cartes routières devant lui. Il voulait s'assurer que son trajet serait le même que celui du livre qui l'avait inspiré. Mais cette histoire de sang séché revint le hanter. Comment être certain que ce sang était vraiment celui d'un animal et depuis combien de temps au juste cette tache était-elle dans le fond de la Pontiac ?

Il se releva pour ranger la fiole de sérum ainsi que le sac contenant le reste des échantillons dans le frigo, puis continua de tourner et de retourner cette affaire dans sa tête en allant et venant dans l'appartement. Au bout d'une heure, la fatigue le gagna et il jeta l'éponge sans être arrivé à la moindre conclusion. Dès qu'il toucha l'oreiller, il s'endormit mais ne trouva pas la quiétude pour autant. La tête de Sanjay Singh Dhankhar le poursuivit une bonne partie de la nuit, apparaissant dans des rêves aussi saugrenus les uns que les autres. Tour à tour, l'Indien était le nouvel adjoint de Lynda Léveillée, de retour aux homicides et plus déterminée que jamais à étouffer l'affaire du juge Rochette. Il était aussi l'amant de Florence, pourtant beaucoup plus âgée que lui. Il se liguait enfin avec O'Leary dans une poursuite interminable qui ramenait Jérôme dans une funeste ruelle, où un agent de sécurité d'Hydro-Québec l'attendait avec un bâton de baseball.

La sonnerie de son portable l'extirpa d'un cauchemar, dont le souvenir s'effaça instantanément lorsqu'il ouvrit l'œil. Sa nuit avait été dantesque et la voix qu'il reconnut aussitôt au bout du fil ne fit rien pour arranger les choses:

— Jérôme, c'est Blanchet à l'appareil. Je ne te réveille pas, j'espère?

Il faillit raccrocher sans dire le moindre mot. Cette femme était l'image même de la trahison. Pendant l'enquête entourant la mort du juge, elle avait joué un double jeu impardonnable, rapportant ses faits et gestes à la patronne du service, alors hospitalisée. Une championne de la fourberie et du mensonge.

— Je sais que tu m'en veux, Jérôme. Mais ce n'est pas ce que tu penses.

Il la laissa parler. Elle finirait bien par se pendre, ce qui lui épargnerait de le faire lui-même.

— C'est pour travailler avec toi que j'ai demandé d'être mutée aux homicides. Ta réputation, tu ne peux pas la nier. À la Sécurité et au Contrôle souterrains, tu es une vedette.

Blanchet flagornait. Mais elle perdait son temps. Cette femme était morte à ses yeux.

— À trois reprises depuis un an, j'ai rencontré Lynda pour lui dire que je voulais faire équipe avec toi. La porte est restée fermée... jusqu'à ce qu'elle tombe malade.

Peut-être. C'était dans le style de Lynda, en tout cas. Elle commençait par affamer ses éventuels collaborateurs pour exacerber leur désir, ensuite elle les nourrissait à petites bouchées en prenant bien soin de dicter ses conditions. C'est de cette façon que Jérôme était lui-même passé de la SCS aux homicides. Combien de fois avait-il rencontré la patronne en exhibant son dossier exemplaire, en défendant le statut de premier de classe qu'il avait acquis comme enquêteur à la Sécurité et au Contrôle souterrains ! Chaque fois, la réponse avait été la même :

— Un manchot dans la police, ça n'existe pas !

Jérôme existait bien pourtant dans les corridors et les souterrains de la ville. Personne ne connaissait mieux que lui ces catacombes. Depuis que le service avait été créé, personne n'avait résolu autant de crimes, mené à bien autant d'enquêtes que lui dans les sous-sols de la ville. Lynda Léveillée n'en voulait pas pour autant. Ou plutôt si, elle était prête à miser sur sa tête, mais aux conditions et au moment qu'elle jugerait opportuns. Lorsqu'elle lui avait enfin donné sa chance, malgré son petit bras et la couleur de sa peau, il lui était complètement inféodé. Pendant des années, il avait fait la taupe, rapportant à la patronne tout ce qu'il entendait chez ses collègues, toutes les confidences qu'on lui faisait. Il ne se pardonnait pas d'avoir fait ce sale boulot, mais il avait ses raisons. Rien en revanche n'excusait Blanchet de l'avoir espionné. Elle n'était ni manchote ni basanée.

— Je voudrais que tu m'aides, lança Blanchet, un trémolo dans la voix. J'ai besoin de toi.

— C'est impossible. Je suis en convalescence.

— Justement. C'est parce que tu ne travailles pas que tu peux m'aider.

Peu importe les raisons qu'elle invoquerait, il n'était pas question de lever le petit doigt pour elle.

— Il est arrivé quelque chose cette nuit. En dessous. Un vol. Un gros truc. La GRC est sur le coup... avec nous. Mais il nous manque de l'information. De l'information que tu as peut-être. C'est quelque chose de majeur. Quelque chose qui touche à la sécurité nationale...

Blanchet en mettait, de toute évidence. Jamais la GRC et la SCS n'auraient fait équipe sur le même coup. Encore moins pour une question de sécurité nationale. Il fit un bruit avec sa bouche, pour bien lui faire comprendre que cette conversation l'ennuyait.

— Il y a eu un vol dans les voûtes souterraines de la Place Guy-Favreau. Je ne peux pas t'en dire plus.

Une bougie s'alluma dans le cerveau encore endormi de Jérôme. L'évocation de la Place Guy-Favreau, un immeuble du gouvernement fédéral en plein centre-ville de Montréal, et plus particulièrement de ses caveaux souterrains ramena de vieux souvenirs à sa mémoire.

— Quelque chose qui s'est passé sous la Place Guy-Favreau, marmonna-t-il en se redressant sur son lit.

Le ton de Blanchet changea brusquement. Comme ces pêcheurs placides qui pendant des heures ne disent mot en taquinant le poisson pour tout à coup s'animer lorsque celui-ci mord, elle se mit à le mitrailler :

— Ça s'est passé cette nuit. La piste est encore chaude, mais il ne faut pas perdre de temps. À neuf heures, il y a une rencontre avec les enquêteurs de la GRC... sur les lieux. Je leur ai dit que je viendrais avec quelqu'un. Quelqu'un d'expérience. C'est à toi que je pensais, bien sûr. Tu dois être là.

— C'est un vol, tu dis ? Je ne fais pas dans les vols, moi !

En disant ces mots, Jérôme pensa au sang qu'il avait trouvé la veille dans sa Pontiac et à l'expérience à laquelle il s'était livré chez sa mère. Il n'était pas question de pardonner à Blanchet ce qu'elle avait fait. En revanche, cette jeune ambitieuse pouvait peut-être lui ouvrir les portes du labo, ce qu'O'Leary avait refusé de faire.

— Et qu'est-ce que tu me donnes en échange ?

— Ce que tu veux, répondit-elle sans hésiter.

Jérôme nota un changement dans le ton de sa voix, une inflexion dans le « ce que tu veux » qui relevait, eut-il l'impression, de la séduction. Blanchet était consentante, quelle que soit la demande qu'il lui adresserait. Elle avait des choses à se faire pardonner.

— Et elle a lieu où, cette rencontre ?

— Troisième sous-sol de la Place Guy-Favreau. Local C 321. J'envoie une voiture te prendre, si tu veux.

— Pas nécessaire. Je passerai par-dessous. Mais j'aimerais te voir avant dans les locaux de la SCS de l'immeuble d'Hydro-Québec, juste en face.

Blanchet sembla surprise par cette requête mais fit un effort pour n'en rien laisser paraître, trop contente de l'avoir convaincu.

— Ah oui, autre chose ! ajouta Jérôme. Les homicides ne doivent rien savoir. On s'entend ?

— C'est un vol ! Pas un meurtre. Il n'y a pas de raison.

— On t'a dit que Lynda revenait au boulot ce matin ? Ses médecins lui ont donné le feu vert.

— C'est O'Leary qui avait pris la relève après ton accident, n'est-ce pas ?

Jérôme émit un grognement en guise de réponse. Elle avait éludé la question, sans doute parce qu'elle le savait.

— T'inquiète pas. Personne n'en saura rien. On a besoin de ton expertise. C'est un gros coup !

— On se retrouve à huit heures quarante-cinq, conclut Jérôme en refermant son portable.

Sans perdre un instant, il se dirigea vers la cuisine, ouvrit la porte du frigo, mais au lieu de prendre le litre de jus comme il le faisait chaque matin, il sortit la petite fiole de sérum et le sac de plastique contenant les croûtes de sang séché. Les glissant dans une des pochettes de son sac en cuir, il prit ensuite son ordinateur et s'installa dans le salon. Pour cette rencontre, il aurait besoin d'un dossier qu'il s'était efforcé d'oublier depuis quinze ans. Le document se trouvait sur un CD, qu'il gardait à l'abri des regards derrière une rangée de livres de sa bibliothèque. C'était une copie de l'original, qu'il avait faite clandestinement à l'époque, parfaitement conscient qu'il brisait toutes les règles, qu'il trichait sans vergogne. Pour toute identification, deux mots et une date avaient été inscrits au feutre sur le disque : *Protocole de 95.*

Pendant qu'il transférait l'information, il sortit son plus beau veston, celui que sa mère lui avait acheté pendant qu'il remplaçait Lynda à la tête des homicides. Il devrait se raser aussi, ce qui n'était jamais simple avec son petit bras. Mais il tenait à se présenter sous son meilleur jour devant Blanchet et les enquêteurs de la GRC.

* * *

Lorsque Jérôme déposa les échantillons de sang sur le comptoir du local de la SCS, dans les sous-sols de l'immeuble d'Hydro-Québec, Blanchet ne posa aucune question. Le tout serait envoyé au laboratoire dans l'heure. Avec un peu de chance, on aurait les résultats en fin de journée. Pas de surprise, donc. En revanche, elle était intriguée par le choix de cet endroit pour leur rencontre.

— Pour la discrétion, on peut difficilement trouver mieux, justifia Jérôme.

Avec force détails, il lui expliqua que ce poste était un des moins fréquentés du réseau. La Sécurité et Contrôle souterrains y avait longtemps maintenu une présence. Jusqu'au début des années 2000, le bureau montréalais du premier ministre de la province se trouvait au douzième étage de l'édifice. Le sous-sol étant relié au reste du réseau urbain, cette vigie faisait partie de la sécurité rapprochée de l'homme politique. Depuis, il avait pratiquement été abandonné. Seul un agent y était de faction le jour ; le soir, le local était carrément fermé.

— Alors, c'est quoi ce vol du siècle ? demanda Jérôme.

— Pas ici, fit Blanchet en faisant disparaître les échantillons qu'il venait de lui remettre.

Elle ajouta en lui lançant un regard ingénu :

— Est-ce qu'il y a autre chose que je peux faire pour toi ?

Il y avait effectivement autre chose. Sur une fiche, Jérôme avait inscrit le nom de Sanjay Singh Dhankhar ainsi que son adresse sur la rue Kent. Il la remit à Blanchet.

— Depuis que je suis au repos, on m'a retiré mes codes d'accès aux banques de données. C'est comme si on m'avait arraché mon deuxième bras. J'aimerais que tu me trouves tout ce que tu peux sur cet homme.

Blanchet regarda vaguement la fiche et la glissa dans sa poche, toujours sans poser de questions.

— La rencontre est prévue pour neuf heures. Vaudrait mieux y aller.

C'est en faisant route vers le complexe Desjardins par un corridor de service qui relie les deux immeubles que Blanchet lui donna les détails du vol perpétré la nuit précédente dans l'édifice fédéral voisin. Des malfrats s'étaient introduits dans les voûtes du troisième sous-sol de la Place Guy-Favreau et avaient subtilisé dix cartons contenant cinq mille passeports vierges. Les précieux documents étaient stockés dans cet endroit avant d'être remplis et remis aux demandeurs, qui en faisaient la requête au deuxième étage du même édifice. Il n'y avait pas eu d'effraction lors du vol. C'était en apparence un délit d'initiés. Ceux qui avaient fait le coup savaient que les passeports se trouvaient là, ils avaient les clefs pour pénétrer dans la voûte et n'avaient pas laissé le moindre indice derrière eux.

— C'est un crime qui a des répercussions considérables. Depuis les attaques du 11 septembre, les Américains nous ont à l'œil. C'est beaucoup plus difficile d'entrer aux États-Unis parce qu'il faut montrer patte blanche. Mais s'il y a cinq mille passeports vierges qui se promènent dans la nature…

— Je ne vois pas en quoi je peux leur être utile, fit remarquer Jérôme.

— Je me suis posé la même question. Qu'est-ce que la SCS vient faire là-dedans ?

Ils firent surface au premier sous-sol du complexe Desjardins et se dirigèrent vers le couloir reliant le grand hall à la Place Guy-Favreau. Des badauds se pressaient autour d'eux. Ils se firent discrets, feignant même de ne pas se connaître. L'échange reprit lorsqu'ils s'engagèrent dans le long couloir filant sous le boulevard René-Lévesque.

— L'escouade antiterroriste est sur le coup. La GRC aussi, bien sûr. La Sûreté du Québec également. Et il y a nous. Parce que déménager dix cartons de passeports, ça laisse des traces, tu comprends. Sauf qu'il n'y en a aucune. Rien.

— Les caméras de sécurité n'ont rien capté ?

— Pas la moindre image. C'est la première chose qu'ils ont vérifiée ce matin. Les bandes de toutes les issues ont été visionnées. Absolument rien. Alors ils ont pensé à nous. Le réseau souterrain de la ville. Ils croient que c'est par chez nous que les dix cartons ont été évacués. Mais on a vérifié nous aussi. Pas la moindre trace. Cinq mille passeports volatilisés !

Les étages inférieurs de la Place Guy-Favreau grouillaient de policiers. Blanchet montra patte blanche en agitant son badge de la SCS. Un agent de la GRC les dirigea vers un ascenseur. Les portes se refermèrent et, trois minutes plus tard, ils étaient assis autour d'une table dans le local C 321 en compagnie de quatre enquêteurs, qui avaient tous un téléphone portable vissé à l'oreille et les yeux rivés à un ordinateur. André Bélanger, de la SQ, fut le seul à saluer Jérôme. Les autres, ceux de la GRC et du SPVM, l'ignorèrent. Jérôme détestait ce genre de réunion. Il aurait préféré qu'on l'emmène dans la voûte où le vol avait été perpétré, qu'on lui permette de voir et de renifler. Pendant vingt longues minutes, il écouta Pierre Leblanc, le *nerd* de la GRC en charge de l'enquête, faire la liste de toutes les issues par lesquelles les voleurs n'étaient pas passés. Le personnage avait un accent qu'il ne parvenait pas à identifier. Son laïus, ponctué d'appels téléphoniques, de textos envoyés et reçus ainsi que de notes prises à la volée sur son ordinateur se termina sur un échec et mat. Le sous-sol de la Place Guy-Favreau était une véritable forteresse. Y accéder ou en sortir sans être repéré était tout simplement impossible. Tout avait été vérifié et contre-vérifié. En apparence, les dix boîtes de passeports vierges n'avaient jamais été retirées de la voûte où elles étaient entreposées. Pourtant, elles n'y étaient plus. Jérôme hasarda une hypothèse :

— Si on ne les a pas sorties, c'est peut-être qu'elles y sont toujours.

L'enquêteur de la GRC parut agacé par ce commentaire. Cet intrus, ce sans-grade invité par la jeune enquêteure de la SCS, mettait-il en doute les efforts fournis par son équipe depuis que le vol avait été signalé ? semblait-il se demander. Leblanc répondit à un autre appel et pianota un message sur le clavier de son téléphone avant de laisser tomber :

— Toutes les voûtes de l'étage ont été contrôlées. Comme ceux des deux étages en dessous. Dans le local C 421, où se trouvent les vaccins Tamiflu qui n'ont pas été utilisés au moment de la crise H1N1, quatre cents boîtes ont été ouvertes pour vérifier si elles ne contenaient pas les passeports, qui auraient pu s'y retrouver par erreur. À l'étage au-dessus, le coffre-fort de la Banque du Canada a été passé au peigne fin. On a regardé du côté des Archives et des titres au cinquième sous-sol. Rien là non plus.

Plus qu'un château fort, le sous-sol de cet immeuble fédéral était une sorte d'avant-poste du Trésor national. Chaque ministère important y possédait une voûte. La Banque du Canada y conservait de l'or et des réserves considérables de billets de banque. Les Archives nationales y gardaient les titres de propriété de tous les immeubles, ponts et tours de contrôle d'aéroports que possédait l'État sur le territoire québécois. Lorsque les crises de la fièvre porcine et du H1N1 avaient éclaté, les médicaments nécessaires à les combattre y avaient été stockés. À bien des égards, les sous-sols de la Place Guy-Favreau étaient un prolongement du pouvoir national, un satellite de la richesse commune nécessaire au bon fonctionnement du pays, un pactole formidable dont très peu de gens connaissaient l'existence. Si dix caisses de passeports vierges pouvaient disparaître aussi aisément, il y avait péril en la demeure.

— Avez-vous pensé au référendum de 1995 ? lança Jérôme alors que Leblanc finissait d'énumérer la liste des voûtes qui avaient été fouillées.

André Bélanger, l'enquêteur de la SQ, faillit s'étouffer.

— C'est quoi le rapport ?

La question de Jérôme resta sans réponse. Le malaise, par contre, courut un long moment dans le regard des cinq enquêteurs réunis autour de la table. Ils cessèrent de jouer avec leur téléphone et de taper sur leur clavier, l'air de se demander s'ils avaient bien entendu. C'est Blanchet qui finalement s'éclaircit la voix en se tournant vers Jérôme. Elle allait lui dire que son intervention était hors de propos. Pierre Leblanc lui coupa l'herbe sous le pied en reprenant la parole et en l'ignorant royalement.

— Si on a invité une représentante de la SCS, c'est qu'il existe une hypothèse qu'on ne peut pas vérifier pour l'instant. Le réseau souterrain de la ville de Montréal est immense. C'est peut-être de ce côté qu'il faut chercher. Les boîtes n'ont pas été montées vers les étages supérieurs de l'édifice. Elles ont peut-être été transférées dans le réseau souterrain de la ville pour être évacuées par d'autres voies.

— Les passeports ont pris le métro, lança le représentant du SPVM, une espèce d'armoire à glace qui semblait se trouver drôle.

Son commentaire n'amusa personne, mais il était plus sensé qu'il n'en avait l'air. Alors que chacun autour de la table y allait de ses hypothèses, Jérôme fit le décompte. Pierre Leblanc, l'enquêteur de la GRC qui dirigeait la réunion, avait tout au plus trente ans. Avec son visage poupon, sa manie de texter, de parler au téléphone et de consulter sans cesse son ordinateur, il avait l'air d'un adolescent. Blanchet avait vingt-huit ans. Il l'avait vu dans les documents qu'elle lui avait présentés lors de son embauche. Bélanger, de la Sûreté du Québec, lui aussi obsédé par son téléphone, était un jeunot d'âge indéfini. Quant au plus discret de la bande, le baraqué du SPVM que Jérôme n'avait jamais vu, il semblait à peine sorti de l'école de police. Le scrutin de 95 était du domaine de la préhistoire pour eux. Faire un lien entre cette consultation populaire et la disparition des passeports était un anachronisme, voire un relent de nationalisme qui n'avait pas sa place dans cette rencontre.

— D'ici quatorze heures, toutes les bandes de surveillance du réseau de la SCS auront été passées en revue, lança Blanchet sur un ton volontaire. Nous avons doublé le personnel de surveillance dans les corridors et les souterrains reliés au complexe. C'est l'état d'alerte.

Leblanc la gratifia d'un sourire. Aussi mignonne fût-elle, il ne pensait pas que cette jeune enquêteure d'un service de sécurité relevant du SPVM puisse lui être d'une grande utilité. Elle avait été invitée à cette table pour une raison toute simple, qu'il exposa en des termes on ne peut plus directs :

— Ce que nous voulons obtenir de vous, en fait, c'est la permission pour nos hommes de circuler librement dans votre réseau pour y mener leur propre enquête. Les corridors, tunnels et couloirs souterrains de la ville ne font pas partie de notre juridiction, on le sait bien... sauf que, comme le temps presse, ce serait plus efficace si on procédait ainsi. Disons que... on n'est pas obligés de le crier sur les toits !

Blanchet n'était pas en position d'acquiescer à une telle demande. Elle n'en avait pas l'autorité. Permettre une opération conjointe et clandestine entre les agents de la SCS et ceux de la GRC relevait de la direction du service, mais elle répondit bravement :

— Je crois que c'est possible, oui. Laissez-moi faire un téléphone ou deux et je vous reviens.

Sans rien ajouter, elle quitta la pièce, laissant Jérôme au milieu de ces hommes qui l'ignoraient. Habituellement, en pareille circonstance, il se sentait un moins que rien, fondait sur sa chaise et s'apitoyait sur son petit bras, une tare qui le diminuait aux yeux de tous. Ce matin-là, pourtant, il n'en était rien. Sans doute parce qu'il savait où se trouvaient les dix cartons de passeports. Enfin, il le devinait. Pour en être certain toutefois, on devait lui permettre de visiter la voûte, afin qu'il voie de ses yeux le local où ils avaient été entreposés, et surtout lui faire connaître le numéro d'identification de la pièce. Pour l'instant, il était dans le noir. Et comme il n'avait pas remis les pieds dans les sous-sols de la Place Guy-Favreau depuis seize ans, tout cela était très loin dans sa mémoire. Il se tourna vers André Bélanger, le représentant de la SQ, dans l'espoir d'attirer son attention et peut-être de partager son intuition. Mais celui-ci l'évitait. Lorsque leurs regards se croisèrent, il lui tourna carrément le dos.

Au bout de quelques minutes, Blanchet regagna la salle C 321. Elle annonça d'une voix ferme que ses supérieurs ne voyaient pas d'inconvénient à ce que les agents de la GRC mènent une action commune avec ceux de la SCS. L'accès à tous les passages de service, corridors d'entretien et tunnels de sécurité leur serait accordé. L'opération durerait aussi longtemps que Leblanc le jugerait bon. Jérôme se pencha vers Blanchet et lui souffla à l'oreille :

— J'aimerais bien voir où ils étaient rangés, ces fameux passeports. Je crois que c'est important.

Pierre Leblanc, qui avait l'oreille fine, sourcilla en entendant ces mots. Élevant la voix, il annonça, toujours en ignorant Jérôme :

— C'est tout pour l'instant. On se revoit à dix-huit heures... mais en comité restreint, cette fois.

L'enquêteur de la GRC avait obtenu ce qu'il voulait de Blanchet. L'opération réunissant les agents de la SCS et ceux de la GRC durerait toute la journée. Lorsque le secteur souterrain à proximité de la Place Guy-Favreau aurait été ratissé, on ferait le point avant d'élargir le périmètre des recherches. André Bélanger, qui était le seul à avoir salué Jérôme à son arrivée, le snoba sans vergogne en quittant la salle. Leblanc le suivait en parlant dans son téléphone. Tout compte fait, la présence de Jérôme à cette rencontre avait été parfaitement inutile.

* * *

Lorsque Jérôme et Blanchet descendirent de l'ascenseur au rez-de-chaussée de la Place Guy-Favreau, la jeune enquêteure lui lança sans détour :

— Franchement, t'aurais pu te retenir avec ton référendum de 1995 !

— Et toi, tu as mangé dans leur main comme une petite étourdie !

Elle eut un coup de sang. Blanchet avait invité Jérôme parce qu'elle souhaitait qu'il l'aide. Tout au long de la rencontre, il était resté coi et lorsqu'il avait ouvert la bouche, il n'avait rien trouvé de mieux à faire que de dire une bêtise.

— Je regrette de t'avoir invité !

— Ils s'en foutent complètement de la SCS ! rétorqua-t-il. Ils t'ont demandé de venir parce qu'ils veulent faire le travail à votre place. L'opération conjointe avec les agents de la Sécurité et du Contrôle souterrains, c'est de la bouillie pour les chats ! Ils ne voulaient pas savoir ce qu'on avait à leur dire. Trop occupés à penser qu'ils savent déjà tout ! Mais ils ne savent rien !

— Aileron, t'es qu'un vieux ronchonneur ! Un grognon complètement dépassé ! Si t'avais des idées, pourquoi tu ne l'as pas dit ? C'était quoi, ton histoire de référendum ? Une diversion ? T'aurais aimé qu'on te pose des questions, peut-être ? Qu'on t'interroge sur tes grandes connaissances ?

Alors que Blanchet postillonnait, la sonnerie de son portable se fit entendre. Elle déploya le petit appareil, hors d'elle:

— Oui, c'est Blanchet!

Jérôme entendit un grésillement à l'autre bout du fil. Des mots qui ne firent qu'accentuer l'agitation de l'enquêteure. C'est en vociférant qu'elle mit un terme à la conversation:

— J'ai changé d'idée! Il n'y en aura pas, d'échantillons sanguins. Oubliez ça!

Cette petite pimbêche lui aurait donné un coup de pied au cul qu'elle ne l'aurait pas davantage humilié. Une heure plus tôt, elle s'était engagée à faire analyser les échantillons qu'il lui avait remis. Et voilà qu'elle disait au labo qu'elle ne leur enverrait pas!

— Non mais, pour qui vous vous prenez avec vos trente ans et vos téléphones? Vous avez tout vu, vous connaissez tout! Ça n'a pas le nombril sec et ça se permet de mépriser tout ce qui bouge! Eh bien, figure-toi que j'ai une petite idée d'où ils se trouvent, moi, les passeports volés! Je serais même prêt à gager cent dollars là-dessus! Mais ça, c'est pas important! Un ronchonneur comme moi, c'est beaucoup trop con pour avoir raison!

Jérôme criait au milieu du grand hall de la Place Guy-Favreau, attirant les regards des badauds et des nombreux policiers qui allaient et venaient. Le visage empourpré, il s'approcha de Blanchet et lui lança d'une voix étouffée:

— Peut-être que vous savez tout, toi et tes petits amis, mais vous n'avez pas l'air de connaître le *Protocole de 95*. C'est un gros trou dans votre culture, ça, parce que si vous étiez au courant, vous les auriez déjà trouvés, vos maudits passeports!

Jérôme referma son veston d'un geste brusque, tourna les talons et s'éloigna. Blanchet était un peu moins sûre d'elle. Se passant une main sur le visage, elle soupira bruyamment. Dans les pires moments de l'enquête entourant la mort du juge, jamais Jérôme ne s'était emporté ainsi. Peut-être venait-elle de commettre une erreur.

* * *

Jérôme rentra chez lui sans mettre les pieds dehors. Il faisait encore plus chaud que la veille. Environnement Canada avait émis une alerte au smog, mais pour l'instant il s'en tirait à bon compte. Le métro et les corridors souterrains baignaient dans cette tiédeur qui confond les saisons et il ne s'en portait que mieux. Il s'en voulait d'avoir répondu à l'appel de Blanchet. L'opinion qu'il avait de cette petite ambitieuse n'avait pas changé. Elle avait voulu profiter de lui encore une fois. Mais c'était la dernière ! Il ne s'y laisserait plus prendre.

Par précaution, il effaça le dossier du *Protocole de 95* de son ordinateur et remit le CD derrière la rangée de livres, dans la bibliothèque. Un ordinateur est si vite volé ! En se faisant un café, il s'efforça d'oublier cette étrange affaire, comme il l'avait fait quinze ans auparavant. Le regard paranoïaque de Sanjay Singh Dhankhar le rattrapa aussitôt. Malgré ses efforts, il ne parvenait pas à chasser l'Indien de son esprit. Comme l'aide que lui avait promise Blanchet ne se matérialiserait pas, il n'eut d'autre choix que de refaire appel à O'Leary.

— Ça va ? Le retour de Lynda n'est pas trop pénible ? lui lança-t-il en guise d'introduction.

L'Irlandais, qui avait reconnu son numéro sur l'afficheur, maugréa d'une voix lasse :

— J'ai bien pensé que tu rappellerais !

— Alors, elle est en forme, la patronne ?

— Elle est chiante, surtout ! On aurait cru qu'à flirter avec la mort elle se serait adoucie. Il semble que non.

Il était démoralisé. Pendant un long moment, il se plaignit de l'atmosphère aux homicides. Corriveau songeait à prendre sa retraite. Il était question de Blanchet, aussi. On pensait rappeler cette espèce de faux jeton de la SCS. Jérôme partagea sa morosité en se gardant bien de lui dire qu'il l'avait rencontrée le matin même. Lorsque l'enquêteur fit une pause, il osa :

— Tu sais ce qui me ferait plaisir ?

— Pas ton histoire de laboratoire, encore ?

— Non. Autre chose, fit Jérôme. Je voudrais consulter la banque de données. Mais je n'y ai plus accès.

— Tu veux un code ? Le mien peut-être ?

— Un code temporaire me suffirait, disons.

Il n'était pas rare que des procureurs demandent et obtiennent des codes d'accès temporaires afin de consulter l'immense banque de données du SPVM. Ces codes avaient la particularité de tomber en désuétude au bout de huit heures. Lorsqu'on avait des recherches à faire et qu'on bénéficiait d'un de ces laissez-passer, c'était la course contre la montre. Mais Jérôme était confiant. Une journée lui suffirait largement pour trouver tout ce qu'il voulait au sujet de Sanjay Singh Dhankhar. La demande était raisonnable et, surtout, elle ne poussait pas O'Leary à la faute. Révéler ou partager son code d'accès était un écart déontologique, mais l'attribution d'un code temporaire était une pratique courante et acceptée.

— Pour la faire suer, j'ai bien envie de le faire !

C'est bien à cela que Jérôme pensait. Le retour de Lynda perturbait l'Irlandais. Il avait tenu les rênes des homicides pendant près de six mois, mais voilà qu'on le forçait à regagner le rang. Une petite vengeance s'imposait. Accéder à la demande de Jérôme alors que la patronne cherchait à le tenir éloigné du service était un baume sur son ego écorché.

— Le temps de faire une réclamation, j'envoie ça par courriel à ton adresse. Mais ça reste entre nous, on est d'accord ?

— T'as un alibi, un procureur, quelqu'un ?

— T'inquiète pas. J'ai tout ce qu'il faut. Et ça va me faire plaisir.

Vingt minutes plus tard, Jérôme recevait le précieux code. Sans perdre un instant, il se mit à l'œuvre. Consultant les papiers du véhicule qu'il avait acheté pour connaître l'orthographe exacte du nom, il se mit aux trousses de Sanjay Singh Dhankhar dans les banques de données. Très vite, il trouva une première information inscrite au registre des douanes et de l'immigration. Sanjay Singh Dhankhar était arrivé au pays sept mois plus tôt, le 3 janvier, accompagné de sa femme, Prem Singh Dhankhar, ainsi que de ses deux filles, Rashmi, âgée de vingt-deux ans, et Sangeeta, âgée de dix-sept ans. Selon le dossier présenté à l'immigration, Sanjay comptait passer huit mois à Montréal, période durant laquelle il suivrait des cours de perfectionnement aux HEC, les Hautes Études commerciales, et des cours de français à l'Université de Montréal. La famille Singh Dhankhar bénéficiait d'un visa de neuf mois. Avant même qu'ils arrivent en sol canadien, le service d'hébergement du consulat de l'Inde à Montréal leur avait trouvé un logement au 3190, avenue de Kent, dans le quartier Côte-des-Neiges. Les quatre membres de la famille avaient un billet de retour pour le 21 août, ce qui correspondait sans doute à la fin de la session d'été des HEC. Les Singh Dhankhar retourneraient chez eux à Jhajjar, un bourg de l'État de l'Haryana, dans le nord de l'Inde, une région voisine de la capitale, New Delhi.

Une incursion dans le registre des HEC permit à Jérôme de glaner d'autres d'informations. Étudiant exemplaire, on accordait à Sanjay une cote d'assiduité parfaite, autant pour ses cours en administration que pour ceux en perfectionnement de la langue. Dans son pays, il occupait un poste d'administrateur dans une multinationale française de l'agroalimentaire installée à Jhajjar. Avec un diplôme de perfectionnement en main, il serait en mesure de prendre du galon dans l'entreprise. Rien de mal dans tout cela à priori. Jérôme eut une fois encore l'impression de traquer l'inutile. Cet Indien n'était pas particulièrement chaleureux, certes. Mais cela n'en faisait pas un tueur. Quant à cette tache de sang séché trouvée dans le coffre de la voiture, ça pouvait être n'importe quoi.

Délaissant la banque de données, Jérôme lança un moteur de recherche et y inscrivit le mot « Haryana ». Lors de sa brève rencontre avec Sanjay Singh Dhankhar, celui-ci lui avait dit avec une fierté évidente qu'il était originaire de cet État. Son regard si particulier s'était allumé lorsqu'il avait prononcé le nom de sa province d'origine, comme si cela lui conférait une espèce de supériorité, un avantage, aurait-on dit, sur le reste des habitants de son pays. Jérôme lut en diagonale un article qui lui parut d'abord sans intérêt. Cet État, un des plus traditionnels de l'Inde, un des plus riches aussi, était en quelque sorte le grenier de la capitale. Une zone agricole dont les paysans s'étaient enrichis après 1960 en raison de la révolution agraire. Une des castes de l'État, les Jats, en avait particulièrement profité.

Jérôme était au courant de la complexité de l'ordre social en Inde, mais ses connaissances sur le sujet étaient limitées. Il se souvenait tout au plus que les États les plus traditionalistes avaient des règles strictes relativement aux mariages. Épouser un étranger, ou encore quelqu'un d'une caste inférieure, posait problème. Oubliant que le temps était compté, il lut d'autres articles pour tenter de s'y retrouver. Ce faisant, il tomba sur une étude démographique fort surprenante. Il y avait dans l'État de l'Haryana un déséquilibre majeur – en fait le déséquilibre le plus important en Inde – entre le nombre d'hommes et de femmes dans la population. Un phénomène qui, depuis l'apparition de l'échographie, s'était accentué de façon importante. Au point que le gouvernement de l'État songeait à en interdire la pratique. Pour favoriser la naissance d'un fils, les femmes enceintes de filles préféraient se faire avorter. Dans cette culture, les hommes perpétuaient le patronyme, s'occupaient des parents lorsqu'ils étaient vieux et surtout héritaient des terres, ce qui représentait un avantage certain. Au contraire, lorsqu'on avait des filles, il fallait payer une dot à la famille du mari. Pour étayer ces propos, l'auteur de l'article citait un proverbe local : « Élever une fille, c'est comme arroser le jardin du voisin. »

Jérôme tenta de donner un sens à toutes ces informations. Sanjay Singh Dhankhar avait deux filles, Rashmi et Sangeeta. Il n'était pas à proprement parler un chef de famille type de l'État de l'Haryana, dont il était si fier. Sa femme ne s'était pas fait avorter lorsqu'elle avait appris qu'elle attendait des filles. Il ignorait évidemment de quelle caste il était, mais vraisemblablement il n'avait pas tout mis en œuvre pour avoir des garçons. Sanjay était une exception.

Songeur, Jérôme se demanda pourquoi il faisait tout cela, pourquoi il traquait cet homme. Réglait-il un compte ? Réagissait-il au mépris que celui-ci avait manifesté à son endroit lors de leur rencontre à cause de son teint, de son petit bras ou encore de la balafre qu'il avait au visage ? L'attitude de Sanjay Singh Dhankhar ne pouvait expliquer à elle seule le besoin qu'il ressentait d'aller plus loin. Pourtant, ce qu'il avait trouvé jusque-là n'avait rien d'incriminant. S'intéresser au déséquilibre démographique de l'État de l'Haryana, au manque de femmes dans ce coin de pays du bout du monde n'était qu'une autre manifestation de la névrose qui le poursuivait depuis qu'il était en convalescence. Son besoin maladif de faire enquête, quel que soit le sujet. La sonnerie de son portable l'arracha à ses pensées.

— Salut, Aileron ! C'est moi.

Blanchet ! Encore ! Il y avait une certaine familiarité dans le ton. Comme si elle cherchait à faire oublier leur prise de bec, le matin même dans le grand hall de la Place Guy-Favreau.

— J'aimerais te voir.

— Très peu pour moi.

— Je sais, ça ne s'est pas très bien passé ce matin, mais…

— Mais ?

Comme elle ne répondait pas, Jérôme s'éclaircit la voix. Cette conversation n'allait nulle part. Quelques heures plus tôt, ils s'étaient quittés en se criant après. En arrivant chez lui, il s'était juré de ne plus jamais reparler à cette femme et voilà qu'elle le relançait, comme si de rien n'était.

— Est-ce que je dois comprendre que vous avez retrouvé les passeports ? fit-il.

— Pas la moindre trace, annonça-t-elle avec détachement, comme si ça lui était égal.

— Et où voudrais-tu qu'on se voie ?

Jérôme savait qu'elle ne proposerait pas les bureaux de la SCS. Ce ne serait pas dans un lieu public non plus. À l'intonation de sa voix, il savait que Blanchet avait autre chose en tête.

— J'ai un condo dans la tour Sud des Terrasses Crémazie. Au 321. Si tu passes en fin d'après-midi, on va s'expliquer. Je me suis un peu emportée, ce matin.

La proposition était honnête. C'est pourtant sur l'adresse de Blanchet que Jérôme resta accroché. L'enquête entourant la mort du juge Rochette l'avait conduit dans la tour Nord des Terrasses Crémazie, où Brigitte Leclerc possédait un luxueux condo. Cette funeste enquête avait été le début de ses problèmes. N'eût été son entêtement à déposer un rapport exhaustif sur les circonstances entourant la mort du magistrat, Jérôme n'aurait pas eu à se cacher pour en apprendre plus sur Sanjay Singh Dhankhar et sur le sang séché qu'il lui avait refilé avec la voiture. Blanchet le savait bien et elle en profitait.

— On va prendre l'apéro. C'est de bonne guerre, non ?

Comme il ne répondait pas, elle laissa tomber une dernière carte :

— Bon d'accord, je me suis énervée ce matin ! Je n'aurais pas dû, mais quand on est de la SCS, ce n'est pas simple de travailler avec la GRC. Et c'est vrai que je n'aurais pas dû jeter tes échantillons. C'est impardonnable. Mais j'aimerais me reprendre. Est-ce que tu acceptes mon invitation ?

* * *

Blanchet était vêtue d'un jean moulant et d'un chemisier blanc qui accentuait son teint foncé. Elle portait un collier de perles fines et des boucles d'oreilles assorties. Même ses cheveux étaient coiffés différemment. D'un geste désinvolte, elle l'invita à entrer dans son appartement climatisé, qui était décoré avec goût. Dans l'intimité, l'enquêteure ne ressemblait en rien à la première de classe qu'il avait reçue un jour aux homicides, cadeau empoisonné de Lynda Léveillée. Celle qui avait gagné sa confiance en moins de temps qu'il n'en faut pour le dire, et qui l'avait par la suite trahi, portait mieux son nom derrière les portes closes de son appartement que dans les officines de la police. Débarrassée de son uniforme, Isabelle Blanchet avait quelque chose d'attirant. De sexy, même. Sans lui demander ce qu'il voulait boire, elle lui servit un verre de chardonnay. La bouteille était déjà ouverte. Elle en était à son deuxième verre.

— Bon, je te dis tout de suite, si tu en as d'autres, des échantillons, tu me les donnes et je les envoie au labo. Il n'y aura pas de problèmes, cette fois. D'ici la fin de semaine, on aura les résultats !

— C'est pas la peine, s'empressa de lui dire Jérôme. J'ai abandonné la piste. Ce n'était rien. Une simple curiosité.

— Tu es certain ?

— Affirmatif.

Jérôme s'était fixé comme objectif de repartir dans l'heure. Il reprendrait les corridors souterrains afin d'échapper à la chaleur et rentrerait chez lui pour poursuivre ses recherches. O'Leary lui avait fait une fleur en lui dégotant un code d'accès temporaire. Il n'avait pas avantage à s'attarder chez Blanchet.

— J'ai quand même fait une petite recherche sur ce type, comment s'appelle-t-il, déjà ?

— Sanjay Singh Dhankhar.

— Jérôme, je crois que tu fais fausse route. Il n'y a absolument rien sur ce type.

— Ah oui ?

— J'ai ratissé large. J'ai passé en revue tout ce qu'il y a dans les banques de données à son sujet depuis son arrivée au pays.

Jérôme se garda bien de dire qu'il avait aussi fait cet exercice.

— Si tu veux mon avis, t'es tombé dans le panneau. Tu fais du profilage racial.

Il encaissa l'accusation en s'efforçant de cacher son agacement. Lui, faire du profilage racial ! Lui, le basané, le manchot ! C'était de la provocation ! Si Blanchet espérait se faire pardonner de cette manière, elle faisait fausse route. Il ne quittait plus la porte des yeux, se demandant pourquoi il avait accepté cette invitation. Plus vite il serait rentré chez lui, mieux ce serait. D'autant qu'avant de partir, il avait mis la main sur le relevé de la carte de crédit de Sanjay Singh Dhankhar, avec le détail de toutes les transactions effectuées depuis son arrivée. Il avait imprimé le dossier en se promettant de le regarder de plus près lorsqu'il aurait le temps. Il avait aussi trouvé de l'information sur les deux filles de la famille. Rashmi avait suivi une session en informatique à l'Université de Montréal. Rien de spécial à signaler. Sangeeta, en revanche, avait passé l'hiver au Cégep du Vieux-Montréal, où elle s'était distinguée, mais pas nécessairement de la bonne manière. Son dossier indiquait un niveau d'absentéisme élevé. Elle avait fait l'objet de plusieurs mises en garde et réprimandes et n'avait réussi que deux des cours qu'elle avait suivis. C'était bien peu de chose pour l'instant, mais Jérôme croyait qu'en continuant de fouiller il finirait par trouver.

— Tant pis ! admit-il pour cacher ses intentions. Tout le monde peut se tromper.

En prononçant ces mots, sa main heurta son verre de vin, qui vacilla sur la table à café. Vive comme l'éclair, Blanchet l'attrapa au vol. Momentanément déséquilibrée, elle se laissa choir sur le divan tout près de lui et enchaîna comme si de rien n'était :

— Tu t'ennuies à mourir depuis que tu es en convalescence, Jérôme. Alors tu jettes ton dévolu sur cet homme, mais il n'y a vraiment rien contre lui.

La voix de Blanchet s'était imperceptiblement adoucie, comme si, parce qu'elle était plus proche de lui, le ton de la confidence allait de soi.

— Il y a un truc que j'ai remarqué, par contre, dans la banque de données du palais de justice. La fille de ce type, Sanjay, c'est bien ça… ?

Jérôme fit signe que oui.

— Elle est inscrite au registre des mariages du palais de justice. Il y a une date de retenue et ce n'est pas un Indien qu'elle va épouser.

Ce détail piqua évidemment la curiosité de Jérôme. Il l'interrogea du regard pour en savoir plus.

— Ce sont d'honnêtes citoyens qui tentent de s'intégrer, fit valoir Blanchet. Si une de leurs filles s'apprête à épouser un Québécois…

— Tu parles de laquelle ? l'interrompit-il. La plus jeune ou la plus vieille ?

Blanchet s'étonna de la question et surtout du fait que Jérôme soit tout à coup devenu fébrile.

— Ils ont deux filles. L'une s'appelle Rashmi. L'autre Sangeeta.

— Je ne sais pas, répondit Blanchet. Tout ce que je sais, c'est qu'une date a été retenue à la mi-août et que l'heureux élu s'appelle Lefebvre ou quelque chose comme ça. Mais là, on se calme ! Ce n'est toujours qu'un mariage.

En disant ces mots, Blanchet se rapprocha, prit la bouteille de chardonnay sur la table et le resservit. Son chemisier s'était entrouvert et Jérôme aperçut la courbe de son sein droit. Le geste n'était pas innocent. Blanchet ne souhaitait surtout pas qu'il se calme. En fait, elle cherchait à l'exciter ! Lorsqu'elle leva son verre pour trinquer, elle affichait un regard coquin.

— Tu es trop sérieux, Jérôme! Les gens ont bien le droit de se marier!

Elle aurait dit « Les gens ont bien le droit de faire l'amour! » que ça n'aurait pas été différent. Blanchet ne parlait plus de Rashmi, de Sangeeta ni du garçon qui s'appelait peut-être Lefebvre. Elle parlait d'elle-même et de l'intention à peine voilée qu'elle caressait. Son parfum discret, que Jérôme n'avait pas remarqué avant qu'elle ne vienne s'asseoir près de lui, était une invitation. Une caresse à distance. Blanchet était éminemment désirable, mais à quel jeu jouait-elle au juste? Il n'eut pas à se poser la question plus avant. Elle lui souffla à l'oreille:

— S'il n'y a pas un peu d'interdit, il n'y a pas d'amour.

Jérôme s'étonna à peine du commentaire mais fit mine de ne pas avoir compris.

— Pourquoi? Tu crois qu'il est interdit aux filles de Sanjay d'aimer des gens comme nous?

Elle refoula un sourire et précisa sans détour:

— J'aime faire l'amour avec des hommes qui ont deux fois mon âge!

Il aurait pu en prendre ombrage. Elle avait vingt-huit ans, ce qui lui en donnait cinquante-six d'après cette logique. Qu'à cela ne tienne, les chiens étaient lâchés! Il sentit sa respiration dans son cou et, l'instant d'après, leurs lèvres s'effleurèrent. Comme lorsque des fils électriques dénudés entrent en contact, il reçut une décharge qui le fit tressaillir. Sa main gauche glissa sur sa hanche. Elle avait la taille fine. Il ferma les yeux.

— Pas ici, murmura-t-elle au bout d'un instant.

Ces mots avaient la vertu d'être clairs. Ils étaient sur le point de faire l'amour et rien ne les arrêterait. Ne restait plus qu'à déterminer le lieu. Il avait pourtant maudit cette femme trois heures plus tôt. Il lui avait dit d'aller se faire voir, mais depuis qu'elle effleurait son sexe de sa main curieuse, il ne s'en souvenait plus. Voilà qu'elle l'entraînait vers la chambre, maintenant. Et il la suivait, étourdi, mais surtout frappé d'une amnésie aussi subite qu'incompréhensible.

— Prends-moi ! lança-t-elle sans détour alors qu'ils trébuchaient sur le lit.

En tombant, il pensa que sa relation avec Blanchet était pour le moins étrange. Ils s'étaient querellés, plus tôt ce jour-là. Et à présent il la déshabillait dans l'urgence, jetant ses vêtements à gauche et à droite. Elle ne fit aucun cas de son bras flasque, s'intéressant davantage à son sexe et à ses lèvres, qu'elle embrassait goulûment. Il se mit à parcourir son corps de sa seule main, multipliant les caresses et les baisers. Elle ne cessait de dire :

— Prends-moi ! Prends-moi !

Combien de temps passèrent-ils ainsi à froisser les draps, à s'ébattre et à se pâmer ? Jérôme en perdit le compte, perdit tout sens de la mesure et du temps. À un moment, il eut un sursaut de lucidité. Mais que faisait-il au lit avec l'enquêteure Blanchet ? Comment avait-il pu céder à pareil commerce ? Bien sûr, il était en convalescence, en congé professionnel, mais ce n'était pas une raison. Ou plutôt si. C'était la meilleure des raisons. Chaque instant était un délice, un plaisir plus sublime que le précédent. Le crescendo se poursuivit ainsi jusqu'à ce qu'il ferme les yeux et ne parvienne plus à les ouvrir. Combien de temps dormit-il ainsi, lové dans les bras de Blanchet ? Difficile à dire. En fait, il ne retrouva ses esprits que lorsqu'elle lui demanda :

— Au fait, Aileron… c'est quoi au juste le *Protocole de 95* ?

Jérôme comprit alors pourquoi elle aimait faire l'amour avec des hommes qui avaient deux fois son âge. C'était sa façon de s'instruire. Une manière d'apprendre toutes sortes de choses qu'elle ignorait. Feignant un sommeil profond, il se garda bien de lui répondre.

Résonance magnétique

Lorsqu'il rentra chez lui, un peu avant vingt et une heures, Jérôme se précipita sur son ordinateur et entra le code temporaire que lui avait fait parvenir O'Leary. Les huit heures d'accès auxquelles il avait droit n'étaient pas encore écoulées. Sans perdre un instant, il consulta le registre des mariages du palais de justice et trouva aisément les noms de Rashmi Singh Dhankhar et de Gabriel Lefebvre. Une date avait effectivement été retenue pour une cérémonie civile le 15 août, mais il y avait la mention « À confirmer » dans la marge. Quand même étrange que cette jeune Indienne de passage à Montréal pour quelques mois seulement décide de se marier, avec un étranger de surcroît. Jérôme vérifia les adresses, les dates et les lieux de naissance pour s'assurer qu'il n'y avait pas méprise. Rashmi, née à Jhajjar dans l'État de l'Haryana, habitait bien le 3190, avenue de Kent, dans le quartier Côte-des-Neiges. Quant à Gabriel Lefebvre, il était né à Montréal et domicilié au 1444, rue Montcalm. Aucune erreur possible. Il y avait aussi un numéro de téléphone, qu'il nota sur un bloc. Alors qu'il finissait d'inscrire le numéro, l'écran de son ordinateur passa au noir. La porte de la banque de données du SPVM venait de se refermer.

Jérôme jura en serrant les dents. Il s'en voulait d'avoir accepté l'invitation de Blanchet, d'être passé chez elle et surtout d'avoir succombé à ses avances. La jeune enquêteure n'avait pas agi innocemment. Elle était de toute évidence en mission et il s'était laissé prendre comme un débutant. Jamais il n'aurait dû assister à cette rencontre réunissant des agents de la GRC et de la SQ dans les sous-sols de la Place Guy-Favreau. Sa faute la plus grave cependant était le fait d'avoir évoqué le *Protocole de 95* en laissant entendre qu'il savait où se trouvaient les passeports volés. Si les chiens étaient à ses trousses, il n'avait nul autre à blâmer que lui-même.

Même s'il avait sommeil, il ressortit le CD qu'il cachait derrière une rangée de livres de sa bibliothèque, la glissa dans le lecteur de son ordinateur et ouvrit le fichier. Le *Protocole* était un document extrêmement élaboré sur la marche à suivre dans les heures qui auraient suivi la proclamation de l'indépendance du Québec, si le « Oui » l'avait emporté lors du référendum de 1995. Ce mode d'emploi ne concernait cependant que le réseau souterrain de la ville de Montréal, plus précisément le réseau de couloirs, d'accès et de voûtes se trouvant sous la Place Guy-Favreau, fief fédéraliste, ainsi que sous l'édifice d'Hydro-Québec, siège du bureau du premier ministre de la province.

Jérôme n'avait pas envie de relire ces vieux documents, ni même de se souvenir des réunions secrètes qui avaient eu lieu à la SCS à l'approche du référendum. Il voulait consulter les plans souterrains, plus particulièrement se remémorer l'emplacement d'un salon et d'une salle de conférences aménagés sous le boulevard René-Lévesque. Un lieu qui, à l'époque, avait été baptisé le « wagon de Compiègne », en souvenir de ce wagon à bord duquel, faute de mieux, l'armistice de la guerre de 1914-1918 avait été signé. Deux corridors souterrains donnaient accès à ces pièces. L'un à partir des sous-sols de l'immeuble d'Hydro-Québec, l'autre à partir de la Place Guy-Favreau. Dans ce dernier cas, on accédait au passage par une porte dissimulée se trouvant dans la voûte D 33 de l'édifice fédéral. Quelques jours après la victoire du « Non », la porte en question avait été condamnée. Le « wagon de Compiègne », où des pourparlers devaient avoir lieu advenant la victoire du « Oui », n'avait jamais été utilisé. Le *Protocole de 95*, qui prévoyait entre autres la saisie de documents relatifs au territoire, passa à la déchiqueteuse dans les heures qui suivirent l'annonce des résultats. Les copies électroniques furent également effacées. Une chasse aux sorcières s'engagea afin que disparaisse des mémoires ce plan, qui prévoyait l'annexion du sous-sol fédéraliste par le nouvel ordre en place. Bientôt, il n'en resta plus aucune preuve tangible. C'était évidemment compter sans Jérôme Marceau. Convaincu que ce dossier lui servirait un jour, il en avait gardé une copie, parfaitement conscient qu'il prenait un risque en ne respectant pas l'*omerta* qui avait été imposée sur l'affaire.

Malgré l'heure tardive, Jérôme chercha son téléphone pour joindre O'Leary. Alors qu'il composait le numéro, il se rendit compte que Florence lui avait laissé un message. Elle voulait lui parler, quelle que soit l'heure à laquelle il rentrerait. Ce serait plus expéditif de parler à l'Irlandais d'abord. Il le trouva à moitié endormi au bout du fil.

— On peut se voir demain matin, tôt ?

— Encore ton histoire du tueur qui n'a pas tué ? se plaignit-il.

— Non, non. Rien à voir. C'est pour l'avancement de ta carrière.

— L'avancement de ma carrière ? s'étonna O'Leary. Depuis quand tu t'intéresses à ma carrière ?

— Depuis que tu m'as appris que Lynda était de retour. À t'entendre parler, tu étais un candidat à la dépression. Tu mérites mieux que ça.

— Je ne comprends rien à ce que tu me dis, Aileron ! Mais je veux bien prendre un café.

L'angle était bon. O'Leary était un carriériste fini, qui rêvait d'avancement comme d'autres songent à la retraite. Il avait touché à l'extase en le remplaçant aux homicides, mais son règne à la tête du service avait été de courte durée avec la guérison inattendue, voire miraculeuse, de la patronne. Faire miroiter à l'Irlandais la possibilité de prendre du galon était la voie à suivre. C'était aussi faire d'une pierre deux coups. S'il jouait habilement ses cartes, il ferait oublier la maladresse qu'il avait commise en ressortant de l'oubli le *Protocole de 95*.

— Station Berri-UQAM à neuf heures, le café devant la librairie Le Parchemin, ça t'irait ?

— Il faut absolument que ce soit dessous ! grogna O'Leary pour la forme.

— Ah oui, une dernière chose ! T'as entendu parler du vol de passeports dans les sous-sols de la Place Guy-Favreau ?

— J'ai vu un mémo. Tout le monde est sur le coup. Un trip à trois entre la GRC, la SQ et le SPVM. Mais ç'a plus l'air d'un slow cochon que d'un trip de cul. Ils vont nulle part.

— Donc, tu en as entendu parler ?

— De toute façon, je suis aux homicides ! Les passeports volés, c'est pas mon rayon.

Jérôme était satisfait. Et à peu près certain qu'O'Leary aurait une nuit agitée, ce qui était l'objectif visé. Demain, l'Irlandais serait mûr pour faire ce qu'il attendait de lui.

— J'ai un autre appel. Je dois te quitter. Mais neuf heures, ça te va ?

— J'y serai.

Il valait toujours mieux faire court avec O'Leary. L'homme était tellement suspicieux, tellement sur ses gardes qu'il finissait toujours par s'en rendre compte lorsqu'on lui mentait. Jérôme n'avait pas d'appel en attente, bien sûr. Il composa le numéro de Florence, qui répondit aussitôt.

— Dieu merci, tu es là ! lui lança-t-elle. J'avais tellement peur que tu sois parti sur un coup de tête.

— Qu'est-ce qu'il y a ? Ça ne va pas ?

— Si, si, ça va. Mais ça va un peu vite.

Jérôme consulta sa montre. Il était passé onze heures. Florence était dans tous ses états.

— Figure-toi donc que mon rendez-vous a été devancé. En principe, c'était pour la semaine prochaine, mais il y a eu une annulation. On me propose de venir demain.

De quel rendez-vous s'agissait-il ? D'une visite chez le coiffeur ? Ou encore chez le dentiste ? Florence nommait rarement les choses, comme si elle vivait une relation fusionnelle avec lui et qu'il savait toujours de quoi elle parlait.

— J'ai tellement peur, Jérôme ! Le médecin m'a dit comment ça se passait. On est couché sur une espèce de civière. Il y a un trou au milieu d'une immense machine… on nous pousse à l'intérieur et on est laissé à soi-même.

Il se rappela qu'elle devait passer un examen de résonance magnétique. Le rendez-vous avait été devancé, comprit-il. C'était pour le lendemain. Il voyait déjà poindre le conflit d'horaire.

— Ce n'est pas à neuf heures, j'espère ?

— Non, à onze heures.

Pendant la demi-heure qui suivit, il tenta par tous les moyens de la rassurer. À part quelques pertes de mémoire, tout à fait normales compte tenu de son âge, Florence était en grande forme. Cet examen de routine ne révélerait rien, si ce n'est que l'âge faisait son œuvre et qu'elle devrait peut-être ralentir ses activités et surtout cesser de s'inquiéter pour tout et pour rien.

— Examen de routine ? s'indigna-t-elle. As-tu seulement une idée de ce qu'est un test de résonance magnétique ?

Il eut beau lui dire qu'il en avait passé un avant l'opération où on lui avait littéralement refait le visage, elle ne l'écouta que d'une oreille distraite. Étranglée par la peur, elle préférait s'imaginer le pire plutôt que de se laisser réconforter. Bien vite, Jérôme comprit que seule la nuit aurait raison de son angoisse et il finit par lui dire :

— Maman, va dormir ! Je viendrai te chercher à dix heures, à temps pour ton rendez-vous.

— Quel rendez-vous ? demanda-t-elle, surprise.

— Ton rendez-vous ! Mais oublie tout ça et va dormir. C'est ce qu'il y a de mieux à faire.

Lorsque la conversation prit fin, Jérôme eut l'impression qu'elle avait oublié de quoi ils parlaient. Florence était tellement habitée par la peur qu'elle ne se souvenait plus de ce qui l'avait provoquée.

* * *

Jérôme descendit au métro Beaudry, remonta à la surface et revint vers l'ouest sur la rue Sainte-Catherine. Très vite, il repéra le 1444, rue Montcalm, entre Sainte-Catherine et le boulevard de Maisonneuve. Il se posta sur le trottoir en face du logement, en se disant qu'il y resterait jusqu'à son rendez-vous avec O'Leary. Il était tôt, le fond de l'air était encore frais, mais ce serait une autre journée chaude. Vérification faite, Gabriel Lefebvre était bien le locataire de ce logement, situé au deuxième étage d'un immeuble qui en comptait trois. Celui qui devait épouser la fille aînée de Sanjay Singh Dhankhar était inscrit dans l'annuaire téléphonique depuis peu. Une question taraudait Jérôme, toutefois. Il avait bien vu la mention « À confirmer » inscrite dans la marge du registre consulté. Non seulement cette union civile lui paraissait inusitée, compte tenu de la religion et des traditions de la jeune Indienne, mais elle semblait aussi incertaine. Fallait-il déduire que l'engagement était compromis ?

Pendant près de deux heures, il fit le pied de grue sur la rue Montcalm. Le mercure montait, prélude à une autre journée étouffante. Il traînerait dans les parages jusqu'à neuf heures, mais n'aborderait pas Gabriel Lefebvre si celui-ci venait à sortir de chez lui. S'assurer que « Roméo » existait bel et bien lui suffirait pour l'instant. Il l'appelait ainsi parce qu'il avait rebaptisé Rashmi. Ayant du mal à retenir ce patronyme, la jeune Indienne était devenue « Juliette » dans son esprit.

Vers huit heures trente, la porte du 1444 s'ouvrit et quelqu'un poussa un vélo sur le balcon du deuxième. Refermant derrière lui, Roméo attrapa la bicyclette, la hissa sur son épaule et descendit les marches de l'escalier de métal. Début de vingtaine, les cheveux ébouriffés et le teint pâle, il n'avait rien de l'image qu'on se fait d'un amoureux exalté. Plutôt du genre intellectuel contestataire. Un Roméo à grande gueule, comme on en voit aux premiers rangs des manifestations contre les réunions du G8 ou les Sommets de la Terre. Déposant son vélo sur le trottoir, Gabriel Lefebvre l'enfourcha comme si le temps était compté et disparut au bout de la rue. Jérôme s'attarda un moment. Il espérait voir sortir Juliette, mais, si elle était là, elle resta bien au frais à l'intérieur. Sans être capable de se l'expliquer, il ne croyait pas au mariage de Rashmi Singh Dhankhar et de Gabriel Lefebvre.

Une demi-heure plus tard, il retrouva O'Leary devant le comptoir du café où ils s'étaient donné rendez-vous, dans les dédales de la station de métro Berri-UQAM. Il faisait frais, l'Irlandais était en forme et visiblement intrigué par les propos que Jérôme lui avait tenus la veille. Ils commandèrent deux cafés puis s'éloignèrent dans un corridor jusqu'à ce qu'ils trouvent un banc. Assis côte à côte comme des inconnus attendant le métro, ils mirent un moment à engager la conversation. O'Leary commenta d'abord la cicatrice qui courait le long de la mâchoire de Jérôme.

— Sais-tu, Aileron, je te trouve plus beau comme ça !

— C'est aussi ce que dit ma mère, répondit Jérôme en badinant.

Ils étaient invisibles parmi les voyageurs qui allaient et venaient autour d'eux. O'Leary feignait de lire le journal. Jérôme jouait avec son téléphone. Au bout d'un moment, ils tombèrent dans le vif du sujet.

— Comme ça, tu sais où ils se trouvent, toi, ces passeports, devina l'Irlandais.

Jérôme hocha la tête en se laissant désirer. O'Leary avait l'habitude. Il y avait toujours un prix à payer avec Aileron.

— Tu as besoin de quoi, au juste ? Un code d'accès pour les banques de données encore ?

— Rien. Rien de tout ça. Je rembourse mes dettes. C'est tout. Tu étais là lorsque j'ai reçu ce coup en plein visage. Tu m'as tenu la main. C'est pour te remercier.

L'Irlandais n'en croyait rien, bien sûr. Mais il hocha la tête comme si l'affaire était entendue. Jérôme avala une gorgée de café et jeta un œil autour pour être certain qu'on ne les écoutait pas.

— Laisse-moi te raconter, commença-t-il. En 1977, le gouvernement fédéral a acheté des terrains le long de ce qui s'appelait alors le boulevard Dorchester. La même année ont débuté les travaux d'un immeuble qui compte autant d'étages sous terre qu'au-dessus. Les péquistes étaient au pouvoir à ce moment-là. René Lévesque préparait le référendum de 1980. La construction de ce qui allait devenir la Place Guy-Favreau s'est poursuivie jusqu'en 1983. La grande frayeur du référendum avait secoué Ottawa et l'idée d'une nouvelle consultation populaire sur *la* question était dans tous les esprits. Pendant ce temps, sous des dehors plutôt anonymes, la Place Guy-Favreau était devenue une véritable forteresse. Une forteresse fédéraliste, on s'entend.

O'Leary l'écoutait distraitement. Le cours d'histoire que lui dispensait Jérôme l'ennuyait, de toute évidence.

— T'as vraiment pris un coup sur la tête, toi !

Jérôme esquissa un sourire et continua. Il lui parla des réserves régionales d'or de la Banque du Canada, des documents précieux et des traités avec les Autochtones. Des réserves de médicaments aussi, qu'on s'était mis à entasser dans les sous-sols de l'immeuble en cas d'épidémie ou de pandémie. Il parla aussi de la face plus connue de l'immeuble fédéral, le Bureau canadien des passeports, et des réserves de passeports vierges qu'on gardait dans une voûte.

— Le 2 décembre 1985, Robert Bourassa, déjà premier ministre de 1970 à 1976, reprend le pouvoir. Le règne péquiste, marqué par le référendum de 1980, a duré dix ans, dix ans de guerre froide avec Ottawa. Mais tout ça est derrière. Les relations vont maintenant se réchauffer. En apparence, Bourassa tient tête à Ottawa, mais dans les faits c'est un fédéraliste, et il n'a aucune intention de couper les liens avec le pouvoir central. Un projet secret voit le jour. Un projet souterrain, devrais-je dire.

— Devrais-je dire… ! se moqua O'Leary. C'est quoi cette histoire à dormir debout ? T'as trouvé ça où ?

Jérôme continua, imperturbable.

— Les bureaux montréalais du premier ministre logeaient dans la tour d'Hydro-Québec, au douzième étage, plus exactement. De l'autre côté de la rue, en diagonale, il y a maintenant la Place Guy-Favreau. De part et d'autre de ce qui est devenu le boulevard René-Lévesque, le fédéral et le provincial font bon ménage. On décide donc de creuser un tunnel entre les deux édifices. Un passage reliant le troisième sous-sol de la tour d'Hydro-Québec au troisième sous-sol de la Place Guy-Favreau.

O'Leary hochait la tête, comme s'il commençait à y croire. Il y avait une telle intensité dans le regard de Jérôme, une telle assurance dans sa façon de raconter qu'il pouvait de moins en moins mettre sa parole en doute.

— À mi-chemin entre les deux immeubles, un bunker a été aménagé. Deux pièces en fait. Une salle de conférences et, juste à côté, un salon très confortable. Pendant les négociations devant mener à l'Accord du lac Meech, Robert Bourassa et Brian Mulroney se sont rencontrés à deux reprises dans cet endroit qu'on appelait alors le Salon D 333. Rien n'a jamais transpiré de ces tête-à-tête. Ce que l'histoire en a retenu, c'est que l'Accord du lac Meech a échoué, comme tu sais.

O'Leary se souvenait à peine du lac Meech. En réalité, la politique ne l'avait jamais intéressé. Il croyait d'ailleurs qu'il en allait de même pour Jérôme. Chaque fois qu'il en avait été question entre eux, celui-ci avait glissé sur le sujet, se contentant de faire des commentaires méprisants. À l'entendre toutefois, il n'en était rien. Aileron connaissait l'histoire récente du pays comme s'il en faisait partie.

— En septembre 1994, les libéraux sont défaits lors d'une élection générale. Bourassa avait cédé sa place à

Daniel Johnson fils quelques mois plus tôt. Les péquistes reprennent le pouvoir et Jacques Parizeau s'installe dans les bureaux montréalais de la tour d'Hydro-Québec. Au même moment, les autorités fédérales font momentanément condamner l'accès au Salon D 333 à partir des sous-sols de la Place Guy-Favreau. Les ponts sont coupés. Ils le resteront jusqu'au référendum, l'année suivante.

O'Leary se croisa les bras. Cette affaire le laissait perplexe. Il aurait préféré ne rien savoir de tout cela, mais Jérôme continuait de déballer son sac comme s'il se libérait d'un secret trop lourd à porter. Il en vint à parler du référendum et du *Protocole de 95*, ce plan qui consistait à annexer la Place Guy-Favreau et ses nombreux étages souterrains, advenant la victoire du « Oui ».

— C'est à ce moment que le Salon D 333 a été rebaptisé le « wagon de Compiègne ». Tout était en place pour une négociation entre les autorités fédérales et les dirigeants du nouvel État du Québec. Seule une poignée d'« opérationnels » étaient au courant. Des gars de la Sûreté du Québec surtout. Du SPVM aussi. Et trois agents de la SCS. Le moment venu, il suffirait de rouvrir l'accès au tunnel à partir du troisième sous-sol de la Place Guy-Favreau.

— Et t'étais un des trois représentants de la SCS ? demanda O'Leary, incrédule.

Jérôme redressa les épaules, jeta un œil autour de lui et fit signe que oui. Le métro était à peu près vide. L'heure de pointe était passée. Les Montréalais étaient au travail. Il avala une gorgée de café froid et marmonna, le nez dans sa tasse :

— Le *Protocole de 95* a été détruit, effacé des mémoires, passé à la déchiqueteuse. Ce que je te raconte là, c'est le souvenir qu'il m'en reste.

Jérôme gardait le nez dans sa tasse, comme s'il cherchait à humer les derniers relents de la boisson. En fait, il craignait qu'O'Leary se rende compte qu'il mentait, mais il n'y avait pas de quoi s'inquiéter. L'Irlandais était tellement abasourdi par ce qu'il entendait qu'il ne voyait plus rien.

— Après le référendum perdu, l'accès au tunnel a été condamné du côté québécois, poursuivit-il. Mais tout est resté en place. Sauf erreur, il y a sous le boulevard René-Lévesque un passage entre Québec et Ottawa avec au milieu deux grandes pièces, où personne n'a mis les pieds depuis quinze ans.

— Et c'est là que se trouvent les passeports volés, conclut O'Leary.

— C'est ce que je pense. Pour en être certain toutefois, il faudrait savoir dans quelle voûte ils étaient rangés au moment où ils ont été volés. Et ça, on ne me l'a pas dit. Ce que je sais, c'est qu'il n'y avait pas de traces d'effraction. Comme si les dix cartons n'étaient jamais sortis de la pièce.

Quelque chose avait changé dans le regard d'O'Leary. Il semblait plus méfiant. Voire calculateur.

— Et pourquoi tu ne leur as pas raconté ça, aux petits copains de la GRC ?

— Parce qu'ils ne me l'ont pas demandé !

— Et qu'est-ce qu'il faudrait faire pour être sûr qu'elle tient la route, ton hypothèse ? Comment on vérifie ?

Jérôme réprima un sourire. O'Leary était exactement à l'endroit où il voulait qu'il soit.

— C'est simple. L'accès au tunnel donne dans la voûte D 33, au troisième sous-sol de la Place Guy-Favreau. Si les passeports vierges étaient gardés dans cette pièce, il y a de fortes chances qu'ils se trouvent actuellement sous le boulevard René-Lévesque en attendant d'être transférés ailleurs.

— Ils auraient vu la porte, s'il y en a une !

— Peut-être pas. En tout cas, on ne risque rien à vérifier.
— Et pourquoi moi ? Pourquoi tu me racontes tout ça, Aileron ? Ça ne serait pas plus simple si tu…
— Je suis en convalescence, tu te souviens ? Lynda ne veut pas me voir au service parce qu'on a une entente, elle et moi. Quand je serai de retour, j'ai l'intention de déposer mon rapport sur le juge Rochette. Échec et mat.
— Tu crois vraiment que les cinq mille passeports sont dans ce bunker ?
— Affirmatif !

* * *

Jérôme arriva aux abords de l'hôpital Saint-Luc au volant de la Pontiac Aztek un quart d'heure avant le rendez-vous, mais tourna en rond pendant dix longues minutes dans le stationnement avant de trouver une place. Florence avait insisté pour qu'ils viennent en voiture. Elle voulait absolument essayer le nouveau véhicule de son fils, même s'il aurait été beaucoup plus simple d'emprunter le métro. La chaleur les accabla dès qu'ils mirent le pied dehors et la traversée du stationnement se transforma en véritable épreuve. Ils mirent encore vingt minutes à trouver la salle d'examen, si bien qu'ils arrivèrent en retard. Surprise de les voir, la préposée consulta son agenda avant d'avouer à Jérôme, l'air navré, qu'il y avait erreur. Aucun examen de résonance magnétique n'était prévu pour Florence Marceau ce jour-là. Debout devant le comptoir, il s'impatienta. Sur un ton sec, il fit valoir que sa mère était âgée, qu'elle se déplaçait difficilement et que le report de cet examen pouvait compromettre sa santé. Il évoqua aussi son départ imminent. D'ici quelques jours, il partirait pour les États-Unis. Autant d'arguments qui se butèrent à une fin de non-recevoir. Florence n'avait pas et n'avait jamais eu de rendez-vous ce jour-là.

Lorsque Jérôme se retourna, dépité, il se rendit compte que sa mère discutait avec un homme au sourire décalé. Il se mêla à leur conversation et Florence lui présenta le Dr Tanenbaum. Les yeux du médecin étaient très particuliers. On aurait dit qu'ils n'allaient pas avec sa bouche. Comme ces montages photographiques qu'on nous sert parfois dans les revues, où des yeux, des nez, des oreilles et des bouches sont accolés pour créer des visages sans cohésion. Des visages qui n'existent pas dans la réalité.

— Comme je disais à votre mère, précisa le médecin, on a laissé passer quelqu'un avant elle, mais ce n'est pas grave. Ça lui donnera plus de temps pour se préparer.

Affable, le Dr Tanenbaum invita Florence à passer dans une cabine pour enfiler une jaquette, puis se tourna vers son fils et l'entraîna dans un coin. L'homme dont les yeux ne correspondaient pas à la bouche lui annonça sur le ton de la confidence :

— J'ai dit à votre mère qu'il y avait une annulation et qu'elle pouvait venir aujourd'hui, mais en fait ce n'était pas vrai. Je vais la passer entre deux patients.

Jérôme se tourna vers la préposée qui l'avait accueilli. Elle n'en savait rien, de toute évidence.

— J'ai cru bon de devancer son rendez-vous, lui dit encore le Dr Tanenbaum. J'ai des doutes.

Sa voix n'était qu'un souffle, un murmure, si bien que Jérôme pensa avoir mal entendu. De quels doutes parlait-il ? Florence n'était pas malade. Elle se plaignait, comme d'habitude. Elle faisait son numéro, mais à part ces pertes de mémoire elle était égale à elle-même. Le Dr Tanenbaum lui prit l'avant-bras et l'attira vers lui. En gros plan, ses yeux lui semblèrent encore plus insolites.

— Vous restez là. Vous n'allez nulle part. J'aimerais vous parler après l'examen.

La gravité de son regard contrastait avec son sourire. On l'aurait dit amusé et triste à la fois. Sûr de lui mais pétri d'incertitude.

— À tout de suite, fit-il en s'éloignant.

Le médecin s'arrêta au comptoir pour échanger quelques mots avec la préposée. Celle-ci leva aussitôt les yeux vers Jérôme en lui lançant un sourire. Il ne comprenait rien à ce qui se passait, mais d'instinct il savait que quelque chose était sur le point d'arriver. Cette impression d'inutilité qui l'avait habité ces derniers temps, tous ces moulins à vent qu'il avait poursuivis depuis qu'il était en convalescence céderaient bientôt la place, s'estomperaient comme le *Protocole de 95*, l'obligeant une fois pour toutes à revenir dans le réel. Ce n'était plus Sanjay Singh Dhankhar qui occupait ses pensées maintenant, mais bien cet étrange Dr Tanenbaum.

Il s'écoula quarante-cinq longues minutes avant que le médecin ne ressorte de la salle d'examen. Il s'avança vers Jérôme qui se leva pour l'accueillir. Tanenbaum le prit à nouveau par l'avant-bras et se mit à lui parler comme si la conversation amorcée un peu plus tôt ne s'était jamais interrompue. L'examen de résonance magnétique n'avait été qu'une formalité. Il connaissait le diagnostic avant même d'entrer dans la salle.

— Je suis désolé d'avoir à vous dire cela, mais votre mère ne va pas bien. Elle ne va pas bien du tout.

Jérôme sentit le plancher se dérober sous ses pieds. Il n'était pas au bout de ses peines.

— J'ai de bonnes raisons de croire qu'elle n'en a plus pour longtemps.

Tanenbaum l'invita à s'asseoir. Il n'y avait plus rien autour d'eux. Sauf ce précipice au-dessus duquel Jérôme vacillait. Incapable de se ressaisir, il écoutait, la bouche à demi ouverte.

— Elle ne le sait pas. Je ne lui ai rien dit. Mais ça va aller assez vite à partir de maintenant.

Les questions se bousculaient dans la tête de Jérôme. Que s'était-il passé ? Qu'avait-elle exactement ? Florence s'était plainte de migraines ces derniers temps, mais de là à ce que le médecin lui annonce sa mort prochaine !

— Tumeur au cerveau. Une tumeur frontale, précisa-t-il. Ce sont les plus pernicieuses. On ne les voit pas venir et, tout à coup, elles sont là. Plus on les prend tôt, mieux c'est. Mais votre mère est âgée. La bataille est perdue d'avance.

— Vous êtes certain de ce que vous dites ?

— Il lui reste entre trois et six mois.

Jérôme s'affaissa légèrement sur sa chaise. Florence lui avait tenu un discours quelque peu nébuleux deux jours plus tôt. C'était « par sympathie », lui avait-elle dit, qu'elle avait ces maux de tête. Parce qu'il en avait lui-même souffert après avoir reçu son coup au visage. Il arrivait parfois que l'on ait mal par solidarité, par amour pour ceux qui nous sont chers. Il n'en avait pas cru un mot. Mais tout à coup, cela lui semblait possible. Jérôme avait mal pour elle. Il était en douleur mais pourtant ne souffrait de rien.

— Ce serait bien que vous la preniez en charge, lui dit encore le Dr Tanenbaum. Au début.

Jérôme n'entendit pas ces mots, qui à ses yeux ne rimaient à rien. Il voulait plutôt savoir quand sa mère serait hospitalisée, quel traitement on lui donnerait et dans combien de temps elle se retrouverait aux soins palliatifs. Le médecin s'en étonna à peine. Il répéta ce qu'il venait de dire :

— Tant qu'elle n'aura pas de convulsions, elle peut avoir une vie normale. Ce serait bien que vous vous occupiez d'elle. Vous en êtes tout à fait capable.

Cette fois, les mots portèrent. Ce que tentait de lui dire le Dr Tanenbaum, c'était que l'établissement prendrait un jour sa mère en charge, mais que, d'ici là, il y avait un moment de grâce.

— Je vais lui prescrire un analgésique contre la douleur. Tant qu'elle ne fera pas de convulsions, répéta-t-il, elle peut très bien vivre chez elle, ou ailleurs. Être enfermée dans une chambre d'hôpital n'améliorera en rien son sort.

— Mais c'est à ça que sert un hôpital, non ?

— Pas toujours. Pas dans le cas de votre mère. On ne peut rien faire. Elle va devenir de plus en plus confuse, ce qui n'est pas son cas pour l'instant. À ce moment, je lui donnerai des anticonvulsivants et puis on verra.

— Elle va s'éteindre, répéta Jérôme.

Le Dr Tanenbaum lui tapota l'épaule alors que Florence sortait de la cabine. Sourire aux lèvres, elle s'approcha d'eux en cherchant à entendre ce qu'ils disaient. Elle portait une petite laine qui tombait mal et Jérôme remarqua qu'elle l'avait boutonnée en jalouse. Dans un élan de tendresse, il détacha le gilet comme il aurait fait pour un enfant et le reboutonna correctement.

— Je ne sais même plus m'habiller, s'amusa-t-elle en cherchant le regard du médecin.

Celui-ci sortit une ordonnance de la poche de sa blouse et la tendit à Jérôme.

— C'est un nouveau médicament. Avec ça, plus de migraines, c'est promis.

Florence était radieuse. Elle s'appuya au bras gauche de son fils en le taquinant.

— Pour une fois, tu avais raison ! Ce n'était qu'une affaire de médicaments. Tout est parfait.

Jérôme hocha la tête en souriant. Florence avait raison. Tout était parfait, mais plus rien n'était pareil.

Les Jats

Jérôme n'était pas rentré chez lui ce soir-là. Il avait dormi chez sa mère. Le lendemain, au lieu de partir à la première heure sous prétexte qu'il était sur une piste, qu'il enquêtait, il s'était attardé, lui préparant le petit déjeuner, qu'elle avait mangé avec appétit. Après avoir discuté avec elle, il s'était rendormi sur le divan et, lorsqu'il avait ouvert l'œil, vers onze heures, elle avait décrété qu'il était malade. Tout de suite, elle lui avait préparé de la soupe aux nouilles Lipton, la même qu'elle lui servait lorsqu'il était enfant et qu'il avait la grippe.

— Depuis quelques jours, j'ai bien vu que tu avais mauvaise mine, lui confia-t-elle en déposant un bol de soupe chaude devant lui.

Jérôme était confus. Comment lui dire qu'elle avait tout faux, que c'était elle qui était malade et que s'il restait à ses côtés, c'était pour la soigner ?

— Il avait raison, le Dr Tanenbaum. Ce nouveau médicament est une vraie merveille. Mes maux de tête ont complètement disparu, déclara-t-elle en se mettant à table.

L'affaire était si cocasse que Jérôme décida de jouer le jeu. En feignant d'être malade, il pourrait la soigner sans qu'elle ne se rende compte de rien. Il repousserait ainsi l'échéance, le moment de lui dire la vérité, ce qui n'était pas plus mal. Ils mangèrent la soupe en silence, se soignant mutuellement sans avoir prononcé le mot. Mais très vite, les propos du Dr Tanenbaum revinrent hanter Jérôme. « Ce serait bien que vous la preniez en charge », avait-il dit. Et encore : « Vous en êtes tout à fait capable. » Par ces mots, le médecin laissait entendre que Florence méritait mieux qu'une fin lancinante dans un mouroir, mais cela ne voulait pas dire qu'il avait la capacité ou même le talent de lui offrir une alternative convenable.

Jérôme observa discrètement sa mère pendant l'heure qui suivit. Après la soupe, elle s'était levée sans se préoccuper de son bol vide, ce qui n'était pas dans ses habitudes. Elle s'était ensuite attardée devant la fenêtre donnant sur le fleuve, regardant l'horizon sans but précis. Aucun signe de convulsion. Il en avait profité pour nettoyer la table et faire la vaisselle. Lorsqu'elle était sortie de son égarement, elle ne s'était rendu compte de rien.

— Tu n'as pas l'intention de sortir ? lui avait-elle demandé. Cette enquête que tu fais, est-ce que ça avance ?

Elle se rappelait qu'il enquêtait mais ne se souvenait pas du repas qu'il venait tout juste de prendre.

— Tu es vraiment malade ! lui dit-elle un peu plus tard. Pour rester là toute la journée au lieu de travailler, il y a quelque chose qui ne va pas. Est-ce que je devrais m'inquiéter ?

Pour la rassurer, il sortit son ordinateur, s'installa sur le bout de la table et fit mine de chercher quelque chose sur Internet.

— Ça progresse, annonça-t-il. Il faut que je réfléchisse. Je suis très bien ici pour faire ça.

Florence n'avait pas semblé l'entendre. Un sourire indéfinissable plaqué aux lèvres, elle s'était contentée de dire :

— J'ai sommeil. Je crois que c'est le médicament.

Jérôme l'avait accompagnée dans sa chambre sans qu'elle ne proteste et l'avait mise au lit, elle qui ne faisait jamais de sieste. Plutôt que de revenir à son ordinateur, toutefois, il était resté sur le seuil de la porte à la regarder dormir. Elle s'était assoupie en posant la tête sur l'oreiller, après lui avoir dit :

— Tu ne seras sans doute plus là lorsque je vais me réveiller. Referme bien la porte en sortant.

— Je vais être là, maman. Aujourd'hui, je reste.

— Alors tu es vraiment malade, Jérôme ! avait-elle conclu.

Un long moment encore, il s'attarda dans la pièce. Curieusement, il avait l'impression que le Dr Tanenbaum était derrière son épaule, lui répétant : « Ce serait bien que vous vous occupiez d'elle. Vous en êtes tout à fait capable. » Ce n'était peut-être pas plus difficile que cela, au fond. Lui préparer de la soupe et veiller sur son sommeil. Et là, pour la première fois de sa vie, il se rendit compte que Florence ronflait. Et quel ronflement ! Jérôme n'avait plus dormi chez elle depuis des années. La dernière fois, il n'avait rien remarqué. Même la veille, lorsqu'il s'était assoupi sur le divan, il ne l'avait pas entendue. Cette fois, Florence grondait comme un vieux poêle !

Au bout d'un moment, il referma la porte et regagna la salle à manger, mais il l'entendait encore. Penché sur l'écran de son ordinateur, il tapa sur quelques touches et l'entendait toujours. Il venait de lancer le moteur de recherche. Le disque dur chantait, mais le sommeil bruyant de sa mère couvrait même cette musique. Plus par désœuvrement que par curiosité, il inscrivit le mot « Haryana » dans la fenêtre. C'est là qu'il en était – embourbé dans les questions démographiques du pays de Sanjay Singh Dhankhar – lorsque Blanchet l'avait invité à prendre l'apéro, la veille. C'était une maladie chez lui. Il ne parvenait pas à réfléchir sans regarder l'écran d'un ordinateur, sans faire courir un curseur dans les méandres de la surinformation. Pour l'avoir vue dans la liste des mariages à être célébrés au palais de justice, il se souvenait que la ville d'origine des Singh Dhankhar était Jhajjar. Il fouilla de ce côté et tomba sur un fait divers. La mort violente d'un jeune homme que l'on présentait comme un crime d'honneur. Plus bas, la rubrique « Autres articles sur le même sujet » le redirigea vers un dossier paru dans *Le Monde*. Un reportage exhaustif sur les crimes d'honneur, justement. Il voulut faire marche arrière, mais un détail attira son attention. L'Inde préparait une loi afin d'éradiquer cette pratique, vieille d'un millénaire. On y recensait plus de mille assassinats et meurtres de ce type par année, et la région où la coutume était la plus répandue était l'État ultra-traditionaliste de l'Haryana. La rigidité du système des castes était évidemment à l'origine de ce problème. Concentré, Jérôme tentait d'y voir clair lorsque la sonnerie de son cellulaire se fit entendre. C'était O'Leary.

— Aileron ! Tu avais raison. Les passeports volés étaient entreposés dans la voûte D 33 au troisième sous-sol de la Place Guy-Favreau.

— Je m'en fous complètement !

La réponse était venue si vite que l'Irlandais n'avait pas semblé l'entendre. Il continua sur son élan :

— Mais là, je me pose une question ! Qu'est-ce que je fais ? C'est pas mon enquête. T'avais quoi en tête, au juste ?

— Je n'avais rien en tête, O'Leary ! Je t'ai donné l'information. Tu en fais ce que tu veux.

— Il faudrait que je connaisse un peu mieux le contexte. Tu dis qu'il y a une issue, une porte cachée dans cette salle. Tu m'as parlé d'un *Protocole* aussi, non ? Si tu me refilais l'information, j'aurais des arguments.

Jérôme repoussa son ordinateur, réfléchit un moment et se rendit compte qu'il s'était enlisé plus profondément encore. En cherchant à se débarrasser de cette histoire de *Protocole*, il avait ouvert un nouveau front. Jamais O'Leary ne lâcherait le morceau.

— T'es encore là, Aileron ?

Il ne fallait surtout pas lui laisser entendre qu'il avait conservé une copie du document de 1995. O'Leary devait comprendre qu'il lui avait raconté cette histoire de mémoire.

— Je t'ai dit tout ce que je savais. Je suis au courant de l'existence de ce souterrain parce que je connais à peu près tout ce qu'il y a sous la ville, mais c'est tout.

— Tu es certain ? Tu n'as pas un dossier, quelque chose ? Le *Protocole* dont tu m'as parlé ?

— Si j'avais quelque chose, je te l'aurais refilé hier. Je t'ai parlé de ce tunnel parce que je ne peux pas aller leur en parler moi-même. Je suis au repos. Tu te souviens ?

O'Leary ne disait plus rien. Il espérait sans doute que Jérôme, déstabilisé par son silence, ferait un faux pas. Se compromettrait. Les ronflements de Florence venant de la chambre ponctuaient cette interminable attente. L'Irlandais laissa finalement tomber :

— Tu ne sais pas la dernière ? Lynda a fait circuler un mémo. Elle a rappelé Blanchet de la SCS. Paraît qu'elle va lui donner ton ancien bureau dans la grande salle.

L'Irlandais se demandait peut-être si une telle nouvelle délierait la langue de Jérôme. Celui-ci se mordit plutôt la lèvre, déterminé à camper sur sa position.

— En tout cas, si les passeports étaient entreposés dans la voûte D 33, il se peut très bien qu'ils se trouvent dans ce salon dont tu as parlé, sous le boulevard

René-Lévesque. Mon seul problème, c'est de faire circuler l'information sans qu'on me pose de questions sur le *Protocole de 95* !

Jérôme eut une bouffée de chaleur. O'Leary précisa :

— Sans qu'on te pose de questions sur le *Protocole*, en fait.

— O'Leary, j'en ai assez de cette conversation ! Je suis allé prendre un café avec mon *chum*. Je lui ai parlé d'un truc qui s'est passé il y a une éternité et là, tout à coup, je deviens suspect.

— Oh non, non ! C'est pas du tout ce que j'ai voulu dire. J'ai bien compris que tu voulais m'aider… dans ma carrière.

O'Leary mentait. Il jouait la comédie parce qu'il avait senti que Jérôme était sur le point de raccrocher.

— Je me demande seulement vers qui me tourner. En fait, il m'est venu une idée en te parlant. Blanchet a sûrement ses entrées. C'est une enquête conjointe. La GRC, la Sûreté du Québec, le SPVM et la SCS. Oublie tout ça, je vais voir avec elle.

Jérôme était persuadé qu'O'Leary le narguait. Lynda était sans doute au courant. Blanchet avait dû se faire un plaisir de l'en informer. On avait donc envoyé O'Leary à la pêche pour savoir s'il n'avait pas conservé des documents sur la question. Cette conversation était un filet qui se resserrait de plus en plus. Jérôme joua son va-tout.

— Écoute, O'Leary, cette affaire est le dernier de mes soucis. Il est arrivé quelque chose hier. Je ne pensais pas t'en parler, mais tu vas comprendre.

Il avait emprunté une voix chevrotante, sans savoir si l'Irlandais s'en rendrait compte.

— Entre le moment où on s'est vus et maintenant, j'ai appris une mauvaise nouvelle. Une nouvelle qui va prendre beaucoup de mon temps dans les jours qui viennent. Ma mère est très malade. Elle ne s'en sortira pas. Je vais être à ses côtés jusqu'à...

Il fit une pause, tendit l'oreille pour savoir si O'Leary avait quelque réaction, puis reprit sur un ton nettement plus grave:

— Je vais être à ses côtés jusqu'à la fin, en réalité. Alors les passeports dans le tunnel souterrain, ça me passe cent pieds par-dessus la tête!

— J'suis vraiment désolé, Jérôme. Je ne croyais pas que... enfin, j'ai pas voulu te...

Il l'avait appelé «Jérôme». C'était bon signe. Le but était de mettre fin à cette conversation avec tact et de manière à effacer son faux pas, l'erreur impardonnable d'avoir ressorti des oubliettes un secret qui aurait dû y rester.

— Je dois aller m'occuper d'elle, justement. Je vais devoir te laisser.

— Je comprends.

— Salut.

Jérôme referma son téléphone en regrettant d'avoir utilisé la maladie de sa mère comme prétexte pour se débarrasser d'O'Leary. Mais avait-il le choix? Il ne voulait plus entendre parler de Lynda ni de Blanchet. Il ne voulait rien savoir du *Protocole de 95*, pas plus que des corridors souterrains de la ville. Il souhaitait qu'on l'oublie, qu'on le laisse seul pour qu'il s'y retrouve. Les mots du Dr Tanenbaum le poursuivaient. «Ce serait bien que vous vous occupiez d'elle. Vous en êtes tout à fait capable.» Mais qu'en savait-il? Pendant une heure, il marcha de long en large, s'arrêtant à tout moment pour s'assurer que Florence ronflait toujours. Qu'elle était bien vivante. Deux jours plus tôt, elle lui avait reproché d'être incapable d'émotion. Il n'était plus que cela, aujourd'hui!

Perturbé, incapable de réfléchir et surtout d'imaginer ce que serait cette prise en charge de sa mère, Jérôme finit par échouer devant son ordinateur. En activant le curseur, l'article du *Monde* laissé en plan un peu plus tôt réapparut à l'écran. Il reprit sa lecture dans l'espoir de retrouver ses esprits. On y expliquait, en long et en large, que les crimes dits « d'honneur » étaient une pratique consacrée par la culture plutôt que par la religion. Une coutume enracinée dans un code complexe, permettant à un homme de tuer ou d'abuser d'une femme de sa famille, même de sa partenaire, pour cause de comportement immoral.

Encore fallait-il savoir ce qu'était un comportement immoral. Dans le système extrêmement complexe des castes indiennes, commettre la faute impardonnable était aussi facile que de devenir amoureux. Choisir pour époux un homme d'une caste inférieure, d'une religion différente ou même avoir été violée étaient considérés comme des comportements sexuels immoraux. C'était par définition une source de honte pour la famille, donc une raison pour justifier le meurtre. Une association de défense des femmes indiennes résumait ainsi la chose : « Les femmes sont perçues comme la propriété de la famille, de la caste et de la communauté. Leur chasteté est l'honneur du clan. »

Et que se produisait-il lorsque la famille était déshonorée ? Si on ne tuait pas celle par qui le déshonneur était arrivé, la famille était rejetée par les autres membres de la caste. Plus personne ne leur parlait ou ne voulait faire commerce avec eux. Ils n'avaient d'autre choix que de s'en aller. De partir.

— Est-ce que tu vas mieux, Jérôme ?

Florence lui avait lancé la question en sortant de sa chambre. Elle était debout derrière lui et regardait pardessus son épaule.

— Tu arrives à travailler quand même ?

— Oui, oui, fit-il. Ça avance, cette enquête.

— J'suis bien contente de te l'entendre dire !

Il ne lui mentait pas complètement. Sanjay Singh Dhankhar le hantait plus que jamais. Il était derrière chacune des lignes de cet article. Malgré ce qui arrivait à sa mère, malgré cette étrange confusion qui régnait entre eux et qui perdurerait tant qu'il ne trouverait pas le courage de lui annoncer qu'elle était mourante, Jérôme était persuadé qu'il devait enquêter sur cet homme. Un crime avait-il été commis ? Il n'en avait pas la moindre idée. Tant qu'il ne trouverait pas une façon de faire analyser les échantillons retrouvés dans la Pontiac, il ne saurait même pas s'il s'agissait de sang humain. On ne signalait aucune personne manquante, de surcroît. Mais son intuition lui disait qu'il s'était passé quelque chose.

— Tu ne crois pas qu'une soupe au poulet et aux nouilles te ferait du bien ?

Florence s'agitait dans la cuisine, ayant sans doute oublié qu'elle lui en avait servi une le midi même. Jérôme mit la main dans son sac en cuir et récupéra le bloc sur lequel il avait inscrit le numéro de téléphone de Gabriel Lefebvre, alias Roméo. Il imagina un scénario en vitesse. La voix lancinante d'un fonctionnaire comme leurre et une signature manquante sur un quelconque document administratif étaient tout ce qu'il lui fallait pour réussir son coup. Tout en expliquant à sa mère qu'il avait à sortir une heure ou deux mais qu'il serait de retour en début de soirée, il composa le numéro de Gabriel Lefebvre.

— Oui, allô !

Le ton était agacé. Jérôme se rendit bien compte qu'il le dérangeait. Il emprunta néanmoins une voix traînante, donnant l'impression qu'il avait tout son temps et plus encore.

— Oui, bonjour, j'appelle du palais de justice, registre des mariages. Est-ce que je pourrais parler à M. Gabriel Lefebvre ?

— C'est moi !

— Vous êtes M. Gabriel Lefebvre. C'est bien vous ?

— Oui, oui, c'est moi, je vous l'ai dit…

— Alors voici la raison de mon appel. Une date a été retenue pour un mariage civil entre vous-même et Mlle Rashmi Singh Dhankhar. La date de confirmation et d'acquittement des droits est échue depuis bientôt deux semaines et je me demandais si…

— Ah oui… c'est que… y a un petit changement et je n'ai pas eu le temps de…

Roméo n'était pas allé au bout de sa phrase. Après une courte pause, il se reprit :

— J'aurais dû vous téléphoner… mais voilà… il n'y aura pas de mariage. Pas tout de suite, en tout cas.

Jérôme devait manifester de la sympathie pour que la conversation se poursuive, sans toutefois oublier qu'il était un fonctionnaire apathique.

— Je vous comprends. Ce sont des choses qui arrivent. Vous avez décidé de repousser le mariage, c'est ça ? Il y a un empêchement ?

— Ouais, on peut dire ça, répondit Roméo, avec une pointe de cynisme dans la voix. Un empêchement.

— Rien de trop grave, j'espère ? On voit ça souvent, vous savez. Des gens qui hésitent à la dernière minute.

— Disons !

Sortie de la cuisine, Florence dévisageait son fils, intriguée par le ton qu'il empruntait et par les longues pauses qu'il faisait pour laisser parler son interlocuteur. Celui-ci n'avait pas l'air très loquace.

— Je suis désolé. Mais il y a tout de même un petit problème administratif que nous devons régler.

— Ah oui ? rétorqua le jeune Lefebvre, comme s'il venait soudain de se rappeler qu'il était pressé.

— Il y aurait un document à signer pour fermer le dossier. Sinon, il va y avoir des frais. C'est aujourd'hui la date limite.

— Ah, mais aujourd'hui je ne peux pas. Je pars en voyage et…

Gabriel Lefebvre était agité au bout du fil, maintenant. Jérôme l'était tout autant, mais il ne devait pas le laisser paraître. Celui qui voulait épouser Rashmi Singh Dhankhar était sur le point de partir. Il fallait lui parler avant qu'il ne disparaisse.

— Sur le formulaire, je vois que vous habitez le 1444, rue Montcalm, dans le Centre-Sud.

— Ouais ?

Jérôme cherchait à gagner du temps, mais il ne savait pas où il s'en allait avec ses questions. Une idée saugrenue lui passa par la tête.

— Je pourrais vous envoyer un coursier. On ne fait pas ça d'habitude, mais disons que pour cette fois…

— Un coursier, pour signer un formulaire, rétorqua Gabriel, suspicieux.

Depuis le début de cette conversation, Roméo mangeait dans sa main, mais voilà qu'il se montrait perplexe.

— Écoutez, c'est pour vous ! s'empressa de dire Jérôme sur un ton un peu plus ferme. Sinon, je vous envoie le document par la poste avec la facture. Ça m'est égal.

— Non, non, allons-y avec le coursier.

Florence suivait l'échange comme s'il s'agissait d'un spectacle. Mais elle semblait nourrir des doutes quant à la performance de son fils. Celui-ci reprit sa voix traînante :

— D'accord. J'ai votre adresse. Quelqu'un devrait être là d'ici une heure.

— O.K., fit le jeune Lefebvre, sans plus résister.

— Je vous remercie, monsieur Lefebvre. Au revoir.

Florence dévisagea son fils d'un air sévère tandis qu'il rangeait son téléphone dans son sac en cuir.

— Tu le prends pour qui, ce gars-là ? Une valise ? Depuis quand les fonctionnaires envoient des coursiers pour faire signer des documents ? C'était n'importe quoi, ce que tu lui as raconté. À mon avis, il va se douter de quelque chose.

Florence avait le don de l'emmerder ! De se mêler de ce qui ne la regardait pas et de le ramener à ce qu'il n'était plus depuis longtemps : un enfant que sa mère juge sans cesse. À bien y penser, elle était moins dérangeante lorsqu'elle était confuse et que son discours était émaillé de trous de mémoire.

— J'ai dit ce qui m'est passé par la tête. L'important, c'est de l'attraper avant qu'il ne disparaisse. J'ai une heure.

— Ce n'était quand même pas très crédible, ronchonna-t-elle.

Jérôme quitta l'appartement en se disant que les prochaines semaines seraient longues et pénibles. Prendre sa mère en charge était une chose, mais étouffer la détresse qui l'envahissait lorsqu'elle lui parlait ainsi, lorsqu'elle se prenait pour le metteur en scène de sa vie lui paraissait au-dessus de ses forces.

* * *

Lorsque Gabriel Lefebvre lui ouvrit la porte, son attitude donna raison à Florence. Pas un seul instant il n'avait cru à cette histoire de coursier se déplaçant pour faire signer un document. Sans détour, il lui demanda :

— Vous êtes de la police ?

Jérôme ne pouvait exhiber son badge. Pas plus qu'il n'avait de formulaire d'annulation de demande de mariage à lui présenter. Il évita tout de même de répondre.

— Je m'intéresse à un certain Sanjay Singh Dhankhar. Quelqu'un que tu connais, je crois.

— C'te *crisse* de fou-là !

Les mots étaient sortis comme une éructation, un cri de douleur que l'on pousse lorsqu'on se coince le doigt dans une porte.

— Donc, vous n'êtes pas fonctionnaire ?

— Pas tout à fait, fit Jérôme sans donner plus de précisions.

Il était debout sur le seuil de la porte. La chaleur de la ville lui poussait dans le dos, mais Roméo résistait, ne l'invitait pas à entrer. En sortant du métro Beaudry, il n'avait marché qu'une centaine de mètres à l'air libre avant de monter l'escalier de métal menant à l'appartement, et déjà il sentait ses forces l'abandonner.

— Je n'ai pas beaucoup de temps, laissa enfin tomber le jeune Lefebvre en s'écartant.

À l'intérieur, Jérôme remarqua un sac à dos appuyé contre le mur du corridor. Un sac prêt pour le voyage. L'appartement était modeste, propre et bien éclairé, surtout vers l'arrière où se trouvaient le séjour et la cuisine. Il eut l'impression que Gabriel y habitait depuis peu. L'aménagement n'était pas tout à fait terminé. Après son mariage avec Rashmi Singh Dhankhar, le couple envisageait sans doute de partager le logement. Mais quelque chose s'était passé. Le projet avait avorté.

— Je te dois des excuses, commença Jérôme. Je me suis fait passer pour quelqu'un que je ne suis pas. Mais il fallait que je te parle.

— Comment connaissez-vous Sanjay Singh Dhankhar ?

Le ton qu'avait emprunté Gabriel Lefebvre ne laissait aucun doute sur sa colère. Le jeune homme était irrité. Il en voulait au père de Rashmi.

— En fait, je ne le connais pas. J'espérais que tu me parlerais de lui, fit Jérôme en baissant les yeux vers le sac à dos.

Et il enchaîna sans lui laisser le temps de réagir :

— Tu pars en voyage ?

— On peut rien vous cacher ! Et vous ? Vous travaillez pour la police, c'est ça ?

— Je suis en congé, disons. En vacances forcées, affirma Jérôme. Tu vas où exactement ?

Gabriel était sur ses gardes. Mais quelque chose dans sa façon de bouger, dans sa façon de le regarder lui disait qu'il avait envie de parler, de se confier. Il avoua avec une certaine retenue :

— En Inde.

— Tu n'irais pas à New Delhi, par hasard ? Ou dans l'État voisin, l'Haryana ?

— Comment le savez-vous ?

Jérôme ne répondit pas. Il jeta plutôt un œil vers le séjour au fond du logement. Lefebvre lui demanda ce qu'il cherchait.

— Je ne te veux pas de mal. Et je ne suis pas tout à fait de la police, mentit-il. Je suis de l'immigration.

— Un agent de l'immigration ?

— En vacances, précisa-t-il à nouveau.

C'est alors seulement que le jeune homme remarqua son petit bras. Et son teint basané. Autant de raisons, espérait-il, de ne pas se sentir menacé.

— Venez, fit-il, en l'invitant à le suivre.

Ils s'installèrent au séjour où ils étrennèrent des meubles IKEA tout neufs. Personne ne semblait s'y être assis depuis qu'ils avaient été montés. Sans que cela l'étonne, Gabriel lui annonça :

— Rashmi devait s'installer ici après notre mariage…

— Le 15 août, précisa Jérôme.

— Oui, c'est ça. Le 15 août. J'ai loué le logement au début de juillet, en prévision…

L'émotion le gagnait. Il n'arrivait plus à terminer sa phrase. Jérôme se mit en mode interrogatoire.

— Que s'est-il passé ?

— Compliqué comme histoire.

En temps normal, Jérôme aurait glissé la main dans son sac, attrapé un bloc et pris des notes. Mais il n'en fit rien. La moindre distraction pouvait effaroucher le jeune Lefebvre. Mieux valait donner l'impression que leur conversation était technique, qu'ils échangeaient de l'information sur un dossier, pour lequel le fonctionnaire qu'il n'était pas se montrait plus intéressé qu'il n'aurait dû parce que l'affaire était inhabituelle.

— D'abord, il faut savoir que Rashmi vient d'une des régions les plus traditionalistes de l'Inde.

— Je sais. Comment s'appelle sa ville d'origine déjà ? Jha…

— Jhajjar.

— Bien sûr !

Lefebvre avait laissé tomber sa garde. Que Jérôme soit fonctionnaire, policier ou agent de l'immigration en vacances ne semblait plus avoir d'importance. C'est son histoire d'amour qu'il racontait et l'homme qui était devant lui écoutait avec intérêt.

— Pour les Dhankhar, qui ont eu deux filles mais aucun fils, la réussite sociale passe par le mariage de Rashmi et de sa sœur…

— Sangeeta.

— Oui, répondit Gabriel, agacé qu'on l'interrompe. Sangeeta. La réussite sociale des Dhankhar passe donc par leur mariage avec des hommes de caste supérieure.

Cette fois, Jérôme se garda bien de commenter. Il n'avait retenu le nom d'aucune caste. Il connaissait encore moins leur hiérarchie.

— Il y a deux ans, Rashmi a été promise à un homme de douze ans son aîné ; Manoj Wazirpur. Sangeeta, qui n'avait alors que quinze ans, a aussi été promise à quelqu'un dont je n'ai pas retenu le nom. Tous deux étaient issus de la caste des Rajputs.

— Un mariage double ! commenta Jérôme.

— Si on veut. Celui de Rashmi devait avoir lieu cet été. Celui de Sangeeta l'année prochaine. Mais entre-temps, l'entreprise pour laquelle Sanjay travaille l'a envoyé ici en formation. Le premier mariage a été repoussé. Il devait ensuite avoir lieu à l'automne.

— Devait ? répéta Jérôme.

— Rashmi était terrorisée à l'idée de marier cet homme. C'est un violent, un sans-manières, qui n'a qu'une idée en tête : lui faire des enfants, un fils surtout, pour hériter du patrimoine familial, comme le veut la tradition.

— Alors Rashmi et sa famille arrivent à Montréal en janvier. Le 3 janvier, si ma mémoire est bonne.

Gabriel Lefebvre était touchant. Sans la moindre inhibition, et toujours sans chercher à savoir ce que Jérôme lui voulait, il raconta dans le menu détail sa rencontre avec Rashmi à l'Université de Montréal. Elle étudiait en informatique. Il était en sciences sociales. Dès les premiers instants où ils s'étaient vus, où ils s'étaient parlé, il avait su qu'il l'aimait. Et elle aussi.

— Je ne sais pas comment l'expliquer, mais Rashmi est venue me chercher. Quand nous étions ensemble, plus rien ne comptait. Je n'ai jamais été en amour comme ça. Et elle non plus. Elle n'en revenait pas !

— Elle ne revenait pas de quoi ?

— D'avoir des sentiments pour quelqu'un, que cela soit réciproque et qu'on puisse envisager de vivre ensemble sans que personne n'ait quoi que ce soit à dire. Sans que la tradition ou les règles de castes n'interviennent dans nos projets.

— Mais elle était promise. Son mariage était reporté, mais pas nécessairement annulé.

— À moins qu'elle se marie ici selon les lois canadiennes… et qu'elle ne retourne pas là-bas.

— C'est donc ce que vous aviez prévu.

— Oui.

— Sans en parler aux parents de Rashmi. Vous avez cru qu'en les mettant devant le fait accompli, ils ne pourraient rien faire.

— On a cru, oui, répéta Gabriel.

Jérôme le sentit tout à coup abattu. Le jeune homme ne parlait plus. Il regardait le plancher en dodelinant de la tête. Morose, il faisait des bruits avec sa bouche. Puis, il laissa tomber :

— C'était une erreur.

Très éloquent dans les premiers moments de l'échange, le jeune homme parlait maintenant de façon télégraphique. Éludant les détails, faisant des sauts dans le temps et ponctuant son récit de jurons bien sentis. Tout était devenu plus compliqué lorsque les cours avaient pris fin à l'université… à cause de sa sœur, Sangeeta. La cadette, qui avait passé le semestre au Cégep du Vieux-Montréal, avait bamboché tout l'hiver. Ses frasques avaient contrarié ses parents et, le beau temps venu, les deux sœurs avaient littéralement été séquestrées.

— Sangeeta est profondément rebelle, précisa Gabriel, alors que Rashmi, c'est la discrétion incarnée. Le problème évidemment, c'est qu'elle payait pour les frasques de sa sœur cadette !

— Donc, vous ne pouviez plus vous voir, devina Jérôme.

— Difficilement. Elle avait un emploi d'été à la cafétéria de l'hôpital Sainte-Justine. C'était à quelque pas de chez elle, sur Kent, et pourtant Sanjay venait la chercher tous les soirs après le travail.

— Et Sangeeta ?

— Chaque fois qu'elle en avait l'occasion, elle fuguait. Et lorsqu'elle revenait, elle affrontait son père. Ça ne se fait pas, chez les Jats. Affronter le père, surtout pour une fille, c'est le déshonorer. Mais Sangeeta s'en balançait complètement. Et elle disait à qui voulait l'entendre qu'au moment de rentrer au pays elle disparaîtrait pour de bon. Il n'était pas question d'épouser un Rajput. Elle resterait au Canada et sa famille n'entendrait plus jamais parler d'elle.

Avec force détails, Gabriel raconta comment les comportements fantasques de la cadette se transformèrent en menace pour leur projet de mariage. Ignorant qu'elle préparait sa sortie de scène, Sanjay et sa femme craignaient que Rashmi subisse l'influence négative de sa sœur et en vienne à remettre en question son mariage avec Manoj Wazirpur. Celle-ci cachait son jeu, acceptant sans trop rechigner les contraintes que cela lui imposait. Et Sangeeta en remettait. Elle écoutait de la musique québécoise, préférait la cuisine locale aux plats traditionnels que préparait sa mère et s'habillait de façon provocante. Ses parents avaient beau lui dire que l'annulation de son mariage avec un Rajput serait une catastrophe pour la famille, elle n'en avait que faire. La tension ne cessait de monter.

Pour que le projet de mariage de Gabriel et de Rashmi réussisse, cependant, il devenait urgent de calmer le jeu, de faire de Sangeeta une alliée. Ses provocations étaient sur le point de tout compromettre. Si bien qu'un jour où les deux sœurs étaient seules dans le parc de Kent, l'aînée fit part de ses intentions à sa cadette. Avant qu'ils ne retournent en Inde, elle épouserait Gabriel. Sangeeta n'en revenait tout simplement pas. Jamais elle n'aurait cru que sa sœur, si discrète, si soumise, puisse concevoir une telle chose. Encouragée par ce projet secret, elle était devenue encore plus turbulente, multipliant les fugues, disparaissant plusieurs jours d'affilée et refusant obstinément de s'expliquer avec son père.

— La sédition grondait chez les Dhankhar, continua Gabriel d'une voix qui laissait présager le pire. Rashmi et Sangeeta s'étaient rapprochées. Ce n'était pas de bon augure, leur père le savait bien. Rashmi me donnait un coup de fil à la sauvette de temps en temps. Ou encore m'envoyait un courriel, par-ci par-là. Le plus souvent, il était question de Sangeeta qui avait disparu, qui touchait à la drogue ou encore qui couchait avec les garçons. Elle ne perdait jamais l'espoir que tout finirait par s'arranger. Et je la croyais.

À nouveau, Jérôme sentit l'émotion envahir Gabriel. Malgré la chaleur ambiante, malgré l'été qui pesait lourd, on aurait dit qu'il frissonnait. Ses mains tremblaient, ses joues creusées donnaient l'impression qu'il n'avait pas dormi depuis des jours. Il hocha la tête, comme s'il cherchait à se ressaisir, à retrouver le fil.

— Les choses se sont compliquées lorsque j'ai demandé et obtenu une date pour le mariage, au palais de justice. Il n'y avait rien de disponible avant le 15 août. C'était tard. Les Dhankhar devaient repartir une semaine plus tard, le 21. Tout se jouerait à la dernière minute, ce qui était risqué.

— Risqué ?

— Un jour, le chat est sorti du sac. Rashmi était en train de parler du mariage avec sa sœur lorsque Sanjay les a surprises. Il avait intercepté une lettre adressée à sa fille, venant du palais de justice justement. Un accusé de réception. Il savait tout. Habituée à tenir tête à son père, Sangeeta l'a attaqué de front, le traitant de tous les noms et avouant avoir elle-même couché avec plusieurs garçons depuis son arrivée au pays. Comme Rashmi, elle n'avait pas l'intention de retourner en Inde, mais, contrairement à sa sœur, elle avait pris les devants. Depuis des mois déjà, elle n'était plus vierge ! Son père a reçu cet aveu comme une gifle, comme un coup de poing au ventre. En cherchant à défendre sa sœur, Sangeeta était allée trop loin. En Haryana, une fille promise doit obligatoirement être vierge.

Jérôme attendait la suite, mais Gabriel se tut. Il ne disait plus rien, comme s'il cherchait à retrouver ses forces ou encore à oublier.

— Et qu'est-ce qui s'est passé ? demanda-t-il.

Gabriel mit un long moment avant de répondre.

— Les Dhankhar ont séquestré Sangeeta. Notre projet de mariage n'existait pas pour eux. Ce n'était rien. La perte de la virginité de la cadette, par contre, était un drame épouvantable. Une faute irréparable.

— Et ?

— Avant que les choses ne dégénèrent davantage et que Rashmi ne fasse de même, qu'elle perde sa virginité, ils ont décidé de la renvoyer là-bas !

— Rashmi ?

Gabriel opina de la tête.

— Mais c'est elle qui allait se marier !

— Pas grave. À leurs yeux, Sangeeta était la seule coupable. Le mariage de Rashmi n'était qu'un projet, après tout. À leur connaissance, l'amour n'avait pas été consommé. Sangeeta, en revanche, était condamnée. C'est elle-même qui leur avait dit qu'elle n'était plus vierge. Ils n'avaient aucune raison d'en douter. Et voilà comment, le 15 juillet, Rashmi est partie.

— Seule ?

— Prabhat, le frère de Sanjay, était venu de Jhajjar, deux ou trois jours plus tôt. Les sages de la *khap panchayat*, une espèce de conseil des mœurs, avaient débattu de ce qui se passait à Montréal. Il avait pour mission de ramener Rashmi au pays. Si elle avait pu s'échapper, elle l'aurait fait. Mais elle n'en a pas eu la chance. Le jour de son départ, elle m'a appelé, résignée.

— De l'aéroport ?

— Non. De la maison. Elle n'avait plus parlé à Sangeeta depuis des jours et elle s'inquiétait beaucoup. Ce que sa sœur avait raconté à son père ne se faisait pas, ne se disait pas. Forcément, elle en paierait le prix.

Les questions se bousculaient dans la tête de Jérôme, mais il se mordait les lèvres pour ne pas l'interrompre. Gabriel était ému.

— Lorsque nous nous sommes parlé au téléphone, elle m'a dit que le rêve était terminé, ajouta-t-il. De retour au pays, elle épouserait Manoj Wazirpur dans une grande cérémonie qui aurait lieu en septembre et elle n'y pouvait rien. Non seulement elle était résignée, mais s'opposer à la volonté de son père risquait de l'irriter davantage. Elle ne voulait pas prendre ce risque, compte tenu de la position précaire dans laquelle se trouvait sa sœur.

— Ah oui ? Sangeeta était vraiment en danger ?

— Elle avait déjà fait beaucoup pour indisposer son père. C'est ni plus ni moins qu'une condamnation, ça !

— Mais pourquoi veux-tu aller rejoindre Rashmi, alors ? demanda Jérôme.

— Je lui ai dit que personne ne pouvait l'obliger à marier un homme qu'elle n'aimait pas et j'ai entendu une lueur d'espoir dans sa voix. Elle m'a dit qu'elle m'attendrait et elle m'a donné aussi le nom de son cousin, qui habite Mumbai. J'ai eu le temps de noter son adresse internet avant que la communication ne soit interrompue. C'était le 15 juillet. Je n'ai plus eu de nouvelles depuis.

Gabriel fit une longue pause, rassembla ses forces et finit par dire :

— Je vais aller là-bas et je vais la ramener.

— C'est dangereux, tu sais.

— Encore plus dangereux que vous pensez. Mais ça ne change rien. J'ai communiqué à quelques reprises avec le cousin. Il s'appelle Surinder Jodhka. Il va m'aider. Il m'attend. Je pars demain.

Jérôme sut d'emblée que peu importe ce qu'il dirait, rien ne le ferait changer d'idée. Le cœur de Gabriel était déjà dans l'Haryana, auprès de Rashmi. Son histoire s'avérait fort instructive, cependant. Et lui donnait envie d'aller au bout de son intuition. Sanjay Singh Dhankhar cachait quelque chose. Jérôme en avait la certitude depuis qu'il l'avait rencontré. Ce n'était pas suffisant pour l'incriminer de quoi que ce soit, mais c'était assez pour qu'il continue de creuser cette affaire.

— Comment te rends-tu à l'aéroport, demain ?

— Je vais prendre l'autobus, répondit Gabriel, comme si la chose allait de soi.

— Si tu veux, je vais te conduire. Ça me ferait plaisir.

— Pourquoi vous feriez ça ?

Jérôme répondit sans hésitation :

— Parce que c'est une très belle histoire que tu viens de me raconter.

* * *

En sortant du logement de Gabriel Lefebvre, Jérôme se dirigea vers le métro Beaudry. La rue Sainte-Catherine était déserte. Les gens étaient à l'ombre ou se terraient dans les immeubles climatisés. Levant les yeux avant de s'engouffrer dans la station de métro, il scruta un moment le ciel brunâtre qui jetait une lumière d'éclipse sur Montréal. Empruntant le tapis roulant qui descendait dans le ventre de la ville, il trouva un peu d'air à respirer. Encore plus bas, il parvint à aligner quelques idées. Florence d'abord. Il n'était pas question de la laisser seule. Il avait mal dormi chez elle la veille et passerait à nouveau la nuit sur son divan. C'était une solution temporaire, évidemment. Il faudrait trouver mieux, mais d'ici là il n'avait d'autre choix que de retourner chez lui pour prendre quelques affaires.

Il emprunta le métro en direction ouest, regagna les Cours Mont-Royal et monta chez lui. L'air était tiède dans son appartement. Il n'y avait aucun message sur son répondeur. Il sortit sa valise du placard. En moins de deux, il rassembla le nécessaire pour tenir deux ou trois jours. Vêtements de rechange, trousse de toilette. Il pensa également à emporter de l'argent. Il gardait toujours du liquide dans un coffret de marqueterie à peine dissimulé dans le premier tiroir de sa commode. Deux à trois mille dollars en général. Cela le rassurait. Mais il se ravisa. Il y avait un guichet automatique dans le hall du Port-de-Mer, l'immeuble de sa mère. Il ferait plutôt un retrait au besoin.

En refermant sa valise, il pensa à Sanjay Singh Dhankhar, à sa fille Rashmi, qui était maintenant en Inde, et à Gabriel, qui allait bientôt la rejoindre. Il enviait le jeune homme qui allait entreprendre un voyage au bout du monde. Cette folle aventure motivée par le seul désir amoureux. L'échappée qu'il avait imaginée vers le Pacifique était un voyage sans passion. Aller au bout de la route pour oublier, ce n'était rien. Seulement de la solitude. En passant devant son bureau, il aperçut un paquet de feuilles dans le bac de l'imprimante. En revenant de chez l'enquêteure Blanchet, le jour précédent, il avait imprimé le relevé de compte de la carte de crédit de Sanjay depuis son arrivée au pays. Comme il n'avait pas eu le temps de l'examiner, il emporta le tout. Dès qu'il aurait un moment, il y jetterait un œil. Puis, d'instinct, il s'approcha de la bibliothèque, passa la main derrière une des rangées de livres et récupéra le CD contenant la copie du *Protocole de 95*. Il avait toujours cru ce document en sécurité à cet endroit. Ce n'était plus le cas. Pourquoi prendre le risque ?

Il allait refermer la valise et partir lorsqu'un détail lui revint à l'esprit. Ou plutôt une date. Gabriel Lefebvre lui avait dit que Rashmi était retournée dans son pays le 15 juillet. On était aujourd'hui le 30. Or, lorsque Sanjay lui avait vendu la Pontiac, il avait affirmé qu'il revenait d'un voyage avec sa famille au « New » Brunswick. Un séjour de deux semaines qui l'avait réjoui. Quelque chose ne marchait pas avec ces dates. Ou Rashmi avait quitté le pays alors que ses parents étaient à l'extérieur de Montréal, ou le voyage à la mer des Singh Dhankhar avait été moins long qu'il ne l'avait affirmé. Il ressortit l'imprimé du relevé de carte de crédit de sa valise, s'installa à la table de la cuisine et le passa en revue. Très vite, il repéra la date qui l'intéressait. Le 15 juillet en début de soirée, Sanjay avait payé soixante-seize dollars quatre-vingt-quinze un repas dans un restaurant à l'aéroport Montréal-Trudeau. L'entrée suivante était en date du 16 juillet, à deux heures du matin. C'était un plein d'essence dans une station-service à Beaumont, une localité qu'il ne connaissait pas.

Jérôme sortit son ordinateur afin de localiser la ville en question. C'était à peine un rang, à quelques kilomètres de Québec, le long de l'autoroute 20. En supposant que Rashmi avait pris un vol vers l'Inde à l'aéroport Montréal-Trudeau ce soir-là, il conclut que les Singh Dhankhar avaient quitté la ville aussitôt, sans retourner dans leur logement de l'avenue de Kent.

De plus en plus intrigué, Jérôme reprit la lecture du relevé de carte de crédit. À huit heures du matin, le 16 juillet toujours, un nouveau paiement avait été effectué à l'aide de la carte dans une auberge de Notre-Dame-du-Lac, cette fois. Après avoir voyagé toute la nuit, Sanjay, sa femme, Prem, et leur fille cadette, Sangeeta, avaient loué une chambre dans un établissement qui avait pour nom Le Marie-Blanc. Une auberge doublée d'un restaurant sans doute, puisque le petit déjeuner et la nuitée avaient été payés en deux factures séparées. Vingt-huit dollars pour l'une, cent dix-huit dollars pour l'autre. À nouveau, Jérôme consulta son ordinateur. L'auberge en question se trouvait sur le bord d'un grand lac à la frontière du Nouveau-Brunswick. Scrutant les autres dépenses de la famille Dhankhar, il apprit qu'ils s'étaient ensuite rendus au village de Cap-Pelé, en Acadie, et qu'ils y avaient loué un chalet ou un condo dans un lieu de villégiature appelé Les Aboiteaux. Ils en étaient repartis huit jours plus tard, le 23 juillet, pour rentrer à Montréal. Une semaine s'était écoulée avant que Jérôme n'achète la Pontiac Aztek. Sanjay Singh Dhankhar lui avait donc menti.

Il mit les imprimés dans sa valise, jeta un dernier coup d'œil dans l'appartement et sortit en fermant à double tour. Alors qu'il était dans l'ascenseur, quelqu'un arriva en courant dans le corridor, le forçant à retenir les portes pour le laisser monter. L'homme, au regard fuyant, le remercia d'un petit signe de la tête. Ils n'échangèrent pas un mot en descendant et partirent chacun de son côté lorsqu'ils atteignirent le hall de l'immeuble. Arrivé dans le métro, Jérôme se dirigea vers l'une des extrémités du quai d'embarquement, comme il le faisait toujours. C'est de là qu'il repéra l'homme de l'ascenseur. Celui-ci avait pourtant quitté l'immeuble par la grande porte, au lieu d'emprunter les voies souterraines. L'air pressé, il achetait un billet au guichet. Peut-être avait-il changé d'idée à cause de la chaleur. Il s'avança sur le quai en regardant autour de lui. Lorsque ses yeux croisèrent ceux de Jérôme, il fit semblant de ne pas le voir. C'est pourtant lui qu'il cherchait.

Au même moment, le métro entra en gare. Jérôme monta dans le wagon de queue et vint se poster tout près d'une fenêtre. Quand il était suivi, il le savait. C'était une question d'instinct. Et pour l'instant, il avait l'avantage. Il avait repéré celui qui était à ses trousses. Mais qui donc était cet homme et que lui voulait-il ? Pour le savoir, il élabora un plan. À la station suivante, celle de la Place-des-Arts, il descendrait et se dirigerait vers les bureaux de la SCS sous le quartier des spectacles. Il connaissait bien le coin. L'endroit idéal pour coincer ce malotru et le confronter.

Avec son sac de cuir en bandoulière et sa valise à roulettes, qu'il tirait de sa seule main utile, Jérôme sortit du wagon dès que les portes s'ouvrirent et se lança dans un escalier qu'il dévala à toutes jambes. Un peu plus loin sur la droite, il y avait un couloir menant à des toilettes publiques. Là, dans ce passage, une porte s'ouvrait sur un couloir souterrain, un raccourci qu'empruntaient les agents du SCS à l'occasion. C'est à cet endroit qu'il surprendrait celui qui l'avait pris en filature. Mais manque de chance, la porte était fermée à clef ce jour-là. Plan B : Jérôme se précipita vers les toilettes en faisant beaucoup de bruit, pour être certain que celui qui le suivait ne perdrait pas sa trace. Il se posta derrière une cloison et attendit en retenant son souffle.

Cinq minutes s'écoulèrent. Cinq longues minutes sans que personne ne se manifeste. Et Jérôme se demanda s'il n'avait pas tout imaginé. Cet homme au regard fuyant qui se précipite dans l'ascenseur, le même homme qui s'avance sur le quai de gare. Puis cette poursuite dans les corridors. Et si ce n'était qu'une fausse alerte ? Une illusion ? Déçu, il sortit dans le corridor, gagna la station de métro et remonta à la surface en faisant tout pour se faire remarquer. Mais c'était peine perdue. Personne ne s'intéressait à lui. Le quartier des spectacles était une véritable fourmilière à cette heure. Il était seul parmi tant d'autres et nul ne semblait le voir.

Tirant sa valise, Jérôme se laissa emporter par le courant et se retrouva bientôt sur le boulevard de Maisonneuve. La chaleur était étouffante, la musique venait de partout à la fois, comme les gens qui déambulaient d'une scène à l'autre. Il mit le cap vers l'est, cherchant obstinément l'homme au regard fuyant, mais de toute évidence, il l'avait semé. Sans plus insister, il quitta le quartier par la rue Ontario et trouva un chauffeur haïtien endormi dans son taxi.

— Vous pouvez me conduire sur la Rive-Sud ? demanda-t-il en montant dans la voiture.

L'homme mit le moteur en marche en lui demandant de répéter l'adresse, qu'il n'avait pas encore donnée.

— La Rive-Sud. L'immeuble juste en face du métro. Le Port-de-Mer. Est-ce que vous avez la climatisation dans votre voiture ?

Le Haïtien fit la moue. S'il l'avait eue, il n'aurait pas dormi dans ce four ! Il faisait au moins quarante degrés. Pour ne pas arranger les choses, il mit plus d'une demiheure à gagner puis à traverser le pont Jacques-Cartier.

Jérôme était en nage. Sa peau collait à la cuirette de la banquette arrière et sans sa valise contre laquelle il était appuyé, il se serait allongé de tout son long.

Après avoir payé la course, il se réfugia dans le hall de l'immeuble, où il s'attarda un moment derrière une plante, appuyé à un mur de pierre. Précaution inutile. Il n'y avait toujours personne sur ses talons. Jérôme doutait de bien des choses dans la vie, mais là-dessus il se trompait rarement. Lorsqu'on le prenait en filature, il le savait d'instinct. Pourtant, cette fois, il s'était trompé. Sa convalescence, doublée de la maladie de sa mère, commençait à lui rentrer dans le corps. Il perdait tous ses repères.

Se trouvant ridicule, il sortit de l'ombre et descendit au garage où il planqua le CD du *Protocole de 95* sous le pneu de rechange, dans le coffre de la Pontiac. De sa main, il sentit la tache rougeâtre, la surface rugueuse du sang séché. Sans la preuve qu'il s'agissait bien de sang humain, il ne pouvait plus s'avancer sur cette piste. Cette découverte n'avait peut-être rien à voir avec le mystère qui planait autour de la personne de Sanjay Singh Dhankhar. Dans les circonstances, il était préférable de dissocier les deux choses. Sans bruit, il referma le hayon en regardant autour de lui. Le garage était désert à cette heure, mais ce n'était pas une raison pour prendre des risques. Il longea les murs, emprunta l'escalier de secours et s'arrêta à chaque étage pour s'assurer une fois encore qu'on ne le suivait pas. Lorsque enfin il rentra chez Florence, il la trouva éveillée malgré l'heure tardive. Elle s'était installée sur le balcon dominant le fleuve et regardait la ville. Les lumières des plus hauts immeubles étaient encore enveloppées d'un nuage de smog. Elle s'étonna de le voir arriver chez elle.

— Ça ne va pas mieux, n'est-ce pas ?

Sur le coup, il pensa que le moment était bien choisi. Le temps était doux, la rumeur lointaine de la ville donnait l'impression que Montréal leur chantait une sérénade. Il allait lui faire part de ce que le Dr Tanenbaum lui avait appris, mais à la dernière minute il se ravisa et lui demanda plutôt si elle avait eu une bonne journée. Sans détour, Florence admit qu'elle était inquiète pour lui. Le fait qu'il revienne dormir chez elle confirmait ses pires craintes. Jérôme s'empressa de lui dire qu'il allait bien. Qu'il allait beaucoup mieux, même. Et sans trop réfléchir, il lui demanda :

— Dis-moi, qu'est-ce qui te ferait plaisir ?

La question parut la surprendre. Peut-être parce que Jérôme ne la lui avait jamais posée avant. Il sentit le besoin de préciser :

— Je veux dire quelque chose de fou, de grand. La chose que tu voudrais avoir mais que tu n'as jamais osé demander. Quelque chose que tu voudrais faire...

— Pourquoi tu me demandes ça ?

— Je sais pas. Aller à Paris ? À Venise ?

Un mince sourire se dessina sur les lèvres de Florence. Enfoncée dans sa chaise de jardin sur le balcon de son appartement surplombant le Saint-Laurent, elle se tourna vers lui et répéta à voix basse :

— Ce qui me ferait plaisir ? Vraiment plaisir ?

— Oui ! Un voyage. N'importe où !

Ses yeux pétillaient, maintenant. Elle avait trouvé la réponse, mais elle le faisait languir.

— Tu veux savoir ce qui me ferait plaisir ? Eh bien, je vais te le dire ! J'aimerais aller à la mer.

Jérôme s'attendait à tout sauf à cela. Il répéta en s'efforçant de sourire :

— La mer ?

Le *Protocole de 95*

Il était à peine sept heures et déjà le mercure flirtait avec les trente degrés. Jérôme s'était mis à l'ordinateur aussitôt levé. La table de la salle à manger était couverte des relevés de compte de la carte de crédit de Sanjay Singh Dhankhar. Depuis une demi-heure, il peinait au clavier, mais il n'allait nulle part. Sans code d'accès aux banques de données de la police, tout était plus difficile. D'autant qu'il avait perdu la main depuis qu'il était en congé. Au troisième essai toutefois, il parvint à pirater l'ordinateur central d'Air Canada. Pour avoir vérifié, il savait que le seul départ pour Mumbai à partir de Montréal le 15 juillet, le jour où Rashmi avait quitté le pays, était le vol AC 874 à destination de Francfort. Huit heures plus tard, l'Airbus A330 s'était posé dans la ville allemande. Le reste du voyage était assuré par Air India, un vol direct qui s'était posé au Chhatrapati Shivaji International Airport, en pleine nuit, dans cette ville humide et étouffante qu'on appelle aussi Bombay. Jérôme navigua dans les archives du transporteur pendant un moment avant de trouver la liste des passagers du vol AC 874. Les noms de Rashmi et Prabhat Singh Dhankhar, l'oncle en question, y figuraient. Il y avait même les numéros de leurs passeports et les places qu'ils occupaient. Juliette, alias Rashmi, avait bel et bien quitté le pays ce jour-là. Jérôme recopia le numéro de son passeport à tout hasard.

— Ça avance, cette enquête ?

Florence était sortie de sa chambre sur la pointe des pieds, de peur de le déranger dans ses réflexions. Il repoussa l'ordinateur et lui demanda si elle avait bien dormi.

— C'est plutôt moi qui devrais te poser la question. Est-ce que ça va mieux aujourd'hui ?

Il lui arrivait d'oublier que, pour les besoins de la cause, c'était lui le malade et non elle. Cela donnait un sens à la vie de Florence ou du moins à ce qu'il en restait. Et surtout, cela repoussait l'échéance, celle de faire face à la réalité. Il se campa dans son personnage d'enquêteur.

— Pour l'instant, je n'ai pas de mort. Seulement quelqu'un qui pourrait avoir eu une raison de tuer. Et encore…

Elle vint s'asseoir à la table en face de lui, posa une main sur la sienne et murmura, d'une voix franchement inquiète :

— Tu ne crois pas que tu devrais suspendre tes recherches, le temps de reprendre des forces ?

Jérôme ne voulait surtout rien lui promettre. Depuis qu'il était debout, il n'avait cessé de penser à O'Leary. L'Irlandais avait un point. Si Sanjay Singh Dhankhar était un tueur, il ne l'était peut-être qu'en devenir. Le sang retrouvé dans la Pontiac ne prouvait rien. L'hypothèse l'avait toutefois amené à s'interroger sur les crimes d'honneur, tels qu'ils étaient pratiqués dans l'État de l'Haryana. Raison suffisante pour s'inquiéter du sort de Gabriel Lefebvre. Il fallait dissuader Roméo d'aller rejoindre Juliette en Inde. Il était écrit dans le ciel que cette histoire se terminerait mal. Tout comme celle de sa mère d'ailleurs, que le Dr Tanenbaum avait sans l'ombre d'un doute condamnée.

— Tu as raison, concéda-t-il, pour ne pas avoir à lui dire ce qu'il pensait. Je devrais ranger tout ça pendant quelques jours.

Et sans savoir d'où ça lui venait, il annonça :

— Je vais aller voir le médecin ce matin.

— Bon ! fit Florence, soulagée. C'est beaucoup plus raisonnable !

Il n'en ferait rien, bien sûr. Ce serait son excuse pour s'éloigner quelques heures tout en la rassurant. Il avait promis de conduire Gabriel à l'aéroport. Il n'était peut-être pas trop tard pour le convaincre de changer d'idée. Le voyage qu'il s'apprêtait à faire était beaucoup trop dangereux.

— Comme je n'ai pas de rendez-vous, je vais partir maintenant. J'en ai sans doute pour la journée. Est-ce que ça va aller si je te laisse seule un moment ?

— Pourquoi me poses-tu cette question ? demanda-t-elle, agacée. Je me suis toujours débrouillée sans toi !

— Bien sûr, bredouilla-t-il. Je ne sais pas où j'ai la tête.

Il referma son ordinateur, rassembla ses papiers sur la table et annonça qu'il allait prendre une douche avant de partir. Elle lui donna des serviettes propres et il se dirigea vers la salle de bains. Alors qu'il avait le dos tourné, la sonnerie de son cellulaire se fit entendre. Florence attrapa l'appareil et répondit à sa place.

— Oui !

— Aileron ?

— Non, c'est pas lui, c'est sa mère. Et je vous défends de l'appeler ainsi !

O'Leary se tut. Tenant l'appareil à deux mains, Florence ne mâchait pas ses mots.

— Il est ici, mais il ne va pas bien.

— Mais euh... est-ce que je peux lui parler ? insista l'Irlandais.

— Je ne crois pas. Il va voir son médecin aujourd'hui.

O'Leary était embêté. Il connaissait les liens particuliers qui unissaient Jérôme à sa mère, mais de là à ce qu'elle réponde à son téléphone et qu'elle s'érige en barrière pour l'empêcher de lui parler, il y avait une marge !

— C'est à l'hôpital Saint-Luc qu'il voit son médecin ? demanda-t-il, l'air de s'inquiéter.

Florence s'y laissa prendre. Au ton de sa voix, le collègue de son fils semblait alarmé. Elle crut bon de le mettre au courant :

— Ça lui a pris tout d'un coup. Il y a deux jours, il s'est senti mal et il a dormi chez moi. Depuis, il s'est installé ici. Je m'en occupe et ça va un peu mieux. Mais il faut qu'il voie le médecin. Il va aller à l'urgence, même s'il doit y passer toute la journée.

— Je suis vraiment désolé, madame Marceau. Transmettez-lui mes meilleures salutations.

— Surtout pas ! Je le connais. Il va vous rappeler.

— Au revoir.

Florence éteignit le téléphone et le remit exactement où il était sur la table. L'eau de la douche ne coulait plus. Jérôme entrouvrit la porte de la salle de bains et demanda :

— Est-ce que tu me parlais ?

— Non, non, lui répondit Florence.

— Alors à qui tu parlais ?

— À personne.

* * *

Jérôme patientait dans la salle d'attente, assis à l'endroit même où le Dr Tanenbaum lui avait annoncé, deux jours plus tôt, que sa mère avait une tumeur au cerveau. En apprenant la nouvelle, il avait troqué l'inutile – toutes ces choses qu'il imaginait pour meubler sa convalescence – contre une mission qui continuait de lui échapper. Prendre sa mère en charge. C'est pour cela d'ailleurs qu'il était venu consulter. Bien qu'il se soit présenté sans rendez-vous, la préposée lui avait promis d'informer le Dr Tanenbaum de sa présence, mais la matinée passa sans que le médecin ne se manifeste. En mangeant un sandwich vers midi, il se rappela qu'il devait passer à la Société de l'assurance automobile pour transférer les papiers de la Pontiac. Tant qu'il ne le ferait pas, l'Indien resterait techniquement propriétaire du véhicule. Il fallait également acheter un cric. Il n'avait toujours pas trouvé celui de l'Aztek. Sans oublier Gabriel Lefebvre, qu'il devait conduire à l'aéroport avant trois heures. Rien ne se passait comme prévu.

— Comment va votre mère ?

Le Dr Tanenbaum l'avait surpris en s'approchant sans bruit et en se laissant choir sur la chaise voisine comme s'il ne tenait plus sur ses jambes. Jérôme l'avait attendu si longtemps qu'il ne savait plus par où commencer.

— Elle va bien. En tout cas, elle en a l'air. Aucun signe de convulsion. Mais je n'ai pu me résoudre à lui dire que… que ça ne durera pas.

— Que ça ne durera pas ? s'étonna le médecin, comme si la formule lui déplaisait. Mais ça peut très bien durer !

Jérôme n'était plus certain de comprendre.

— Ne m'avez-vous pas dit que c'était terminal ? Qu'elle en avait pour trois à six mois ?

Le médecin s'efforça de sourire. Il y avait quiproquo.

— Vous venez de me dire qu'elle allait bien. Elle peut continuer d'aller bien jusqu'à la fin. Tout dépend de comment on fait les choses. Mais elle va mourir. C'est certain. Elle a développé un glioblastome dans la partie frontale du cerveau. À part ses moments d'égarement, elle ne semble pas avoir de symptômes…

— Quels symptômes ? l'interrompit Jérôme.

— Elle ne fait pas d'ataxie ?

— Ataxie ?

— Problème d'équilibre, précisa le médecin.

— Non. Elle n'a pas de problème d'équilibre.

Ce médecin commençait à agacer Jérôme. Il ne parlait pas pour être compris. Il rappelait sans cesse à son interlocuteur qu'il détenait un secret qui échappait aux autres et qu'il ne voulait pas nécessairement partager. Résolu à briser ce petit jeu de devinettes, Jérôme alla droit au but :

— C'est un conseil que je voulais vous demander, en fait. Florence aimerait bien aller à la mer. C'est ce qui lui ferait le plus plaisir, je crois…

Il s'arrêta au milieu de sa phrase, conscient qu'il l'avait appelée Florence, ce qu'il ne faisait jamais. Pour être clair et sans équivoque, il voulut se reprendre, mais le Dr Tanenbaum ne lui en donna pas le loisir :

— C'est une excellente idée, la mer ! Si elle s'y sent bien, elle pourrait y rester un bon moment.

— Jusqu'à ce qu'elle ait des convulsions.

— Par exemple.

Jérôme ne s'attendait pas à cette réaction de Tanenbaum. En quelques secondes, il évalua l'ampleur du projet. Il faudrait trouver une maison, le moins loin possible de Montréal, engager une infirmière aussi. Il pensait au Maine… à Ogunquit. Une question lui brûlait la langue :

— Ce serait la prendre en charge convenablement, ça ? Ce n'est pas un peu risqué ?

Le médecin parut amusé par le ton de Jérôme. Les mots ne lui vinrent pas tout de suite, cependant. Il cherchait la formule adéquate.

— Prendre quelqu'un en charge, c'est une façon de voyager. Au lieu de découvrir de nouveaux paysages, on revisite ses souvenirs pour faire la paix avec eux.

Jérôme en resta sans le mot. C'était le livre qu'il avait lu. Ce *road trip* vers le Pacifique où l'auteur, au volant d'une Volkswagen, avait non pas exploré des contrées nouvelles, mais revu sa vie dans l'espoir de faire la paix avec elle. Il s'imaginait mal faire une telle expédition avec sa mère. Florence avait le don de l'agacer, de l'envahir et de mettre sa patience à l'épreuve.

— Profitez de la situation pour lui dire tout ce que vous ne lui avez jamais dit, résuma le médecin. Ça lui fera le plus grand bien, et je suis sûr que vous y trouverez également votre compte. Je parie que vous y apprendrez plein de choses sur vous-même.

Cette dernière phrase lui parut un peu plus claire. En tout cas, Jérôme en avait compris le sens. Le médecin lui suggérait de profiter de ces derniers moments avec Florence pour exprimer, pour nommer tout ce qui les avait rapprochés ou éloignés, bref, pour faire le bilan avant de fermer les livres.

— Mais la mer ? Ce n'est pas un peu… ?

— Si c'est ce qu'elle souhaite, l'interrompit le Dr Tanenbaum, allez-y ! Faites-le ! Nous pouvons vous donner une copie de son dossier, un numéro d'urgence où vous pourrez appeler en tout temps. Nous pouvons vous mettre en contact avec des médecins, là où vous serez. Elle a des analgésiques. Je vais lui prescrire du Dilantin. C'est un anticonvulsivant.

— Encore ça ? Et je fais quoi, lorsqu'elle me fait des convulsions ?

— Ce n'est pas pour tout de suite. Dans deux ou trois mois, pas avant. D'ici là, vous pouvez passer du bon temps. Lui rendre la vie la plus agréable possible.

Au même moment, le nom du Dr Tanenbaum retentit dans les haut-parleurs de l'hôpital. Il était attendu dans une salle d'examen. Son sourire trouble et ses yeux tristes donnèrent momentanément une sorte de cohésion à son visage. Il semblait franchement désolé de ne pas pouvoir lui parler plus longtemps.

— Voyez la jeune dame au comptoir. Elle vous donnera tout ce dont vous aurez besoin, y compris mon numéro de téléphone. Vous pouvez me laisser un message en tout temps. Je vous rappellerai aussi vite que possible.

Le Dr Tanenbaum s'était levé. Jérôme aurait voulu le retenir, lui dire que prendre sa mère en charge lui donnait le trac. Qu'il ne se sentait pas à la hauteur. Il aurait préféré qu'on l'hospitalise, plutôt. Mais il savait que ce n'était pas souhaitable. Ce désistement aurait été un acte de couardise, une trahison qu'il ne se serait jamais pardonné. Florence ne l'avait pas abandonné, lui, lorsqu'il était venu au monde avec un bras en moins. Elle ne s'était pas sauvée non plus lorsque son père, Justal Jeanty, était retourné dans son pays en la laissant seule. Ce n'était pas tant l'idée de s'en occuper jusqu'à son dernier souffle qui lui pesait, cependant, que la perspective de lui parler, de lui raconter tout ce qui n'était pas racontable, de lui avouer ce qui était inavouable.

Il quitta l'étage des salles d'examen avec une enveloppe pleine d'informations, de conseils, de contacts et de numéros de téléphone. Deux minutes plus tard, lorsque les portes de l'ascenseur s'ouvrirent au rez-de-chaussée, il se retrouva nez à nez avec O'Leary.

— T'es là, toi ! Je t'ai cherché tout l'avant-midi !

Jérôme était si perturbé par sa rencontre avec le médecin de sa mère qu'il ne lui prêta aucune attention. Il était en congé, après tout, et n'avait de comptes à rendre à personne! Alors qu'il se dirigeait vers le stationnement où il avait laissé la Pontiac, l'Irlandais lui annonça:

— Ils ont retrouvé les passeports exactement où tu avais dit qu'ils étaient.

Jérôme fit volte-face.

— Je leur ai dit de chercher où tu m'avais dit, continua O'Leary. Il y avait bien une porte condamnée dans la voûte D 33. Personne n'était au courant. Ils l'ont ouverte, il y avait un corridor et deux grandes pièces sous le boulevard René-Lévesque. Les dix cartons de passeports étaient là, sur une table.

Jérôme se sentit rougir. Cette histoire de passeports n'en finissait plus! Le fait de les avoir retrouvés n'augurait rien de bon. Ceux qui avaient mis la main dessus ne connaissaient de toute évidence rien du bunker reliant les souterrains de la Place Guy-Favreau à l'immeuble d'Hydro-Québec. On poserait des questions, on voudrait savoir et on finirait par découvrir que l'information venait de lui. Il abandonna l'idée de récupérer la Pontiac. Un plan germait dans sa tête depuis la veille. Un projet qu'il serait peut-être forcé de mettre à exécution dans les circonstances. Pour qu'il réussisse, il était préférable que personne ne sache qu'il s'était procuré une voiture. Sans crier gare, Jérôme pivota sur ses talons et partit en direction inverse.

— On m'a demandé comment je savais ça, continua O'Leary en le poursuivant. Qui m'avait dit qu'il y avait une porte dissimulée dans cette voûte.

— Et qu'est-ce que tu as dit?

— Que je n'en savais rien. Que j'avais deviné. Que c'était logique... Si la porte de la voûte n'avait pas été ouverte et que les passeports n'y étaient plus, c'est qu'il y avait une autre issue.

Jérôme n'en crut pas un mot. O'Leary mentait, il le connaissait trop bien pour ne pas s'en apercevoir. En fait, l'Irlandais avait une question sur le bout de la langue et c'est pour cela qu'il l'avait suivi jusqu'ici.

— Mais toi, où est-ce que tu l'as prise, cette information ? Tu as des documents ? Tu as quelque chose ?

— Je n'ai rien. Je te l'ai dit, ce sont de vieux souvenirs. Rien de plus.

O'Leary ne se contenterait pas de cette réponse. Il ne comprenait pas non plus pourquoi Jérôme revenait sur ses pas alors que, l'instant d'avant, il se dirigeait vers le stationnement de l'hôpital.

— Tu vas où, là ? demanda-t-il d'une voix autoritaire.

— Un taxi. Je dois prendre un taxi, j'ai un rendez-vous… pour ma mère.

— Je lui ai parlé, à ta mère. Elle m'a semblé en pleine forme. Elle m'a dit que c'était plutôt toi qui n'allais pas bien.

— Tu as parlé à ma mère ?

O'Leary esquiva la question. Il se posta plutôt devant Jérôme, lui posa les mains sur les épaules et le regarda droit dans les yeux.

— Tu ne peux pas savoir le bordel que ça fait, cette histoire de tunnel entre la Place Guy-Favreau et l'immeuble d'Hydro-Québec ! Personne n'était au courant. Personne ! Ou en tout cas, ceux qui l'étaient font semblant qu'ils ne l'étaient pas. C'est la merde, Jérôme ! Ils veulent savoir qui a sorti le chat du sac !

— Qui ça, ils ?

L'Irlandais haussa les épaules. Il ne voulait pas le lui dire, pas plus que Jérôme ne voulait avouer qu'il avait une copie du *Protocole de 95*. Mais qu'est-ce qu'il s'en voulait d'avoir fait cette confidence à Blanchet et d'en avoir aussi parlé à O'Leary, dans l'espoir d'arranger les choses !

— À mon avis, ce n'est pas là le vrai problème. Quelqu'un a tenté de voler cinq mille passeports ! Tu te rends compte de ce que ça veut dire, pour la sécurité ? Les Américains qui nous accusent d'être une passoire. Les terroristes qui frappent chez eux passent par ici. Le terrorisme, ça te dit quelque chose ? C'est énorme, cinq mille passeports qui disparaissent, O'Leary. Mais ça n'intéresse personne. Qui a monté le coup et à quoi ils devaient servir, ces documents ? Sans importance. Non, tout ce qui compte, c'est ce maudit tunnel entre le Québec et le Canada. Parce que c'est comme ça, ici ! Il se passe des trucs majeurs mais on s'en fout, on ramène tout à cette guéguerre qui n'en finira jamais entre Québec et Ottawa. Moi, si j'étais à leur place, je voudrais savoir qui a monté le coup ! Les vieilles affaires du passé, on s'en balance !

O'Leary fit signe que oui, comme si mille fois déjà il avait entendu ce discours. Lorsqu'il était question du Québec et du Canada, Jérôme avait de ces montées de lait ! Il confondait tout, postillonnait comme un politicien édenté, mais, en général, ce n'était que pour faire diversion. La vérité, c'est qu'il regrettait d'avoir parlé de ce tunnel oublié.

— C'est Lynda qui t'envoie ? questionna-t-il, de plus en plus agressif.

— Personne ne m'envoie. On m'a demandé comment je connaissais l'existence de ce passage, j'ai dit que je l'ignorais, mais on va me reposer la question et je vais devoir dire quelque chose. Tu m'as mis dans la merde, Jérôme !

— Donc, c'est Lynda qui t'envoie pour savoir si j'ai des documents.

— Comment tu l'appelles encore, ce truc ? Le *Protocole*...

— Une bande d'hypocrites ! Voilà ce qu'ils sont !

— Pourquoi tu dis ça ?

— Ils tombent des nues ! Personne n'était au courant de ce passage ! Tous des menteurs, j'te dis ! Lynda le savait très bien ! Elle était là à l'époque. C'est comme ça qu'on s'est rencontrés. Elle souffre d'amnésie ou quoi ?

— Je te dis que Lynda n'a rien à voir là-dedans ! Je dois les revoir cet après-midi. Il me faut des réponses !

— Qui ça, ils ? Qui va te poser des questions ?

— C'est pas compliqué ce que je te demande. Est-ce que tu as une copie du *Protocole de 95* ? Oui ou non ?

— Je n'ai rien, O'Leary ! Rien ! Laisse-moi te rappeler une chose que je t'ai déjà dite. Tu peux me croire ou non, mais ma mère va mourir. Et je vais être à ses côtés, je vais la soigner jusqu'à la fin. Je n'ai pas de temps pour des histoires comme ça !

Jérôme était tellement furieux qu'O'Leary eut un geste de recul, essuyant du revers de la main les postillons qu'il lui avait envoyés à la figure.

— J'ai commis une erreur. Je voulais me sentir utile. En fouillant dans mes souvenirs, je me suis souvenu de ce bunker et je t'en ai parlé. Mais il n'y a rien. Rien de plus !

Jérôme était écarlate. O'Leary comprit que ce n'était pas la peine d'insister.

— Ils sont où, les taxis, dans ce maudit hôpital ?

L'Irlandais pointa la direction opposée.

— C'est par là.

Jérôme traversa les portes vitrées en levant le bras. Une voiture s'avança jusqu'à lui. Il s'y engouffra sans regarder derrière et le taxi démarra aussitôt.

* * *

Quand la porte du 1444, rue Montcalm s'ouvrit, Gabriel parut soulagé de voir Jérôme. Il s'éclaircit la voix et marmonna :

— Je pensais que vous m'aviez oublié.

Le jeune Lefebvre était prêt à partir. Son sac à dos était dans l'entrée, ses documents de voyage posés dessus. Il se pencha pour les prendre lorsque Jérôme s'invita à l'intérieur et referma derrière lui.

— Est-ce qu'on peut se parler deux minutes ?

Gabriel consulta sa montre, parut contrarié et laissa tomber plutôt sèchement :

— Parler de quoi ? Mon vol est à dix-huit heures trente. Il faut être là trois heures à l'avance à cause des douanes.

— Tu prends un vol Air Canada avec une correspondance à Francfort ?

— Vous me surveillez ?

— Rashmi a pris le même, le 15 juillet dernier.

— O.K. De quoi on parle ?

Gabriel Lefebvre revint vers le salon, invita Jérôme à s'asseoir et enfourcha une chaise droite, appuyant lourdement ses bras croisés sur le dossier. Si Jérôme connaissait le numéro de son vol, s'il était si bien informé à propos de Rashmi, il y avait une raison et il voulait la connaître.

— Vous êtes de la police, c'est ça ? Mais vous enquêtez sur quoi au juste ? La disparition de Rashmi ?

— Si j'ai bien compris, elle n'a pas disparu. Elle a pris un avion pour retourner dans son pays.

— Contre son gré !

— Pour l'instant, rien ne le prouve. J'ai la confirmation de son départ. Son numéro de passeport aussi au moment de l'enregistrement. C'est plutôt sa sœur, Sangeeta, qui m'inquiète, après ce que tu m'as dit hier.

— Donc la police fait enquête sur Sangeeta ?

— La police ne fait rien du tout. Cette histoire n'intéresse personne d'autre que moi.

— Mais vous êtes policier.

— D'une caste inférieure. Je suis un Jat, disons. Alors que mes collègues sont des Rajputs.

La comparaison fit sourire Gabriel. Il avait tout d'un romantique. L'œil exalté, les sentiments à fleur de peau, le corps arqué dans un élan amoureux perpétuel. Son regard se posa sur le bras atrophié de Jérôme. Jamais il n'avait vu un policier ayant cette allure. Il le pressa de questions.

— Et pourquoi vous intéressez-vous à Sangeeta ?

— Parce que Sanjay Singh Dhankhar s'est retrouvé sur ma route il y a quelque temps et qu'il m'a laissé une forte impression. Il est envisageable qu'il s'en soit pris à sa fille cadette parce qu'elle l'a déshonoré.

— Il est envisageable ? Qu'est-ce que ça veut dire ça ? Vous le soupçonnez de quelque chose ? Vous faites enquête ?

— Non, je ne fais pas enquête. Je dois m'occuper de quelqu'un qui me tient à cœur en ce moment. Je n'ai pas de temps à consacrer à cet homme. Au mieux, j'espère qu'il n'est rien arrivé à sa fille. Cela ne m'empêchera pas de te donner un conseil, par contre.

Gabriel Lefebvre n'en voulait pas, des conseils de Jérôme. Tout son être le disait.

— J'ai peur qu'il t'arrive quelque chose. Quelque chose de très désagréable. Et bien que je n'aie aucun argument pour te convaincre, sauf peut-être l'intuition que tout cela pourrait mal finir, je te suggère fortement d'abandonner ton projet. De renoncer à ce voyage. C'est trop risqué.

Gabriel se rembrunit. Ce n'était pas ce qu'il voulait entendre. Le fait que Jérôme refuse de lui confirmer s'il était ou non de la police n'arrangeait pas les choses.

— J'ai l'impression d'entendre mon père !

Jérôme trouva le commentaire flatteur. Il aurait aimé être le père de ce garçon, être capable de le serrer de son unique bras et de lui dire qu'il ne voulait pas le perdre. Sanjay Singh Dhankhar n'avait peut-être pas donné l'ultime leçon à Sangeeta, sa fille rebelle, parce qu'il était dans un pays où les lois ne le permettaient pas, mais là-bas, en Haryana, c'était une autre affaire. Si Gabriel débarquait dans ces terres lointaines pour enlever Rashmi, pour l'empêcher d'épouser l'homme à qui elle était promise, on ne se gênerait pas pour lui faire un mauvais sort. Sans en avoir la certitude, Jérôme imaginait que les Jats puissent être sans scrupule vis-à-vis d'un intrus venu défier leurs traditions.

— Alors, vous êtes de la police ou non ?

— La police enquête sur les meurtres une fois qu'ils ont été commis. Dans cette affaire, en apparence en tout cas, il ne s'est encore rien passé. Mais dans les circonstances, je me sens un peu comme ton père, effectivement. Je crois qu'il est préférable que tu n'ailles pas là-bas. Que tu remettes ton projet jusqu'à ce que tu aies rejoint Rashmi, au moins. Jusqu'à ce que tu saches comment elle va.

— J'en ai une petite idée, quand même ! J'ai échangé plusieurs courriels avec Surinder, son cousin.

— Et il t'a confirmé qu'elle était là-bas ? Qu'elle est bien arrivée chez elle ?

— Le mariage va avoir lieu. Celui que ses parents ont arrangé. Une date est fixée et il est invité. Il n'y a plus de temps à perdre.

L'émotion gagnait à nouveau Gabriel. Son exaltation n'en était que plus évidente. En jeune amoureux entêté, il était prêt à aller au bout de sa peine pour retrouver Rashmi. Prêt à tout perdre pour retrouver celle qu'il aimait. Il consulta sa montre en montrant des signes d'impatience.

— Vous ne me ferez pas changer d'idée. Si vous ne voulez plus me conduire à l'aéroport, je prendrai un taxi. Ça m'est égal !

— À Bombay, est-ce que tu as un hôtel? Un endroit où te rendre? C'est une ville de vingt millions d'habitants, tu sais.

Jérôme s'étonna lui-même du ton qu'il empruntait. Si ce garçon avait été son fils, c'est ainsi qu'il lui aurait parlé. D'une part en lui accordant le droit de partir, de voler de ses propres ailes, de l'autre en le mettant en garde. La réponse fut cinglante:

— D'abord, on ne dit pas Bombay! C'est Mumbai. Et je vous l'ai dit, Surinder Jodhka va m'attendre à l'aéroport. Avec mon billet d'avion, j'ai droit à une nuitée au Taj Mahal Palace. Tout est prévu.

Gabriel s'était levé. Il décrocha le téléphone pour appeler un taxi. Jérôme posa la main sur l'appareil. Une promesse était une promesse. Il le conduirait à l'aéroport comme ils en avaient convenu la veille. Seul problème, la Pontiac était dans le stationnement de l'hôpital Saint-Luc. Qu'à cela ne tienne, ils s'y rendraient à pied. Ce serait un excellent avant-goût de Mumbai. Sans plus discuter, ils se mirent en route.

Quinze minutes plus tard, ils récupérèrent la voiture. Le smog emprisonnait toujours la ville, écrasant celle-ci sous une lumière brunâtre et déprimante. Les passages cloutés étaient des grilles de barbecue et les trottoirs de bitume, des plaques chauffantes. Lorsque Jérôme lança le moteur de la Pontiac, ils se penchèrent tous deux au-dessus des buses d'aération pour se rafraîchir. Après quelques bouffées de cet air artificiel, Gabriel sortit une bouteille d'eau de son sac et commenta:

— Il faisait quarante-deux à Mumbai ce matin. C'est de la petite bière ce temps, si on compare.

Jérôme but sans dire un mot puis manœuvra pour sortir du stationnement. Son jeune passager était déjà ailleurs. Il parlait confusément de l'Haryana, de ses traditions sectaires et des *khap panchayats*, ces espèces de conseils de chefs qui faisaient la loi à Jhajjar, là où habitait Rashmi. Chaque semaine, ces tribunaux de vieillards se réunissaient sur la place des villages pour décider si les mariages des uns ou des autres respectaient la règle des castes. Si ce n'était pas le cas et que les amoureux s'entêtaient, des condamnations à mort étaient prononcées. C'était généralement les frères ou les pères des amants fautifs qui s'acquittaient de cette tâche pour préserver l'honneur de la famille.

Jérôme écoutait d'une oreille tout en pensant à sa rencontre avec O'Leary. Il savait qu'il y avait un problème de ce côté. Il n'osait trop y penser, mais c'était aussi une question d'honneur. Il avait fait partie d'un groupe très sélect, qui s'était livré à une action clandestine à un moment bien particulier. Un rendez-vous manqué avec l'histoire. Il s'était engagé à ne jamais révéler ce qui s'était passé. À ne jamais dire ce qui se préparait à ce moment-là. Tous les documents liés à cette affaire avaient été détruits, sauf peut-être sa copie du *Protocole de 95*. Jamais il n'aurait dû en parler. Surtout pas à Blanchet ! C'est l'orgueil qui l'avait poussé à agir ainsi. Et il savait que cette indiscrétion ne s'arrêterait pas là. D'où ce sentiment qu'il avait eu la veille, cette impression qu'on était sur ses talons, qu'on le traquait.

— Restaurer l'honneur de la famille, répéta Jérôme, laissant croire à celui qu'il avait momentanément considéré comme son fils qu'il l'écoutait.

— C'est ça le problème ! s'enflamma Gabriel. Comme partout ailleurs, les jeunes Indiens découvrent le monde moderne et ils en veulent davantage. Mais il y a un gouffre, un vrai précipice entre eux et leurs parents, qui se réservent le droit de les tuer pour préserver les traditions. Rashmi est rentrée dans le rang. Elle a apaisé la colère de son père, mais quand je pense à Sangeeta...

Jérôme eut un frisson en l'entendant prononcer le nom de la cadette. On aurait dit une condamnation. À l'autre bout du monde, quelques vieillards, réunis en *khap panchayat* sur la place de Jhajjar, avaient ordonné son exécution. Était-il pensable que Sanjay Singh Dhankhar ait acquiescé à cette demande, ici, à Montréal ? Il s'efforça de changer de sujet.

— D'accord. Mais advenant que tu la retrouves, que tu arrives jusqu'à son village et que tu parviennes à l'arracher à sa famille, tu fais quoi après ? Elle n'aura sûrement plus son passeport. Ils le lui auront confisqué. Tu la ramènes comment au pays ?

— On va trouver quelque chose !

Jérôme le sentit coincé. Le regard de Gabriel planait sur la banlieue ouest de la ville. Il avait perdu son élan.

— L'asile romantique, ça n'existe pas !

Gabriel fit un bruit avec sa bouche, comme s'il se moquait de lui. Les pères et leurs fils doivent avoir ce genre d'échange, pensa Jérôme. Un mépris à peine caché, où l'absence de mots est aussi éloquente que si le plus jeune disait au plus vieux : « De quoi tu te mêles, vieux con ! » Gabriel n'en fit rien. Il se tourna plutôt vers lui, un sourire malin accroché aux lèvres.

— Oh oui ! En Inde, ça existe, l'asile romantique !

Jérôme aperçut la tour de contrôle de l'aéroport. Cette étrange conversation tirait à sa fin. Dans quelques minutes, il déposerait Gabriel Lefebvre sans l'avoir fait changer d'idée. Cachant à peine sa déception, il fit mine de s'étonner :

— L'asile romantique, ça existe ?

— Dans l'État de Maharashtra, il y a un village qui s'appelle Karanji. Mais personne ne l'appelle comme ça. On le connaît plutôt comme le « village de l'amour ». Les couples qui s'aiment et qui sont condamnés par leurs familles se réfugient là-bas. Depuis un an seulement, il y a eu trente-huit mariages.

Jérôme n'osa plus rien dire. Gabriel était prêt à s'exiler, à affronter la mort pour retrouver celle qu'il aimait. Il y avait quelque chose de touchant chez ce garçon, une noblesse qu'il n'avait lui-même jamais atteinte de sa vie. Il n'avait jamais été amoureux parce qu'il n'en avait jamais eu le courage. Dans ces circonstances, qui était-il pour demander à Gabriel de renoncer à son voyage ?

Lorsque la Pontiac s'arrêta devant la porte des départs, Jérôme sentit la tristesse le gagner. Quelque chose lui disait qu'il ne reverrait pas Gabriel. Que leurs routes s'étaient brièvement croisées, mais qu'elles s'éloigneraient à jamais à partir de ce moment. Il était ému par la leçon de romantisme que celui-ci lui avait faite. Comme il n'avait jamais eu le courage dont Roméo faisait preuve, il était seul et le resterait, condamné à s'occuper de sa vieille mère.

— Est-ce que tu as une photo de Rashmi ? lança-t-il alors que Gabriel descendait de la voiture et attrapait son sac à dos.

— Il y en a une sur mon blogue.

— Ton blogue ? Quel blogue ?

— Depuis qu'elle est partie, j'écris un blogue. Je crois qu'elle le lit. Elle ne peut pas me répondre, ça laisserait des traces. Mais elle me lit, j'en suis certain. Elle sait que je m'en viens.

— Attends ! Redis-moi ça ? Tu écris un blogue où tu dis que tu viens en Inde ? Que tu viens la chercher ? Et tu crois même qu'elle le lit ? Ça n'a pas de sens ! Ils vont te lire, eux aussi. Ils vont t'attendre.

— Peu probable, trancha Gabriel avec l'assurance de celui qui a pensé à tout. Personne ne parle français là-bas. Chez les Dhankhar, c'est exceptionnel. Le père travaille pour une multinationale française. Et de toute façon, je fais une chronique de voyage. Je ne révèle pas mes plans spécifiquement.

Circonspect, Jérôme fit tout de même semblant de croire que l'explication tenait la route.

— Donne-moi l'adresse, alors !

Gabriel Lefebvre fit signe que non en refermant la portière. Jérôme descendit précipitamment, contourna la Pontiac et le rejoignit sur le trottoir devant les portes tournantes de l'aérogare. Il attrapa un stylo dans la poche intérieure de son veston et chercha un bout de papier.

— J'aimerais bien te lire pendant ton voyage.

Gabriel hocha la tête, déterminé à ne pas lui en dire plus.

— Ça me rassurerait de savoir que tu vas bien. Que ce voyage se passe comme tu le souhaites.

— Et ça me donne quoi à moi, de rassurer un flic ?

— Si elle ne te lit pas, tu sauras au moins que je te lis, moi.

Les mots étaient sortis comme ça, sans qu'il ne les pèse, sans qu'il ne leur donne un sens. Ils soulevèrent néanmoins un doute chez Gabriel. Et si Rashmi ne le lisait pas ? Si elle était hors d'atteinte, séquestrée, tenue à l'écart du monde ? Comment la retrouverait-il ?

— J'aimerais vraiment que tu me donnes cette adresse. Si les choses tournent mal, il y aura quelqu'un pour t'aider. Je serai ton ange gardien.

L'insistance de Jérôme commençait à porter. L'amoureux de Rashmi Singh Dhankhar était un peu moins sûr de lui.

— D'accord, je vous la donne. Mais vous n'écrivez aucun commentaire. Vous ne cherchez pas à entrer en communication avec moi. Ce n'est pas avec vous que je fais ce voyage.

— D'accord. Pas un mot.

Gabriel Lefebvre gribouilla l'adresse au verso d'un billet de caisse. Avant de le quitter, Jérôme l'enlaça spontanément avec son bras.

— Tu fais attention à toi, mon garçon !

Le regard toujours aussi exalté, Gabriel allait s'engouffrer dans les portes tournantes lorsqu'il se ravisa.

— Si vous voulez vous inquiéter pour quelqu'un, lança-t-il, allez chez les Dhankhar voir si Sangeeta va bien. Elle a peut-être besoin d'aide.

Jérôme y avait pensé, évidemment. Mais cette affaire ne tenait à rien. De quel droit se serait-il présenté chez les Singh Dhankhar pour prendre des nouvelles de leur fille cadette ? Il jongla tout de même avec l'idée, là sur le trottoir, jusqu'à ce qu'un agent l'interpelle et lui demande de circuler.

* * *

Après avoir rangé la Pontiac au garage dans l'immeuble de sa mère, Jérôme prit l'ascenseur et monta au septième. En mettant le pied dans le hall de l'étage toutefois, il sut que quelque chose n'allait pas. La porte de l'appartement de Florence était entrouverte. Elle ne pouvait l'attendre puisqu'il ne s'était pas annoncé. Comme elle s'enfermait toujours à double tour, il prit toutes les précautions pour ne pas se faire piéger. Adossé au mur du corridor, il tendit d'abord l'oreille. Aucun son ne venait de l'intérieur. Du bout des doigts, il poussa la porte et jeta un coup d'œil rapide. Rien ne bougeait. Il passa à l'intérieur et se mit à l'abri derrière le comptoir de la cuisine.

— Maman, t'es là ?

Elle ne répondait pas. De cet endroit, il avait une vue sur l'ensemble de l'appartement. Aucun signe de vie. Il restait la chambre, mais il était peu probable qu'elle dorme. Il l'aurait entendue ronfler. Jérôme referma la porte et se précipita vers la terrasse. Ses souliers étaient sous la table. Elle aurait dû les mettre si elle était sortie déjeuner. En vitesse, il passa dans la chambre où il trouva le lit défait. Sa mère avait une seconde paire de souliers. Il les trouva rangés le long du mur près de l'entrée. En revanche, il eut beau regarder partout, il fut incapable de repérer sa robe de chambre et ses pantoufles. Coquette malgré son âge, elle ne se serait pas aventurée à l'extérieur en pantoufles et en robe de chambre. Ce n'était pas elle. Pas de traces de nourriture dans la cuisine ni sur la table de la salle à manger. Tout laissait croire qu'elle était sortie précipitamment. Ou même qu'on était venu la chercher. Peut-être avait-elle eu une convulsion ?

Il revint vers la chambre, ouvrit le tiroir de la table de nuit. Son porte-monnaie y était. Jamais elle ne sortait de chez elle sans le prendre. Il remarqua une enveloppe plus loin au fond. Elle était remplie de billets de banque. Une somme importante à première vue. Des voleurs consciencieux auraient fait main basse sur ce pactole. Il remit l'enveloppe sans compter et s'humecta les lèvres. Son rythme cardiaque s'était accéléré. Lorsqu'il était à la SCS, il avait souvent eu affaire à des mères ayant perdu un enfant. Elles étaient comme des poules sans tête, courant dans tous les sens, incapables de réfléchir, de se raisonner. Non, Florence n'avait pas eu de convulsion. Tanenbaum avait été formel sur cette question. Cela ne se produirait pas avant deux ou trois mois. Dans un moment d'égarement, elle était plutôt sortie de chez elle et s'était perdue. Voilà ce qui était arrivé !

Il se précipita vers les ascenseurs, appuya dix fois sur le bouton d'appel mais ne put se résoudre à attendre. Il se lança dans l'escalier de secours, conscient que Florence n'était pas passée par là. Deux étages plus bas, déjà essoufflé, il sortit de la cage d'escalier. Dans le couloir, les portes de l'ascenseur se refermaient. Il parvint à mettre la main entre les deux battants. À l'intérieur, une voisine effrayée le dévisagea comme s'il était un terroriste. Sans réfléchir, il appuya sur le bouton du sous-sol avant de demander :

— Vous n'avez pas vu ma mère ? Elle habite au septième. Vous savez, Mme Marceau.

— Euh... non. Je ne crois pas.

Comme les portes tardaient à se refermer, la pauvre dame décida de descendre, se heurtant à son tour aux battants qui ne savaient plus où donner de la tête.

— Ça va pas, non ! se plaignit-elle en titubant dans le couloir.

Jérôme appuya de nouveau sur le bouton de fermeture des portes. Rien n'allait assez vite. Lorsque enfin il parvint au garage, il se trouva ridicule. Sa manie de l'inutile lui était revenue. Sa mère s'était peut-être égarée, mais elle n'était pas venue au garage. Elle n'y venait jamais. Il ne fallait pas chercher midi à quatorze heures. Florence était sortie de chez elle pour faire une course. Mais pour faire quelle course, au juste ? Alors qu'il retrouvait son sang-froid, la sonnerie de son portable se fit entendre. Le moment était mal choisi. Il consulta tout de même l'afficheur. C'était un numéro caché. Et si c'était sa mère... ou quelqu'un qui l'avait retrouvée et qui appelait d'un téléphone public ? Il répondit.

— Enquêteur Marceau... André Bélanger, de la Sûreté du Québec.

Il ne s'était pas trompé. La police avait bien retrouvé Florence.

— Vous vous souvenez de moi ? Nous nous sommes rencontrés à cette réunion l'autre jour. Dans les sous-sols de la Place Guy-Favreau. Les passeports volés.

Jérôme fit la grimace. Il se souvenait effectivement de ce jeunot qui lui avait fait des belles manières au début de la rencontre mais qui l'avait ignoré par la suite. Cet homme ne pouvait pas avoir retrouvé sa mère.

— J'aimerais vous rencontrer à propos d'une question… comment dire ? Une question délicate.

— Vous faites enquête sur les passeports volés ? Vous cherchez à savoir qui a fait le coup ?

— Pas tout à fait, non !

Jérôme ne voulait pas en savoir plus. Il avait deviné.

— Écoutez, vous ne m'appelez pas à un bon moment. J'ai perdu un enfant… enfin, c'est tout comme. Je ne peux pas vous parler pour l'instant.

— Vous avez des enfants ? D'après votre fiche, vous êtes célibataire.

C'était encore pire qu'il n'avait imaginé. André Bélanger avait sa fiche sous les yeux. Il ne faisait pas enquête sur le vol de passeports, il voulait lui parler du *Protocole de 95*.

— Je n'ai pas une minute à vous consacrer, Bélanger. J'ai perdu ma mère. Elle est très malade et si je ne la retrouve pas rapidement, j'ai peur qu'il ne lui arrive quelque chose.

— Je suis désolé d'insister, Marceau, mais j'aimerais vous rencontrer !

Il y eut un silence. Jérôme se demanda si la communication avait été interrompue. L'enquêteur de la SQ espérait que cette menace à peine voilée le ferait changer d'idée. Il enchaîna en pesant bien chaque mot :

— Nous avons de bonnes raisons de croire que vous avez en votre possession une copie du *Protocole de 95*. Il serait très fâcheux que ce document tombe entre les mains de certaines personnes…

— Vous parlez de vos petits copains de la GRC ? l'interrompit Jérôme.

Bélanger haussa le ton :

— Enquêteur Marceau, nous avons l'intention de récupérer ce document. Est-ce que je me fais bien comprendre ?

Jérôme poussa un long soupir, regarda autour de lui dans le garage souterrain du Port-de-Mer et chercha l'ultime argument pour mettre un terme à cette conversation. Il ne trouva rien de mieux que le silence.

— Enquêteur Marceau, êtes-vous toujours là ?

— Bien sûr que je suis là, finit-il par dire. Mais je n'ai pas de copie du document dont vous me parlez. Je l'ai déjà dit à O'Leary, qui parlait sans doute en votre nom lorsqu'il m'a posé la question. Et je vous le redis à vous. Toutes les copies du *Protocole* ont été détruites il y a plus de quinze ans déjà. Lorsque j'ai été invité à votre réunion, je me suis souvenu de l'existence de ce corridor souterrain et j'en ai parlé pour essayer d'expliquer la disparition des passeports. Un point, c'est tout. Il n'y a rien d'autre.

— Vous devez savoir que si l'information contenue dans ce *Protocole*...

— Je sais, l'interrompit Jérôme. Vous n'avez pas besoin de me le dire. Ce qui s'est passé à ce moment-là ne doit jamais être révélé. Mais vous perdez votre temps. Je n'ai rien et je l'ai déjà dit. Maintenant, vous allez m'excuser. Je dois retrouver ma mère.

Jérôme éteignit le téléphone et le fourra dans sa poche, maudissant une fois encore ce moment d'égarement qui l'avait amené à parler du *Protocole* à ces deux abrutis qu'étaient Blanchet et O'Leary. Sa colère s'estompa lorsqu'il se remit à penser à sa mère. Cherchant à reconstituer ce qui avait bien pu lui arriver, il élabora le scénario le plus plausible. Elle était sortie de chez elle pour aller chercher quelque chose. Du lait, peut-être. Ou du papier de toilette. Une fois dans l'ascenseur, elle s'était rendu compte qu'elle était en robe de chambre. Pas de quoi rebrousser chemin, elle n'allait qu'à la pharmacie, après tout. Oubliant cette exécrable conversation qu'il venait d'avoir, il regagna le grand hall de l'immeuble et entra dans la pharmacie en regardant dans les allées. Le pharmacien qui lui avait vendu du sérum physiologique était derrière son comptoir. Jérôme l'aborda en lui demandant s'il n'avait pas vu Florence. L'homme prit un moment pour réfléchir et finit par dire que non. Sans insister, il ressortit dans le hall et s'avança jusqu'aux grandes vitres donnant sur la rue. Comme il faisait très chaud dehors, il pensa qu'elle ne pouvait être sortie. Ne restait plus que le métro.

Il descendit le grand escalier menant au quai, un étage plus bas. Sans argent, sa mère n'avait pu se procurer un billet et passer les tourniquets. Si elle était venue de ce côté, elle n'était donc pas très loin. Il ralentit la cadence en s'approchant des guichets. Quelque chose lui disait qu'elle était toute proche et qu'il lui suffisait de bien regarder. Lorsqu'il la trouverait, il ne faudrait pas l'effrayer ni lui reprocher ce qu'elle avait fait. Elle perdrait toute confiance en elle-même et surtout réaliserait que ce n'était pas lui qui était malade mais elle. Jérôme souhaitait repousser ce moment encore un peu, le temps d'élaborer un plan et surtout de faire table rase. Il faudrait effacer Sanjay Singh Dhankhar de son esprit une fois pour toutes. Il devrait aussi en finir avec le *Protocole de 95*. Trouver le moyen d'enterrer définitivement cette affaire.

Comme un chat, il bougeait très lentement, balayant des yeux le hall en forme de goulot menant aux guichets. C'est alors qu'il aperçut les pantoufles. Elles dépassaient de quelques centimètres à peine du rebord d'une colonne de béton. Il y avait un banc le long du mur. Vêtue de sa robe de chambre, Florence était assise et regardait droit devant elle, l'air complètement perdu. Alors qu'une rame de métro entrait en gare, il passa devant elle, s'assit à ses côtés et attendit que le bruit cesse pour lui dire :

— Tu sais, j'y ai bien pensé et... tu as raison, on devrait partir à la mer tous les deux.

— Quelle bonne idée ! fit-elle.

Florence était sortie de son égarement, comme si sa disparition n'avait été qu'une pause, un temps mort dans une discussion entamée plus tôt.

— Est-ce que tu as pensé où on pourrait aller ?

— Je ne sais pas, lui répondit Jérôme le plus naturellement possible. Sur la côte est américaine. Dans le Massachusetts peut-être. C'est ce qui est le plus près.

— Ce serait quand même mieux de réserver ! C'est la haute saison en ce moment. Avec cette chaleur, on ne sera pas les seuls à avoir cette idée.

— Justement, je voulais le faire. On peut trouver quelque chose sur Internet. On pourrait peut-être choisir ensemble, si tu veux.

— Je te fais confiance. On partirait quand ?

— Dans un jour ou deux. Le temps de faire les valises.

Jérôme se leva et Florence fit de même. Il lui offrit son bras, elle le prit et ils se dirigèrent vers l'escalier menant à l'étage.

— On pourrait y aller avec la voiture. Elle est très confortable et tout à fait adaptée pour faire une longue route.

— Tu appelles ça une voiture ! fit remarquer sa mère en le regardant d'un air moqueur. Je n'ai pas osé te le dire l'autre jour lorsque nous sommes allés à l'hôpital, mais je n'ai jamais vu un bazou aussi laid !

Jérôme s'amusa du choix de ce mot. Lorsqu'il était enfant, toutes les voitures étaient des bazous aux yeux de sa mère. Il avait beau lui dire que les autos avaient des noms, qu'il retenait d'ailleurs avec une facilité déconcertante, rien n'y faisait. Florence n'aimait pas les voitures. Elle n'avait jamais eu de permis de conduire.

Dans le corridor vitré reliant la station de métro à l'immeuble qu'habitait Florence, les gens se retournaient sur leur passage. Cette vieille dame en robe de chambre, accrochée à l'unique bras d'un homme plus jeune qu'elle, offrait un spectacle bien particulier. D'autant qu'ils rigolaient de bon cœur. Lorsqu'ils regagnèrent l'appartement du septième étage, Jérôme conduisit sa mère à sa chambre, l'aida à s'installer dans son lit et lui proposa :

— Que dirais-tu si je te préparais une soupe poulet et nouilles ?

— Je ne suis pas malade ! protesta-t-elle.

— Je sais. Mais j'ai envie de m'en faire une, moi. On pourrait partager.

— Il faut faire attention à toi, Jérôme ! Cette enquête te préoccupe, n'est-ce pas ? Je le vois bien.

— Quelle enquête ?

— Cet homme qui a le regard d'un assassin. Je t'ai entendu au téléphone, l'autre jour. Le type qui pourrait avoir une raison de tuer.

Jérôme resta interdit. Florence s'égarait dans les corridors de l'immeuble, se retrouvait sur le quai du métro en robe de chambre sans se rendre compte qu'elle lui avait donné une frousse épouvantable, mais elle se souvenait qu'il était aux trousses de Sanjay Singh Dhankhar ! Plus encore, elle savait qu'il ne lâcherait pas le morceau tant qu'il ne saurait pas tout de cet homme.

— J'ai laissé tomber cette enquête, annonça-t-il. Maintenant, c'est les vacances !

— Dans ce cas, partons demain !

— C'est un peu vite, non ? Mais on verra. L'important pour l'instant, c'est que tu te reposes en prévision du voyage.

Florence était parfaitement d'accord. Présenté de cette façon, ce voyage lui semblait être un projet commun, ce qui la comblait davantage. Il lui servit donc une soupe, accompagnée d'une salade et de quelques fruits pour le dessert. Ils mangèrent ensemble dans la chambre, et comme un enfant qu'on met au lit la veille de Noël, Florence tira énergiquement la couverture après avoir avalé sa dernière bouchée. Jérôme ferma les rideaux, parce qu'il faisait encore jour, mais laissa la porte entrouverte. Il tendit l'oreille pendant un moment. Au bout de dix minutes, elle ronflait.

Jusqu'à la tombée de la nuit, Jérôme chercha un hôtel convenable sur la côte est américaine. Il écuma des sites sur Internet de la pointe de Cape Cod jusqu'à Old Orchard Beach, beaucoup plus au nord. Partout on affichait complet. La dernière semaine de juillet et les deux premières du mois d'août constituaient la période la plus achalandée de l'année. Il avait passé quelques appels dans des auberges de second ordre où il restait des chambres. Ces gîtes n'étaient pas vraiment intéressants. Il n'y avait pas de vue sur la mer et aucune plage à des kilomètres à la ronde. À quoi bon aller à la mer si on ne voit pas la mer !

Un peu après vingt et une heures, alors que le soleil disparaissait derrière le mont Royal, Jérôme abandonna ses recherches et vint jeter un œil dans la chambre de Florence. Comme elle ne s'était toujours pas réveillée, il pensa qu'il fallait en profiter. Mais il était partagé. Sa fugue de l'après-midi l'avait rendu nerveux. Sa condition s'était-elle détériorée davantage depuis la visite chez le Dr Tanenbaum, ou s'en rendait-il compte parce qu'il passait plus de temps avec elle ? Quoi qu'il en soit, Florence changeait. Ce qu'il avait d'abord pris pour des moments d'égarement s'était transformé en véritables trous noirs. Elle en perdait des bouts, mais lorsqu'elle revenait à la réalité, par contre, elle était d'une remarquable lucidité.

Même si la chose ne lui souriait guère, Jérôme enferma sa mère à double tour. Il était peu probable qu'elle se réveille dans les prochaines heures. En passant par-dessous, il serait rapidement chez lui. Le temps de rassembler le nécessaire pour un voyage de deux, voire trois semaines, il serait de retour avant minuit. Sa mère ne s'apercevrait de rien. Elle ronflait toujours.

Il regagna la ville en empruntant la ligne jaune, fit une correspondance à Berri-UQAM et descendit au métro Peel. Par les passages souterrains, il rallia les Cours Mont-Royal et monta chez lui. En ouvrant la porte toutefois, il sentit de la résistance, comme si une chaussure était coincée sous le seuil. Les lumières étaient allumées à l'intérieur, ce qui n'était pas normal non plus. Il les fermait toujours en partant. Par la porte entrebâillée, il constata avec horreur que tout était sens dessus dessous dans l'appartement. Il força le passage et découvrit un spectacle ahurissant. Son logement avait été fouillé. Tout était par terre.

Jérôme referma derrière lui et enjamba le fouillis pour se rendre au salon. Son cœur battait la chamade. Et il pensa tout de suite à Bélanger, de la Sûreté du Québec, celui-là même qui l'avait appelé dans le garage du Port-de-Mer alors qu'il cherchait Florence. L'assurance dont il avait fait preuve lui martelait encore les tympans : « Enquêteur Marceau, nous avons l'intention de récupérer ce document. Est-ce que je me fais bien comprendre ? » À voir le bordel qui régnait dans son appartement, Bélanger avait mis sa menace à exécution. Les tiroirs avaient été vidés, les livres jetés par terre, le lit défait et le matelas renversé. C'était du travail de professionnel. Les casseurs de la SQ avaient même passé le frigo et le garde-manger au peigne fin. Dans la chambre, il souleva le couvercle de la boîte à bijoux marocaine bien en vue sur la commode. À l'intérieur, il y avait une enveloppe contenant de l'argent. Sa mère avait la même manie. À première vue, les quelque deux mille dollars qu'il se souvenait y avoir laissés y étaient toujours. Il gardait aussi des boutons de manchette en or sertis de diamants dans cette boîte. Tout y était.

Jérôme revint vers le salon et chercha à deviner l'ordre dans lequel les intrus avaient perpétré leur méfait. Pour commencer, ils s'en étaient pris au secrétaire dans lequel il gardait ses papiers personnels, quelques souvenirs et son passeport. C'est ce qu'ils avaient jeté par terre d'abord, sans rien prendre. Il récupéra le passeport. Ils avaient ensuite vidé la bibliothèque, dont les livres recouvraient entièrement les papiers et souvenirs du secrétaire. Les coussins du divan, les cadres sur les murs et les quelques lampes qui éclairaient la pièce avaient suivi, complétant l'empilement. Un fouillis sans nom, et pourtant il ne manquait rien. On ne lui avait rien pris.

Dans la salle à manger, les cartes et l'itinéraire qu'il avait préparés pour son voyage vers le Pacifique jonchaient le plancher. Il enjamba la valise qu'il avait sortie deux jours plus tôt en prévision de son départ. Toutes les pochettes, tous les rangements avaient été ouverts et fouillés. Il n'y avait que les gens de la police pour travailler d'une façon aussi méthodique. Bélanger l'avait prévenu. Le crime était signé. Mais ils n'avaient rien trouvé parce que le *Protocole* n'y était pas.

Jérôme fit le tour de l'appartement. Dans la salle de bains, on avait soulevé le couvercle du réservoir des toilettes. Quand on avait voulu le remplacer, il avait glissé et s'était brisé sur le sol. Tout était sens dessus dessous là aussi, mais il ne manquait rien. Pas même une lame de rasoir ! Piochant à gauche et à droite, il reconstitua une trousse de toilette et revint vers la salle à manger, où il posa la valise sur la table. Dans la demi-heure qui suivit, Jérôme rassembla tous les vêtements dont il aurait besoin pour les jours à venir et récupéra l'argent qui se trouvait dans la boîte à bijoux, sans toutefois se préoccuper des boutons de manchette. Il prit aussi les cartes et l'itinéraire. Comme il y avait la mer, là-bas, il pensait y emmener Florence, mais de prime abord, le Pacifique sembla bien loin. Il faudrait y penser.

Jérôme eut du mal à refermer sa valise. Dans l'affolement, il avait pris de quoi tenir deux mois et même plus. Il embarqua des livres aussi, dont celui qui lui avait inspiré l'achat de la Pontiac et son voyage vers l'ouest. Et des souliers. Plusieurs paires de souliers. Ce détail le surprit lui-même. Comme il n'arrivait pas à choisir, il avait tout pris. Si bien que lorsqu'il sortit de chez lui, il se demanda s'il était sage de passer par-dessous pour retourner à Longueuil. Il aurait toutes les peines du monde à se déplacer dans le métro avec son bagage. Si de surcroît quelqu'un le prenait en filature, comme cela avait été le cas la dernière fois, jamais il n'arriverait à le semer.

Jérôme avait des yeux tout le tour de la tête lorsqu'il atteignit le rez-de-chaussée de son immeuble. Tirant son lourd butin, il en était encore à se demander s'il devait prendre un taxi ou passer par-dessous lorsque son téléphone se mit à vibrer. Il avait coupé la sonnerie après avoir mis sa mère au lit. Il s'arrêta devant les portes vitrées de l'entrée et consulta l'afficheur. C'était Lynda ! Il attendait plutôt un coup de fil de Bélanger. Ses hommes n'ayant pas trouvé ce qu'ils cherchaient, l'enquêteur de la SQ ne manquerait pas de revenir à la charge.

— Jérôme Marceau à l'appareil, fit-il d'un ton très détaché.

— Aileron, c'est moi ! Il faut que je te parle !

Il y avait dans la voix de la patronne des homicides l'assurance de quelqu'un qui s'apprête à négocier en croyant la partie gagnée d'avance.

— C'est que... je suis occupé en ce moment.

— Viens me rejoindre dans le bunker sous le boulevard René-Lévesque, ordonna-t-elle sèchement. Je t'attends dans une demi-heure.

Bien que la coïncidence puisse le laisser croire, Jérôme savait que Lynda n'était pour rien dans le saccage de son appartement. Ses rapports avec la Sûreté du Québec étaient tout sauf conviviaux. C'est plutôt de ce côté qu'il fallait chercher le coupable.

— Une demi-heure, c'est un peu court. Mais je veux bien aller te rencontrer là-bas, répondit-il, toujours avec le même détachement. Surtout que ça fait un bail que je n'y ai pas mis les pieds.

— Je t'attends !

Elle ne lui laissa pas ajouter un mot de plus. Déjà, elle avait raccroché. Jérôme baissa les yeux, regarda sa valise en se demandant comment il ferait. Bien que ce soit un boulet à traîner, il décida tout de même de prendre le métro.

* * *

Il était vingt-deux heures pile lorsque Jérôme se présenta au poste de la SCS, au troisième sous-sol de l'immeuble d'Hydro-Québec. Il avait déposé sa valise dans un casier au terminal d'autobus Berri-UQAM avant de revenir sur ses pas. Il ne pensait qu'à Florence. Il s'était donné deux heures pour prendre ses affaires chez lui. Elle était toujours enfermée dans sa chambre et voilà qu'il faisait ce détour pour venir discuter avec Lynda dans le « wagon de Compiègne ».

— Je suis désolé, mais on m'a demandé de vous fouiller.

C'est sur ces mots que l'agent de faction l'avait accueilli. Jérôme se prêta à l'exercice en pensant que cela en disait long sur l'état d'esprit de Lynda. Elle voulait le prendre de haut. Pour ce faire, quoi de mieux que de l'humilier ? Au moins, il savait à quoi s'en tenir. L'agent fit une vérification sommaire puis l'invita à le suivre. Ils descendirent quelques marches, empruntèrent un couloir et s'engouffrèrent dans une salle qui avait des allures de coffre-fort. L'endroit avait changé depuis la dernière fois qu'il y était venu. Derrière une cloison coulissante se trouvait une deuxième porte, blindée celle-là. Elle était toute grande ouverte. Plus loin, un corridor s'étendait sur une cinquantaine de mètres.

— Vous connaissez. Je n'ai pas besoin de vous accompagner, lui dit l'agent.

— Ça va.

Jérôme s'engagea dans le passage menant au bunker. Le tunnel était bien éclairé mais l'humidité, insupportable. Il y avait bien des bouches d'aération au plafond, mais celles-ci étaient rouillées et ne semblaient pas avoir servi depuis des lustres. Lorsqu'il atteignit les deux pièces sous le boulevard, à mi-distance entre la Place Guy-Favreau et le siège social d'Hydro-Québec, une odeur de moisi le prit à la gorge. La porte de la salle de conférences était ouverte, mais il n'y avait personne. Celle du salon voisin l'était aussi et il comprit que Lynda l'y attendait. Des effluves de nicotine flottaient dans l'air vicié, faisant oublier l'odeur âcre que Jérôme avait plus d'une fois remarquée dans les tunnels oubliés de la ville.

— Tu as recommencé à fumer ! lui lança-t-il, en l'apercevant bien enfoncée dans un fauteuil de cuir défraîchi.

— C'est insupportable, cette odeur de pourriture !

— On aurait pu se voir ailleurs.

— Je tenais à ce que ce soit ici. Pour qu'on se rappelle le bon vieux temps !

Lynda prit une nouvelle cigarette dans son paquet et l'alluma avec le mégot de celle qu'elle terminait. D'un geste de la main, elle l'invita à s'asseoir. Jérôme jeta un œil autour de lui. Il se souvenait de ce salon pour y être venu à quelques reprises pendant l'hiver de 1995. Il avait passé plus de temps dans la salle de conférences voisine, où des rencontres relatives au *Protocole* s'étaient tenues. La tapisserie sur les murs, les meubles et les lampes étaient pourris, figés dans le temps. On aurait dit un salon du *Titanic* conservé en bon état au fin fond de l'Atlantique.

— Je n'ai qu'une question, une seule, à te poser, commença Lynda.

— Et tu m'as fait venir jusqu'ici pour ça ! Le téléphone, c'est plutôt pratique, tu sais.

— Je n'ai pas du tout envie de rire, Jérôme !

— Alors ne rions pas ! De toute façon, cet endroit est beaucoup trop triste pour ça.

— Dis-moi... dis-moi seulement pourquoi tu as conservé une copie du *Protocole*.

— Toi aussi ! Décidément, vous en faites une maladie, lui renvoya Jérôme, refusant toujours de s'asseoir. Pourquoi j'aurais fait ça ?

— Parce que tu en fais toujours à ta tête ! C'est une manie chez toi.

— De toute façon, rétorqua-t-il, si j'en avais une copie, vous l'auriez trouvée !

Lynda sembla surprise par cette réponse. Elle n'avait aucun talent pour la comédie. Lorsqu'elle n'était pas en contrôle, cela se voyait immédiatement. Raison de plus pour croire qu'elle n'avait pas commandé la fouille de son appartement et que c'était bien la SQ qui s'en était chargée. Tirant longuement sur sa cigarette, elle rassembla ses idées et reprit sur un ton presque amical :

— Je ne sais pas si tu te souviens, mais c'est ici… en fait dans la pièce d'à côté, qu'on s'est rencontrés pour la première fois.

— Oh oui, je me rappelle ! fit Jérôme sur un ton vaguement nostalgique.

— La première fois, on a prêté serment. Les gens de la SQ, nous du SPVM et les trois représentants de la Sécurité et du Contrôle souterrains.

— Je me souviens de ce serment. Pour qu'on ne soit jamais capable de l'identifier, le groupe d'intervention, qui n'avait pas de nom, devait jurer que ce qui se préparait dans cette salle ne serait jamais connu ni divulgué. Tous les gens réunis ici mettaient en commun leurs talents au service du *Protocole*, mais jamais ils ne devaient dire qu'ils faisaient partie de ce groupe ni ce que celui-ci préparait.

— Bravo ! Je me demandais si tu t'en souvenais.

Jérôme lui tourna le dos, fit quelques pas dans le salon et s'arrêta devant un cadre légèrement penché, accroché au mur. C'était le seul tableau qui ornait la pièce. Intrigué, il se demanda pourquoi on l'avait choisi et surtout ce qu'il signifiait. Il s'approcha de la toile, qui représentait une montagne, pour voir le nom du peintre gribouillé au bas. Lynda le devança :

— Cézanne.

Jérôme se retourna en cherchant son regard.

— Quelle drôle d'idée ! Ils auraient dû mettre une carte géographique du Québec, plutôt ! C'était ça, l'idée du référendum, non ?

— Ce tableau s'appelle *La Sainte-Victoire*. Cézanne l'a peint en s'inspirant de la montagne du même nom, mais ceux qui ont mis ce tableau à cet endroit pensaient à autre chose.

Il réprima un sourire en passant son doigt sur le cadre. Quinze ans de poussière s'étaient accumulés depuis que la sainte victoire ne s'était pas matérialisée. Jérôme lâcha le morceau :

— D'accord, j'ai raconté à O'Leary qu'il y avait un tunnel entre la Place Guy-Favreau et les quartiers généraux d'Hydro-Québec ! Je lui ai aussi dit qu'il y avait ces deux pièces au milieu qui avaient servi en 1995. Mais c'était à cause des passeports. Quand j'ai su dans quelle voûte ils étaient gardés, au troisième sous-sol de la Place Guy-Favreau, je me suis dit que quelqu'un d'autre connaissait l'existence de ce bunker et que c'est ici qu'on les avait cachés en attendant de les transporter ailleurs. Ça ne veut absolument pas dire que j'ai gardé une copie du *Protocole*, ça !

— Effectivement, ça ne veut pas dire que tu en as conservé une copie. Mais tu as manqué à ta parole !

— J'ai assisté à une réunion où il y avait des membres de la GRC, de la SQ et du SPVM...

— Je sais. Je suis au courant.

— C'est Blanchet qui a insisté pour que j'y vienne. Ces passeports disparus, c'était une affaire de sécurité nationale. Il fallait les retrouver. Mais je n'ai pas confiance en Blanchet. Je ne lui ai rien dit. J'en ai parlé à O'Leary plutôt. Et quoi que tu en dises, je crois que j'ai bien fait. On les a retrouvés, ces maudits passeports ! C'est ce que tout le monde voulait, non ?

Lynda s'extirpa de son fauteuil. La cigarette collée au bec, elle croisa les bras comme si elle avait froid et s'avança dans le salon. Plus d'une fois, Jérôme et elle avaient eu ce genre de discussion. Langage cru, phrases coups de poing qu'ils se jetaient à la figure et qui commençaient invariablement par: « Alors écoute-moi bien ! » Cette fois pourtant, elle s'y prit autrement:

— C'est très sérieux, Jérôme ! Je dois savoir si tu as conservé une copie du *Protocole* et je vais te dire pourquoi. Le référendum de 1995 avait pour objet d'obtenir un mandat de la population québécoise pour négocier l'indépendance avec Ottawa. Tu sais cela. Je ne t'apprends rien.

— Mais l'agenda du *Protocole de 95* n'était pas tout à fait le même !

Il l'avait interrompue parce que le petit ton pédagogique qu'elle empruntait lui tombait sur les nerfs. Jérôme avait l'impression qu'elle s'adressait à lui comme à un enfant. Feignant de ne pas s'en rendre compte, elle enchaîna comme s'il lui fallait mettre des points sur tous les *i*, des barres sur tous les *t*:

— Si le « Oui » l'avait emporté, tu sais comme moi ce qui se serait passé. Le *Protocole de 95* prévoyait, entre autres, la prise de contrôle des étages souterrains de la Place Guy-Favreau avec toutes les archives, titres et documents. Tout ce qui était sous le contrôle fédéral. Rien de cela n'est arrivé, bien sûr. Des efforts considérables ont été consentis pour effacer toute trace de ce projet. Le *Protocole de 95* n'a jamais existé. Est-ce que tu m'entends, Jérôme ? Ça n'a jamais existé !

Lynda tremblait de rage. Elle voyait dans l'indiscrétion de Jérôme une trahison de haut niveau, un manquement impardonnable à l'éthique professionnelle. Elle était si perturbée par leur conversation qu'elle se mit à crier:

— Tu vois le scandale si cette affaire venait à sortir ? Si la copie du *Protocole* tombait dans les mains du fédéral ? Ils auraient la preuve que derrière le référendum de 1995 se cachait un coup de force. Que les éventuelles négociations avec Ottawa, advenant une victoire du « Oui », n'étaient que de la poudre aux yeux !

Elle était déchaînée, postillonnant et crachant littéralement au visage de Jérôme.

— Un scandale ! Ce n'est pas le mot ! Une honte ! Une indignation nationale !

Il tenta de l'apaiser en levant son unique main, mais elle continua de plus belle.

— Le mot est lâché, Jérôme ! Les gars d'Ottawa vont te harceler. Ils vont tout faire pour obtenir cette copie. Parce qu'il n'en existe pas d'autre. Tout a été détruit. L'existence même du bunker a été effacée des mémoires. Ça n'existait plus jusqu'à ce que tu ouvres la bouche, jusqu'à ce que tu répandes la nouvelle. Tu es vraiment con, Jérôme ! Vraiment con !

La violence de ses propos ébranla Jérôme. Il allait lui répondre sur le même ton, lui crier après, l'invectiver à son tour lorsqu'elle ajouta :

— Tu as prêté serment, Jérôme ! Est-ce que tu t'en rappelles ?

Il se ravisa. Une surenchère de cris ne mènerait nulle part. Il répéta plutôt :

— Je n'ai pas gardé de copie du *Protocole*, Lynda. C'est dans ton imagination, tout ça. Je n'ai rien !

Mais ce n'était pas assez pour la convaincre. Elle avait perdu toute confiance en lui, disait-elle. Levant la main, Jérôme l'invita à se taire puis jeta sa dernière carte :

— Tu sais, Lynda, ma mère va mourir. Elle en a pour très peu de temps. J'essaie d'être à ses côtés, de m'en occuper. Et ce n'est pas facile. J'ai fait une erreur, j'en conviens. Cette histoire de passeports m'est tombée dessus. Je connais la ville souterraine comme le fond de ma poche. J'ai pensé bien faire en orientant les recherches de ce côté. Mais je me fous de tout ça. Il faut que je retourne auprès d'elle. Je devrais déjà y être.

Lynda avait bien perçu le trémolo dans sa voix. Elle l'avait rarement entendu parler ainsi. Elle ne le savait pas capable d'émotions. Depuis le temps qu'ils se connaissaient, qu'ils travaillaient ensemble, il n'avait à peu près jamais montré ses sentiments. À croire qu'il n'en avait pas.

— Je te le dis et te le jure… sur la tête de ma mère, je n'ai rien! Je n'ai pas gardé de copie du *Protocole*. Tout a été détruit. Pour moi, ce projet n'a jamais existé.

Lynda ne fumait plus. Elle tenait sa cigarette entre ses doigts et la laissait brûler en évitant le regard de Jérôme. Il avait bien dit sur la tête de sa mère. Elle connaissait le lien particulier qui les unissait. Il n'aurait pas osé parler de cette façon s'il ne disait pas la vérité. Ses épaules tombèrent légèrement. Elle prit son paquet de cigarettes, l'ouvrit pour en prendre une autre mais se ravisa.

— Je suis vraiment désolée pour ta mère.

Jérôme était sur ses gardes. Elle faisait parfois mine de lâcher le morceau avant de revenir en force, de donner le coup final. Il continua de la dévisager sans rien dire.

— Qu'est-ce qu'elle a, au juste?

— Une tumeur au cerveau. Glioblastome, ça s'appelle. Depuis quelques jours, elle dégringole.

Lynda fit la grimace. Elle n'en demeurait pas moins fermée, impénétrable. Au bout d'un moment, elle haussa les épaules:

— Alors on oublie ça! Cette affaire n'a jamais existé. Tu n'as pas gardé de copie. Vas-y! Va t'occuper de ta mère.

Jérôme hocha la tête mais resta sur place. C'était peut-être un piège. C'était la spécialiste des barouds d'honneur. Lorsque le dernier argument avait été lancé, lorsque tout avait été dit, elle revenait à la charge, lançait une dernière attaque, habituellement décisive. Cette fois pourtant, elle n'en fit rien.

— On oublie ça ? demanda Jérôme, comme le silence s'éternisait.

— On oublie ça. Et bon courage ! murmura-t-elle.

Il contourna un fauteuil qui lui bloquait le passage et se dirigea vers la porte menant à la salle de conférences, en pensant qu'elle n'avait pas tout dit. Alors qu'il allait quitter la pièce, elle lui donna raison :

— Ah oui, j'allais oublier ! À propos de cet Indien... comment s'appelle-t-il déjà ? Sanjay...

Jérôme s'immobilisa sur le seuil de la porte. Il ne voulait pas se retourner, elle aurait vu son agacement.

— Il n'y a rien contre ce type. Conduite irréprochable depuis qu'il est au pays. Comme tu t'occupes de ta mère en ce moment, j'imagine que tu vas oublier ça aussi ?

— Bien sûr ! On oublie ça aussi, se contenta-t-il de dire.

— C'est bien. C'est bien, Jérôme. Bonsoir !

Jérôme quitta le salon, traversa la salle de conférences, où l'odeur de moisi était toujours aussi insupportable, et s'engagea dans le corridor menant au poste de la SCS sous l'immeuble d'Hydro-Québec. L'écho de ses pas sur le sol de béton résonnait dans sa tête, comme une immense horloge comptant les secondes qui ne voulaient pas s'écouler. Il voulait oublier cette rencontre mais tout l'y ramenait. Surtout ce parjure auquel il s'était livré, affirmant sur la tête de sa mère qu'il n'avait pas conservé de copie du document. Non seulement il en avait une, mais elle se trouvait dans le coffre de la Pontiac sous la roue de secours. Quelque chose lui disait que Lynda se foutait du *Protocole*, cependant. Qu'il y avait autre chose. Jamais elle n'aurait abandonné la partie de cette façon. Mais il se trompait peut-être. Qui sait si la maladie ne l'avait pas ramollie ?

Après avoir récupéré sa valise dans le casier au terminus d'autobus, il reprit le métro direction Rive-Sud en se disant que cette rencontre avec Lynda venait sans doute de lui fermer définitivement la porte des homicides. Il avait cru à tort qu'en brandissant sa copie du *Protocole* il obtiendrait de la patronne qu'elle rende public son rapport sur les circonstances de la mort du juge Rochette. Ce n'était pas la première fois qu'il l'aurait fait chanter. Le procédé marchait à tout coup. Mais après avoir entendu ses arguments, après s'être rendu compte que la réapparition de ce document maudit déclencherait un scandale politique sans nom, il n'avait eu d'autre choix que de faire marche arrière en jurant sur la tête déjà bien mal en point de sa mère qu'il n'avait pas le document en question. Il croyait avoir en poche une main d'as. Ce n'était pas le cas. Pour faire bonne mesure, son enquête sur Sanjay Singh Dhankhar venait aussi de prendre fin. Il tenait pour acquis que sa fille, Sangeeta, bien qu'elle soit rebelle et qu'elle ait brisé toutes les règles, avait bénéficié de l'indulgence de son père. Comme prévu, elle rentrerait au pays avec sa famille à la fin de l'été. Tout cela faisait partie des choses inutiles qui l'avaient animé, qui l'avaient occupé pendant sa convalescence. Mais dorénavant, comme il venait de l'annoncer, il s'occuperait exclusivement de sa mère. Et grand bien lui fasse.

Le Marie-Blanc

Tout était calme lorsque Jérôme rentra chez Florence. Sans bruit, il déverrouilla la porte de sa chambre et jeta un œil à l'intérieur. Sa mère ronflait toujours. À l'évidence, elle ne s'était pas réveillée pendant son absence. Il rangea sa valise près de l'entrée en se remémorant le fil des événements. Les choses s'étaient très mal passées avec la patronne, mais une fois la poussière retombée, son intuition s'était transformée en certitude. Ce n'était pas elle qui avait demandé qu'on fouille son appartement. Elle n'aurait pas demandé à le voir après un saccage pareil. Quelqu'un d'autre était à ses trousses. La théorie du scandale avancée par Lynda, advenant la révélation de l'existence du *Protocole de 95*, était plausible. Et même probable. Il lui fallait détruire le CD caché dans sa voiture et renoncer à la possibilité que ce document puisse paver la voie à son éventuel retour aux homicides. S'il avait quelque doute sur cette hypothèse, la sonnerie de son cellulaire acheva de le convaincre. Il était près de vingt-trois heures. Depuis qu'il était en convalescence, personne ne l'appelait à pareille heure.

— Jérôme Marceau à l'appareil, fit-il d'une voix neutre.

L'afficheur indiquait un numéro confidentiel. Il s'attendait à tout sauf à cet accent si particulier, qui le ramena instantanément à la rencontre au troisième sous-sol de la Place Guy-Favreau.

— Sergent Pierre Leblanc de la GRC à l'appareil. On s'est rencontrés il y a deux jours… la réunion pour les passeports volés.

Jérôme éloigna le téléphone et consulta l'afficheur. Il ne restait plus beaucoup de jus dans la batterie, mais cela ne pouvait expliquer la faiblesse du signal et encore moins l'espèce d'écho qu'il entendait. Il était sur écoute. Le sergent Pierre Leblanc, qui était certainement plus qu'un sergent mais qui péchait par fausse modestie, n'était pas seul sur la ligne.

— Je m'excuse. Les piles de mon téléphone sont faibles. Je ne vous entends pas très bien.

— Avez-vous un autre numéro de téléphone où je peux vous appeler ?

— Non. Seulement celui-ci. De quoi s'agit-il ? Il est tard et…

— D'abord, je veux vous remercier pour le coup de pouce que vous nous avez donné dans nos recherches. Nous n'étions pas au courant de l'existence… de ce corridor… et de la salle de conférences sous la rue.

Pierre Leblanc avait dit « sous la rue », comme s'il était incapable de nommer le boulevard, comme s'il ne pouvait prononcer le nom « René-Lévesque ». Jérôme sut dès lors que s'il ne prenait pas les devants, cette conversation tournerait au désastre, et il s'enfoncerait un peu plus dans les miasmes du scandale annoncé par Lynda.

— Je vous arrête tout de suite, sergent. Je ne sais rien de ce corridor souterrain et des deux pièces qui se trouvent sous le boulevard. J'ignore même à quoi elles servaient à l'époque. J'étais à la Sécurité et au Contrôle souterrains. Comme il ne se passait rien en dessous sans qu'on en soit informés, j'ai appris à l'époque que ce passage existait. C'est tout.

— Quelqu'un m'a parlé d'un *Protocole*, l'interrompit le faux sergent, qui était sans doute un enquêteur de haut niveau, peut-être même un agent du Service canadien du renseignement de sécurité, le SCRS. Est-ce que ça vous dit quelque chose ?

— Jamais entendu parler, répondit sèchement Jérôme. Quand on est à la SCS, on est tout en bas de l'échelle. On n'est pas dans le secret des dieux.

L'expression avait fait rire son interlocuteur. Pierre Leblanc la répéta, comme s'il l'entendait pour la première fois ou qu'il la prenait au pied de la lettre. Les « dieux » dont il était question étaient ceux qui avaient tenté de faire sécession, qui avaient espéré, à la faveur d'un référendum qu'ils avaient failli gagner, briser le pays pour lequel il travaillait. À ses yeux, ce n'était pas des dieux mais des diables.

— Je suis désolé, mais je vais devoir vous quitter, annonça Jérôme. Les piles de mon téléphone sont presque à plat et je suis au chevet de ma mère, qui est très malade. Je ne peux vraiment rien pour vous.

— J'aimerais vous rencontrer.

Jérôme éleva la voix pour bien faire comprendre que l'échange n'irait pas plus loin.

— Je n'ai rien à vous dire, sergent. Je dois m'occuper de ma mère, maintenant. Au revoir !

Il referma le téléphone et, d'une main tremblante, retira le couvercle sous lequel se trouvaient la pile et la carte mémoire. Il retira cette dernière et la déposa sur la table de la salle à manger, près de son ordinateur. Sans perdre un instant, il se dirigea vers le balcon, fit glisser la porte-fenêtre et sortit. Se penchant au-dessus de la balustrade, il jeta le téléphone et suivit sa longue chute. L'appareil s'écrasa sur le toit du portique de l'immeuble, sept étages plus bas, avec un petit bruit sec que lui seul entendit. Jérôme mettait ainsi fin à son lien avec cet appareil. C'était un geste de survie. Pour ne pas être emporté par cette histoire, il devait couper les ponts. Dans le même esprit, il aurait dû se débarrasser de sa copie du *Protocole*. Mais son instinct lui disait qu'elle pouvait encore servir. Comme monnaie d'échange, par exemple. Si les choses venaient à se morpionner, elle serait un dernier recours. Sauf qu'il n'en était pas là. Pour l'instant, il devait se faire oublier et ce voyage, qu'il s'était d'abord proposé de faire seul mais qu'il ferait finalement avec sa mère, tombait à point. Personne ne connaissait l'existence de sa Pontiac. Comme véhicule de fuite, ce serait parfait. Dès que la valise de Florence serait faite, il la réveillerait et ils fileraient en douce en pleine nuit.

Se mettant au travail, Jérôme ne put s'empêcher de ressasser les événements des dernières heures. Il y avait eu cet appel de Bélanger suivi de la fouille de son appartement. Et maintenant ce coup de fil tardif de Leblanc. Mais Lynda dans tout ça ? Et pourquoi cette mise en scène dans le bunker, sous le boulevard René-Lévesque, où elle avait acheté ses arguments sans opposer son habituelle résistance ? Un *bluff* ? Sachant que tout le monde courait après sa copie du *Protocole*, elle avait tenté de la récupérer avant les autres ? Pour la vendre au plus offrant, peut-être. Et pourquoi aurait-elle cherché à doubler et la SQ et la GRC ?

Pendant l'heure qui suivit, Jérôme fit les bagages de sa mère, rongé par cette question. Dans une grosse valise, il jeta tout ce qui lui tombait sous la main sans parvenir à oublier cette histoire de *Protocole*. Il aurait été plus simple de lâcher l'os et de se débarrasser de ce document gênant.

Mais pour en faire quoi ? La réponse n'était pas évidente. Ce voyage tombait bien, tout compte fait. Prendre ses distances lui paraissait la seule issue possible. Il cherchait en tout cas à s'en convaincre en continuant à empiler les vêtements, les souliers, les médicaments et les babioles en tout genre dans la grosse valise pendant que Florence, elle, ronflait. Même s'il avait allumé les lumières et ne faisait rien pour éviter le bruit, rien n'y changeait !

Il en était à ramasser les derniers objets mais ne savait toujours pas dans quelle direction ils partiraient. Iraient-ils vers l'ouest ou vers le sud ? Est-ce que ce serait le Pacifique ou l'Atlantique ? La Californie ou le Maine ? Il n'avait pas envisagé l'Est, jusqu'à ce qu'il referme son ordinateur et range les papiers étalés pêle-mêle sur la table. En prenant les relevés de la carte de crédit de Sanjay Singh Dhankhar, un détail lui revint. Il y avait dans ces papiers quelques adresses, entre autres celle d'une auberge à la frontière du Nouveau-Brunswick et celle d'un chalet aussi, que la famille indienne avait loué au bord de la mer. Ce n'était pas plus loin que Cape Cod, sauf qu'il n'y avait pas de frontière à traverser, un atout non négligeable dans sa situation.

Pour réussir sa disparition, Jérôme avait tout de même quelques cartes en main. La Pontiac d'abord. Personne ne savait qu'il avait acheté cette voiture. Pas même O'Leary, à qui il disait tout. Dans son entourage, on le croyait incapable de conduire. Comme il avait négligé de faire les changements administratifs, le véhicule était toujours au nom de Sanjay Singh Dhankhar, ce qui lui donnait une couverture supplémentaire. Avec, en plus, les trois mille dollars qu'il avait rapportés de chez lui et l'enveloppe pleine d'argent liquide que Florence gardait dans le tiroir de sa table de nuit, ils pouvaient aller loin sans laisser de traces, sans laisser d'empreintes de carte de crédit.

Il retrouva le nom de l'auberge sur les relevés de compte et fit une recherche sur Internet. Le Marie-Blanc était une entreprise familiale comptant un restaurant, dont on vantait la table, et un motel lové dans la verdure sur les bords du lac Témiscouata. Ce n'était pas la mer mais presque. Le lac était grand, une quiétude certaine émanait des images mises en ligne et il restait encore des places. Deux ou trois chambres, dont une suite donnant sur le lac. Sans hésiter, Jérôme remplit le formulaire de réservation en annonçant leur arrivée pour le lendemain dans la matinée.

Une heure plus tôt, il avait dit à Lynda que Sanjay Singh Dhankhar et sa fille Sangeeta, qu'il soupçonnait être en danger, ne l'intéressaient plus. Mais cet homme lui collait à la peau. Parce que le Pacifique était trop loin pour sa mère et qu'une frontière gênante les séparait de Cape Cod, il suivrait la piste de l'Indien. Il y avait quelque chose de tordu dans ce choix. À trois semaines d'intervalle, la Pontiac referait la même route avec des voyageurs différents. Un pèlerinage sur les traces des Singh Dhankhar, en quelque sorte. Ce qui ne le remettrait pas en mode enquête pour autant. La ville était étouffante, il avait promis la mer à Florence et, de surcroît, il devait s'éloigner pour faire oublier l'indiscrétion qu'il avait commise, la boîte de Pandore qu'il avait ouverte. Après un tel faux pas, les rives du lac Témiscouata lui feraient le plus grand bien. Et tant mieux si les Singh Dhankhar lui avaient indiqué la route.

Jérôme fit deux allers-retours au garage pour porter les valises et préparer le départ. En un tournemain, il coucha la banquette arrière de l'Aztek à plat, transformant l'espace en alcôve confortable. Il prépara un lit pour Florence avec, à portée de main, une distributrice d'eau, quelques verres, une tablette pour déposer ses médicaments et des serviettes pour se rafraîchir. Il était une heure du matin lorsqu'il monta la réveiller. Refaisant la liste de ce qu'ils emportaient, il pensa soudain au cric. La Pontiac n'en avait pas et s'ils avaient une crevaison, ce serait l'enfer. Il se promit d'en acheter un en route et oublia aussitôt ce détail. Pour le voyage, il lui avait choisi des vêtements amples et confortables, qu'il avait disposés sur le dossier du fauteuil dans sa chambre. Il y ajouta un foulard coloré pour la fantaisie, puis la réveilla d'une voix enjouée :

— Maman, ça y est, on part ! On s'en va à la mer !

Elle cessa instantanément de ronfler, jeta un œil autour d'elle et se redressa dans le lit.

— Déjà ? On part déjà ?

Il lui expliqua que la route serait longue et qu'ils voyageraient d'abord de nuit. Elle pourrait dormir, il lui avait préparé un lit. Elle lui demanda de sortir de la chambre afin qu'elle s'habille. Quelques minutes lui suffirent pour passer les vêtements qu'il lui avait préparés. Bras dessus, bras dessous, ils sortirent de l'appartement comme des voleurs, sans regarder derrière.

* * *

En quittant le garage souterrain de l'immeuble, Jérôme fit un long détour dans le Vieux-Longueuil. Il emprunta des rues à sens unique, s'éloigna des grands boulevards, revint sur ses pas, s'arrêta un long moment, tous phares éteints, dans une rue mal éclairée pour s'assurer que personne ne le suivait. Florence ronflait dans le lit qu'il avait aménagé à l'arrière du véhicule. Elle s'était endormie aussitôt qu'il avait tiré la couverture sur ses épaules et quelles que soient les manœuvres qu'il effectuait pour semer ses éventuels poursuivants, rien ne l'arrachait aux bras de Morphée. Il se perdit momentanément dans un parc industriel, avant de gagner l'autoroute par un accès réservé aux poids lourds. Une demi-lune jetait un éclairage bleuâtre sur les champs. Il roula pendant un long moment coincé entre deux camions de fret. C'était la couverture idéale. Avec un mastodonte devant et un autre à l'arrière, il passerait inaperçu sur l'autoroute 20. Il roula ainsi vers l'est sur plus de cent kilomètres, bercé par le bruit du moteur et le ronflement régulier de sa mère. Il aurait préféré écouter de la musique, mais il n'osait pas, de peur de la réveiller.

Lorsque le camion-remorque qui le suivait s'arrêta à une halte routière, il garda les yeux rivés sur le rétroviseur pour s'assurer qu'il n'y avait rien derrière. Pas le moindre phare en vue. L'autoroute était déserte dans un sens comme dans l'autre, mais il s'arrêta tout de même sur le bas-côté de la route au sortir d'une grande courbe. Après avoir éteint les phares, il descendit et referma la portière tout doucement. Cinq longues minutes s'écoulèrent sans que le moindre véhicule ne passe. Même de loin, de très loin, on ne le suivait pas. La voûte céleste brillait de mille feux, la lune était haute et les champs, de chaque côté de la route, se perdaient dans un dégradé allant du gris au noir sans fin. Les vastes espaces, les terres à perte de vue étaient là, mais on ne pouvait que les deviner pour l'instant.

Jérôme ouvrit le porte-documents qu'il avait déposé sur le siège du passager au moment de leur départ et consulta le relevé de la carte de crédit de Sanjay Singh Dhankhar. Il se souvenait que l'Indien avait fait un arrêt dans une station-service pour faire le plein. Il retrouva le nom de la localité et la repéra sur une carte. Dans moins d'une heure, ils y seraient. Ce serait l'occasion de faire une pause et, qui sait, de trouver quelque indice lui permettant de comprendre pourquoi Sanjay et sa famille étaient partis en pleine nuit, après avoir laissé leur fille aînée à l'aéroport, en route vers l'Inde.

Florence lui ronfla dans les oreilles jusqu'au petit village de Beaumont, à une dizaine de kilomètres de Lévis. Jérôme devenait fou. Le boucan de sa mère et la monotonie de la route s'étaient ligués, aurait-on dit, pour lui rendre la nuit impossible. Il avait les paupières lourdes et pourtant il ne s'endormait pas. Le temps passait au rythme de la respiration de métronome de Florence, tout était long et c'est avec soulagement qu'il quitta l'autoroute par la bretelle d'accès. Aussitôt, il aperçut une première station-service sur la droite. Puis une deuxième un peu plus loin. Sanjay Singh Dhankhar ne s'était pourtant pas arrêté là. Jérôme avait retenu le nom de la bannière sur le relevé de compte. Il avait choisi un dépanneur un peu plus loin, où l'on servait de l'essence. L'endroit était nettement plus discret. Sans doute ne voulait-il pas se faire remarquer.

Jérôme rangea la Pontiac près des pompes, descendit et referma doucement la portière. Lorsqu'il voulut faire le plein, un vieil homme à la démarche boitillante surgit de nulle part en lui criant :

— Vous touchez à rien ! Le service est compris.

L'homme sentait l'alcool. Il dévissa le bouchon du réservoir, examina la Pontiac, sourire en coin, et laissa tomber, laconique :

— On n'en voit plus beaucoup, des comme ça. C'est aussi bien de même !

Peut-être ce pompiste avait-il servi Sanjay Singh Dhankhar trois semaines plus tôt, d'où ce commentaire. Et s'il avait remarqué quelque chose ? Un rien qui puisse le mettre sur une piste ? Mais Jérôme se ravisa. Des dizaines de voitures devaient s'arrêter là en pleine nuit et de toute évidence, cet homme n'était pas fiable.

À quoi bon se faire remarquer en posant des questions indiscrètes alors qu'il était lui-même en cavale ! Il sortit quatre billets de vingt dollars et les lui remit en le saluant d'un signe de tête. Sans attendre, il remonta dans la Pontiac et reprit la route. Ce n'était pas exactement le voyage qu'il avait imaginé, celui inspiré par le livre. Mais c'était très bien ainsi. Plus il s'éloignerait de la ville, plus il se délesterait de sa névrose, de son besoin d'enquêter même lorsqu'il n'y avait pas de raison de le faire.

Une heure plus tard, l'autoroute, qui s'était égarée dans les terres, se remit à longer le fleuve. Jérôme ne lisait plus le nom des villes ou villages sur les panneaux routiers. Il ne voulait pas savoir. Le jour commençait à se lever sur le Saint-Laurent, qui n'était plus un fleuve mais une mer agitée. De l'autre côté, les montagnes grimpaient jusqu'aux nuages pour ensuite venir s'agenouiller dans l'eau. Plus loin, du côté de Saint-Roch-des-Aulnaies, la rive d'en face disparut complètement. Et Florence dormait toujours. Elle n'avait pas cessé de ronfler depuis Montréal. Il eut envie de la réveiller pour lui dire qu'ils étaient arrivés à la mer. Et par la même occasion lui annoncer que la fin de la route était proche. La sienne. Il n'avait pas encore eu le courage de lui dire que c'était elle qui était malade et non lui. Que son arrêt de mort avait été signé par le Dr Tanenbaum quelques jours plus tôt et qu'il n'avait cessé de lui jouer la comédie depuis. Il faudrait bien en arriver à ça. Mais c'est la route elle-même qui en décida autrement. Au milieu du brouillard, un embranchement surgit brusquement.

Jérôme s'arrêta sur le bord de la route, sortit la carte routière et repéra le village de Notre-Dame-du-Lac, où se trouvait l'auberge Marie-Blanc. Aucun doute possible, il fallait bifurquer sur la droite, emprunter la route 185 et s'engager dans les montagnes arrondies des Appalaches.

Encouragé par l'idée qu'ils y étaient presque, il se remit en route sans se rendre compte que Florence ne ronflait plus. Tournant le dos au fleuve, il grimpa dans la grisaille en faisant des efforts pour rester éveillé. Ils étaient à une heure du but, à des années-lumière de la canicule montréalaise et à des siècles des secrets de ses passages souterrains. Tout allait bien, jusqu'à ce que l'histoire des passeports ne le rattrape. L'énormité de l'affaire n'avait d'égale que la discrétion avec laquelle on l'avait traitée. Pas un mot n'en avait été soufflé dans les médias. Silence radio sur l'affaire et aucun signe qu'une enquête était en cours. Si le vol avait réussi pourtant, l'arnaque aurait eu des retombées incalculables. Cinq mille passeports mis en circulation dans les réseaux parallèles, ce n'était rien de moins qu'un cauchemar sur le plan de la sécurité ! Qui plus est, il y avait derrière cet ambitieux projet une ou des personnes qui connaissaient l'existence du bunker et du passage souterrain reliant la Place Guy-Favreau et l'immeuble d'Hydro-Québec. À cet égard toutefois, il avait le meilleur des alibis. C'est grâce à son intervention si on les avait retrouvés. Il ne pouvait être considéré comme suspect.

La Pontiac continua de grimper. Un panneau routier confirma qu'il était à moins d'une demi-heure de Notre-Dame-du-Lac et l'énigme des passeports volés s'estompa, se perdit dans les brumes matinales. Il se sentait bien. De mieux en mieux, même. Était-ce le silence de sa mère ou la pression ressentie sur ses tympans à mesure qu'il prenait de l'altitude ? Difficile à dire. Soûlé par la distance qui le séparait de ses angoisses et du secret qu'il avait eu la maladresse de révéler, Jérôme se sentait en quelque sorte libéré d'un joug. Il ne parvenait pas à identifier ce poids, à le nommer, mais cela avait confusément à voir avec le *Protocole de 95*, le retour de Lynda aux homicides et sa manie de faire enquête même lorsque ce n'était pas nécessaire.

Il était tout sourire derrière le volant de la Pontiac lorsque celle-ci émergea des nuages. Pendant combien de temps avait-il grimpé ainsi, combien de dizaines de kilomètres lui avait-il fallu parcourir pour s'élever au-dessus de ses ennuis ? Étourdi, il baissa la glace et respira l'air frais. Le soleil était haut dans le ciel. Florence était toujours silencieuse. La pointe nord du lac Témiscouata apparut, image bucolique d'un lac suspendu, d'une mer intérieure accrochée aux nuages. Il se félicita d'avoir choisi cette destination, d'être parti de ce côté plutôt que vers le Maine. L'altitude lui donnait des ailes. Seul bémol, sa mère était un peu trop discrète. Quand s'était-elle tue ? Avait-elle cessé de respirer ? Était-elle morte ? Le bonheur durement gagné dans l'ascension le quitta brusquement. Il devait s'arrêter pour voir si Florence allait bien, si elle était toujours de ce monde. Un autre panneau routier attira son attention. Une flèche indiquait le chemin à suivre, le long du lac, pour se rendre au Marie-Blanc. Il s'y engagea en regardant nerveusement dans le rétroviseur. Sa mère ne bougeait pas. Avait-elle rendu l'âme alors qu'ils touchaient au but, alors qu'ils étaient si près de l'eau ?

Jérôme immobilisa la Pontiac dans le stationnement de cette auberge aux allures de pavillon de chasse, enjamba la console et se pencha au-dessus de Florence en appliquant la main sur son cou. Sous son index, il sentit une légère palpitation. Le pouls était régulier. Elle ouvrit les yeux.

— Qu'est-ce que tu fais, Jérôme ?

Se sentant ridicule, à quatre pattes au-dessus de sa mère, le doigt sur sa jugulaire, il balbutia :

— On est arrivés !

Elle se redressa légèrement et regarda autour d'elle.
— À la mer?
— Pas tout à fait, admit Jérôme.
Il battit en retraite, retrouva son volant, ouvrit la portière et descendit. Il devait être huit heures. La nuit avait été longue et il était fourbu, alors que Florence semblait parfaitement reposée. Elle descendit à son tour et examina l'auberge, qui avait un côté romantique avec son lierre grimpant un peu partout, son toit fortement incliné et ses lucarnes. Faisant quelques pas dans le stationnement, elle aperçut le lac et s'écria aussitôt:
— Elle est là, la mer! Tu as mal regardé, Jérôme!
Il ne voulait surtout pas la contredire. Si ce lac était la mer qu'elle avait imaginée, alors ils étaient rendus à destination. La prenant par le bras, il l'invita à le suivre sans qu'elle offre la moindre résistance. Comme la docilité n'était pas le trait dominant de son caractère, Jérôme constata une fois encore à quel point elle avait changé ces derniers temps.

Une femme du nom de Camille les accueillit chaleureusement à la réception. C'est elle qui, par Internet, avait confirmé la réservation faite la veille par Jérôme. La réponse était arrivée après leur départ, mais ils étaient bel et bien attendus. Dès que les femmes de ménage auraient terminé leur travail, ils pourraient s'installer dans la suite donnant sur le lac. Entre-temps, ils étaient invités à prendre le petit déjeuner dans la salle à manger. Pendant l'échange, Florence s'était tenue à l'écart derrière son fils, attendant qu'il lui dise ce qu'elle devait faire. Elle n'était tellement pas comme ça d'habitude! Toujours prête à discuter des prix, à choisir la chambre ou même à demander à la visiter avant de s'y installer. Alors que Jérôme remplissait la fiche signalétique en indiquant à la tenancière qu'il paierait en argent comptant, celle-ci lui demanda:

— Est-ce que je peux savoir comment vous avez entendu parler de notre auberge ?

Jérôme hésita. En s'éloignant du fleuve un peu plus tôt, en gagnant la montagne, il avait eu l'impression de laisser Sanjay Singh Dhankhar derrière lui. Pourquoi le ramener maintenant ? Laconique, il répondit :

— C'est un ami qui m'en a parlé. Quelqu'un qui est passé par ici il y a trois semaines à peu près. Et qui a beaucoup aimé.

— Ah bon ! fit Camille, visiblement flattée.

— Que des bonnes choses à dire de votre établissement, précisa Jérôme.

Affable, l'aubergiste s'intéressa à Florence, qui semblait de plus en plus perdue. Jérôme précisa que c'était sa mère et qu'ils étaient en route vers la mer. Puis il s'assura que la chambre avait bien deux lits, ce qui était le cas. Comme si elle ne pouvait s'en empêcher, Camille demanda :

— Cet ami qui vous a recommandé l'auberge, c'est quelqu'un qui vient souvent ici ? Est-ce qu'il vous l'a dit ?

— Je ne crois pas, non. Pour lui aussi, c'était la première fois. Il s'appelle Sanjay Singh Dhankhar. Ça vous dit peut-être quelque chose. C'est un Indien… de l'Inde, précisa-t-il. Il était avec sa femme et sa fille, une adolescente de dix-sept ou dix-huit ans.

Le sourire de Camille disparut instantanément. Elle demanda, contrariée :

— Il y a à peu près trois semaines, dites-vous ?

— Oui, c'est ça. Je peux même vous dire la date. C'était le 16 juillet.

— Et M. Dhankhar est un ami à vous ?

Jérôme s'étonna de la question. La tenancière de l'auberge avait prononcé le nom comme s'il était commun, comme si elle recevait toutes les semaines des clients s'appelant Singh Dhankhar. Le séjour de la famille indienne n'était pas passé inaperçu. Prudent, il rajusta le tir :

— En fait, je ne connais pas très bien M. Dhankhar. Je ne l'ai rencontré qu'une fois... pour lui acheter sa voiture.

— Sa voiture, répéta Camille, l'air de s'en souvenir aussi bien que du personnage lui-même.

Puis elle ajouta, sourire en coin :

— Est-ce qu'elle a toujours des rideaux ?

Jérôme fronça les sourcils. Pourquoi la Pontiac aurait-elle eu des rideaux ? Camille se rendit bien compte qu'elle l'avait intrigué. Baissant la voix, comme s'il s'agissait d'un secret, elle précisa :

— Si on parle de la même personne, la voiture de M. Dhankhar avait des rideaux devant les glaces arrière, comme pour cacher les passagers. On voit cela dans les pays arabes et en Inde aussi, je crois. Mais jamais ici !

— Ah oui ? s'étonna Jérôme. Des rideaux ?

— En fait, on sait ce qu'ils cachent. Ce sont toujours les femmes ! Quand elles n'ont pas un voile qui leur couvre le visage, on tire les rideaux, même dans les voitures. C'était quelqu'un comme ça, M. Dhankhar. J'ai bien vu.

Comme si elle avait trop parlé, l'aubergiste se mordit la lèvre.

— Je vous demande pardon. Je ne parle jamais des clients, d'habitude. Nous accueillons tout le monde de la même façon, sans faire de distinction. Mais disons que... c'est un détail que j'ai remarqué.

— Les rideaux... dans la voiture ?

— Oui, les rideaux. Et les deux femmes qui voyageaient avec lui...

— Sa femme et leur fille.

— Mais oubliez ça. Je n'ai rien dit. Si vous voulez passer à table avec votre mère, je suis certaine que vous apprécierez beaucoup le petit déjeuner. Je vais voir à ce que votre chambre soit prête le plus tôt possible. Votre mère semble un peu fatiguée.

Cette femme en savait plus sur les Singh Dhankhar qu'elle ne voulait en dire. Et ce n'était pas une commère. Elle était tout en retenue. C'est dire que l'Indien avait fait forte impression sur elle. Jérôme, qui allait signer la fiche, se rendit compte qu'il avait laissé une case vide. Celle du numéro de la plaque d'immatriculation. Avouant qu'il ne le connaissait pas par cœur, il s'excusa et sortit de l'auberge. C'était un prétexte. Il se précipita vers la Pontiac, ouvrit la porte arrière et examina la moulure au-dessus des glaces. Elle était percée à intervalles réguliers. Une tringle y avait été fixée, à laquelle on avait accroché les rideaux dont parlait la tenancière. Il n'avait pas remarqué ce détail lorsqu'il avait acheté la voiture, mais cela lui semblait maintenant évident.

Il mémorisa le numéro de la plaque, regagna l'auberge, l'inscrivit sur la fiche et rejoignit sa mère, qui était attablée devant une grande fenêtre donnant sur le lac. Camille avait disparu, c'était une jeune fille qui faisait le service. Pendant tout le petit déjeuner, Florence ne cessa de s'émerveiller devant la mer. Refusant de voir la montagne qui s'élevait sur la rive d'en face, elle répétait comme un vieux disque qui saute tout le bonheur que lui procurait l'océan. De peur de la décevoir, Jérôme abonda dans le même sens et ils parlèrent pendant un long moment de voiliers, de paquebots et des croisières qu'ils feraient peut-être un jour. En réchauffant leur café, la serveuse s'amusa de leurs propos et crut bon de les informer :

— Vous savez, sur le lac Témiscouata, il n'y a qu'un traversier. Il fait des allers-retours toute la journée d'une rive à l'autre. Sinon, il y a les canots de l'auberge que vous pouvez emprunter en tout temps.

Florence donna l'impression de ne pas avoir entendu. Jérôme sourit poliment à la serveuse, se gardant bien de lui dire que sa mère n'allait pas bien et qu'il valait mieux lui laisser croire qu'ils étaient au bord de l'océan. L'affaire ne serait pas allée plus loin n'eût été un sursaut de sa mère, qui annonça tout enjouée :

— C'est une idée, ça ! Pourquoi on n'irait pas sur la mer, en canot ?

Il tenta de la dissuader. Elle ne savait pas nager. L'aventure s'annonçait périlleuse.

— On mettra des vestes de sauvetage. Et puis, on n'a pas besoin d'aller loin.

Il eut beau argumenter que la chambre serait bientôt prête, qu'il fallait défaire les valises et qu'il avait sommeil, rien n'y fit. Florence voulait aller à la mer. Une sortie en canot s'imposait. Jérôme aurait préféré s'installer doucement, faire le tour de la propriété dans l'espoir de croiser Camille qui, devinait-il, n'avait pas dit tout ce qu'elle savait. Cette histoire de rideaux et de femmes que Sanjay Singh Dhankhar dissimulait avait ravivé sa curiosité. L'aubergiste avait perdu ses moyens en évoquant leur séjour, comme si elle en gardait un mauvais souvenir. Elle s'était rattrapée certes, en redevenant l'hôtesse irréprochable qu'elle était, mais il y avait anguille sous roche. Alors qu'il jonglait avec cette nouvelle information, Florence se leva en annonçant :

— Arrête de penser à toutes ces histoires et allons voir ces canots ! J'ai l'impression que ça va être amusant.

Elle ne cesserait jamais de le surprendre ! Devinait-elle ses pensées, maintenant ? Savait-elle qu'il avait repris son enquête ? Elle était de plus en plus absente, mais lorsqu'il s'y attendait le moins, la mémoire lui revenait et elle se souvenait de tout, y compris de le contredire, de décider à sa place et d'avoir le dernier mot ! Sans protester, Jérôme lui offrit son bras et ils quittèrent le restaurant en passant par la véranda donnant sur le lac. Prudents, ils descendirent jusqu'au quai flottant qui s'avançait de trois ou quatre mètres dans « l'océan ». Il faisait beau, Florence était radieuse. Elle enfila une veste de sauvetage comme si elle avait fait cela toute sa vie. Refusant son aide pour monter dans l'un des deux canots rouges dont leur avait parlé la serveuse, elle s'installa à l'avant et attendit qu'il largue les amarres. Jérôme avait choisi la plus petite des pagaies parmi les trois ou quatre qui étaient appuyées contre une remise de fortune. Après avoir défait les nœuds et jeté la corde dans la barque, ils s'éloignèrent de la rive.

Ramer n'est pas une sinécure lorsqu'on a un seul bras et un moignon comme point d'appui, mais Jérôme ne se débrouillait pas trop mal. Il n'en était pas à sa première expérience, de sorte qu'il avait développé une technique bien à lui. Mais il préférait ne pas trop s'éloigner du bord. S'ils étaient emportés par le courant, cette balade aurait tôt fait de se transformer en cauchemar. À vingt mètres du quai, il immobilisa l'embarcation, conscient que sa mère était aux anges. C'était le moment parfait pour lui annoncer la triste nouvelle, pour lui faire part du diagnostic du Dr Tanenbaum. Les yeux rivés sur la montagne d'en face, qu'elle prenait sans doute pour l'horizon, elle semblait contempler l'éternité.

— Est-ce que je t'ai déjà raconté comment j'ai obtenu mon poste aux homicides ? Comment je suis arrivé à me hisser de la Sécurité souterraine au job d'adjoint à l'enquêteure du SPVM ?

C'était un préambule. Une façon détournée, en parlant d'abord de lui-même, de dire qu'elle était malade et que ce voyage était sans doute le dernier qu'ils feraient ensemble. Une entrée en matière qui dérapa, lorsqu'elle lui avoua sans détour qu'elle s'était toujours demandé comment il avait fait, avec son petit bras.

— Je suis heureuse que tu te décides enfin à me le dire. Il était temps !

Il venait de se prendre à son propre piège. Avant de lui apprendre l'inéluctable, dans ce cadre qui atténuerait peut-être son désarroi, il n'aurait d'autre choix que de se mettre à nu. Tandis que le silence se prolongeait, les paroles du Dr Tanenbaum lui revinrent à l'esprit. « Profitez de la situation pour lui dire tout ce que vous ne lui avez jamais dit », avait-il suggéré. À l'avant du canot, Florence lui tournait le dos. Ce serait plus facile si elle regardait ailleurs. Comme sa mémoire l'abandonnait, elle aurait tout oublié avant qu'ils ne regagnent la berge.

— C'est en 1995 que le vent a commencé à tourner pour moi. Je travaillais à la SCS de la ville depuis un siècle au moins. Au-dessus de ma tête, il y avait un plafond de verre. Je savais que je n'irais jamais plus loin dans ma carrière à cause de ce maudit bras. À cause de la thalidomide.

— Jérôme, tu n'as pas cent ans ! fit-elle remarquer. Tu as travaillé pendant onze ans à la Sécurité et au Contrôle souterrains. Dis-moi les vraies choses, veux-tu ?

C'était le côté sournois de la maladie de Florence. Elle confondait un lac et l'océan, elle ne savait plus où elle était ni ce qu'elle faisait, elle se perdait pendant des heures dans les dédales de son cerveau métastasé et pourtant, elle pouvait dire le nombre d'années qu'il avait passées à la SCS !

— Tu as raison. J'ai croupi pendant onze ans dans les sous-sols de la ville, à arpenter les corridors et les tunnels comme un rat et à me dire que je n'en sortirais jamais.

— Et pendant toutes ces années, tu m'as juré que tu étais heureux !

— J'ai dit ça ?

— Oui. Et je ne t'ai jamais cru. Tu ne voulais pas que je me sente coupable à cause de ce qui s'était passé à ta naissance.

Florence n'avait pas prononcé le mot « thalidomide ». Elle savait qu'il avait tendance à se refermer lorsqu'elle le faisait. Lui tournant toujours le dos, elle continuait à regarder le paysage, mais Jérôme n'était pas dupe. Elle voulait connaître la suite.

— Au moment du référendum de 1995, une occasion s'est présentée. Une occasion inespérée. Je te passe les détails, c'est un peu compliqué, mais disons qu'on m'a invité à faire partie d'un groupe secret chargé de préparer l'après-référendum, advenant que le « Oui » l'emporte.

Florence se retourna, étonnée. Le front plissé, les yeux en points d'interrogation, elle ne prononça qu'un mot :

— Toi ?

— Oui, moi, répondit Jérôme. Ce groupe réunissait des gens de la Sûreté du Québec, du SPVM et trois enquêteurs de la Sécurité souterraine. On nous a choisis, nous de la SCS, pour nos connaissances du réseau souterrain de la ville, une expertise que nous étions les seuls à posséder dans le groupe. Mes deux collègues de la Sécurité sont morts depuis.

— Ils sont morts ? l'interrogea Florence.

— Oui, oui. Mais de causes naturelles. Si je te raconte ça, c'est pour une autre raison.

Sa mère revint à sa position initiale et continua d'admirer la montagne sur la rive d'en face.

— Et après ? fit-elle d'une voix intéressée.

— C'est à ce moment-là que j'ai rencontré Lynda Léveillée. Elle n'était pas encore patronne aux homicides. C'était la seule femme du groupe. C'est à cause de cela sans doute que nous avons sympathisé. Nous étions des marginaux. Elle à cause de son sexe, moi à cause de mon bras. Mais peu importe, le référendum a été un échec et dans les jours qui ont suivi le 30 octobre, toutes les traces de l'action que nous avions préparée ont été effacées.

— Qu'est-ce que vous prépariez, au juste ?

Florence ne s'était pas retournée, cette fois. Elle hochait la tête, comme si elle était déçue de n'en avoir rien su, trahie par son fils dont elle était si proche. Jérôme jeta un œil vers le quai. Pendant qu'il parlait, l'embarcation avait dérivé et ils s'étaient éloignés du bord. Avec son petit bras et son expérience limitée de la navigation, le retour serait difficile. En quelques coups de pagaie, il fit une manœuvre orientant le nez du canot vers l'auberge, mais Florence protesta aussitôt :

— Je préfère regarder vers le large. On a tout le temps pour revenir. Dis-moi, qu'est-ce que vous prépariez ?

Faisant fi du commentaire, Jérôme rama pendant cinq bonnes minutes pour revenir sur ses pas sans vraiment y arriver. Un courant discret mais persistant lui rendait la tâche difficile. À trente mètres du but, c'est-à-dire à l'endroit même où leur dérive avait commencé, il fit une pause, essoufflé.

— De toute façon, ce n'est pas de ça dont je veux te parler. C'est de Lynda. De mon premier contact avec Lynda.

— Tu l'as aimée ? Elle a été ton amoureuse ?

— Non, non ! Je te parle de travail.

Toute sa vie, Florence avait espéré que son fils se marie et ait des enfants. Si le miracle ne s'était pas produit, considérait-elle, c'était à cause d'elle et de la thalidomide qu'elle avait prise lorsqu'elle était enceinte de lui. Le sujet était tabou entre eux, mais il lui arrivait parfois de s'échapper.

— En 1999, Lynda est devenue patronne des homicides et elle s'est souvenue de moi… ou plutôt de la marginalité que nous partagions.

— Tu parles toujours de ton petit bras ?

— Oui, c'est ça. Du bras que je n'ai jamais eu. En temps normal, je ne serais jamais monté aux homicides. Ma candidature n'aurait pas été retenue à cause de ce handicap. Je serais resté en dessous à croupir, mais comme tout s'achète, comme tout a un prix…

— Quel a été ce prix ? l'interrompit-elle d'un air résigné.

Le canot avait repris sa dérive, le quai s'éloignait à nouveau, mais Jérôme ne faisait rien pour se maintenir à distance raisonnable du bord. Lynda était dans ses pensées. Elle l'habitait tout entier et, par une étrange association d'idées, il pensa à son père, Justal Jeanty, qu'il n'avait rencontré qu'une fois alors qu'il avait dix ans. En pensant à l'une et à l'autre, un mot s'imposa dans son esprit. L'humiliation. Il n'y avait pourtant aucun rapport entre son père absent et sa patronne, si ce n'est que l'un comme l'autre l'avaient humilié chacun à sa façon.

— Lynda est une femme de pouvoir, continua-t-il. Pour conserver ce pouvoir, elle ne connaît qu'une façon de faire, qu'une recette : l'information.

— Jérôme, j'ai un peu de difficulté à te suivre, se plaignit Florence. Peux-tu me dire cela d'une façon plus simple ?

Il n'y a pas trente-six façons d'avouer qu'on a été une *pute*. Surtout à sa mère. Comptant sur le fait qu'elle aurait tout oublié le lendemain, il se résolut quand même à le faire.

— Si Lynda m'a pris aux homicides, si je suis devenu son adjoint, damant le pion à des enquêteurs qui le méritaient plus que moi, c'est que j'ai accepté d'être un *stool*.

— Un *stool*? l'interrogea Florence en se retournant une deuxième fois vers son fils.

— Pendant dix ans, je l'ai informée de tout ce qui se passait aux homicides. J'ai espionné mes collègues de travail, je lui ai répété tout ce que j'entendais, tout ce qui pouvait l'aider à se maintenir en place. J'ai été une *pute*, maman! Il y a quelque chose de déshonorant dans tout ça. J'ai mis longtemps à m'en rendre compte. Maintenant, je ne veux plus jouer. Réussir à ce prix-là, ça ne m'intéresse plus!

Comme si c'était trop pour elle, Florence se leva dans le canot pour lui faire face. L'embarcation vacilla dangereusement et elle perdit l'équilibre. Le mouvement, on ne peut plus dangereux, faillit tourner au drame lorsque le canot gîta sur la gauche, menaçant de prendre l'eau. Jérôme jeta la rame et se précipita vers elle pour l'obliger à s'asseoir. Ils se retrouvèrent dans les bras l'un de l'autre et il se rendit compte qu'elle avait les larmes aux yeux. Lui tapotant l'épaule pour la rassurer, il la gronda gentiment:

— Il ne faut jamais se lever dans un canot, maman! C'est très dangereux!

Florence n'en avait que faire. Leur conversation l'avait bouleversée, mais pour une fois elle semblait échapper à la culpabilité.

— Je suis tellement contente que tu m'aies raconté tout ça, Jérôme, que tu m'aies fait confiance! Ça va t'aider à guérir.

Ces mots lui rappelèrent à quel point il était passé à côté de son but. Il avait raté l'occasion de lui dire que ce n'était pas lui qui était souffrant, mais elle. C'est alors qu'il aperçut la rame flottant à un mètre du canot. En voulant obliger Florence à s'asseoir, il l'avait jetée à l'eau par inadvertance. Elle n'était pas assez loin pour que la situation soit désespérée, mais juste assez pour que

Jérôme soit incapable de l'attraper. Énervé, il se mit à plat ventre dans l'embarcation, pagayant d'une main et dirigeant le canot vers la rame. Inconsciente du danger qui les menaçait, Florence continuait de parler, étranglée par l'émotion :

— Tu te rends compte, Jérôme, toute ta vie tu as refusé d'avouer, de reconnaître que tu étais diminué à cause de ton bras. Et là, tout à coup, tu me dis ça !

Il était trop occupé à pagayer pour l'entendre.

— Plus tu refusais de l'admettre, plus j'étais triste, parce que la réalité, c'est ça ! Tu es né ainsi et ça n'a pas été facile. Mais tu n'es pas une *pute* à cause de ce que tu as fait. Crois-moi, tu n'es pas une *pute*. Tu as fait de ton mieux dans des circonstances difficiles. Et c'est tout.

S'il avait eu deux bras, Jérôme aurait pagayé plus vite et rattrapé la rame qui, plus légère, s'éloignait allègrement du canot. Il redoubla d'efforts, faisant gicler l'eau de tous côtés, tandis que sa mère continuait de parler, indifférente à ce qui se passait.

— De toute façon, il y a toujours un prix à payer lorsqu'on apprend. En dix ans, tu es devenu un très bon enquêteur. Le meilleur du service, je crois. Parce que tu as un atout que les autres n'ont pas. Et ça, tu ne dois jamais l'oublier.

En doublant la cadence, le canot s'était approché de la rame. Jérôme se pencha un peu plus par-dessus bord et finit par l'attraper. Le souffle court et la chemise mouillée, il parvint à la hisser dans l'embarcation avant de se laisser aller à la renverse. La bouche sèche et les yeux tournés vers le ciel, il entendait bien Florence papoter, mais ne savait plus de quoi elle parlait, jusqu'à ce qu'elle lance en appuyant bien sur chaque mot :

— Tu as beaucoup d'intuition, Jérôme ! C'est ce qui fait ta force. Mais au lieu de suivre cet instinct, tu doutes.

Tu doutes de ce que tu pressens et que les autres ne voient pas. Et c'est dommage. Très dommage !

Effondré dans le canot, Jérôme comprit alors de quoi il était question. Pour une fois, sa mère avait parfaitement raison. De l'intuition, il en avait à revendre. Mais il n'était pas au bout de ses surprises. Elle enchaîna, plus sûre d'elle que jamais :

— Et si tu me demandes mon avis, je crois que tu es sur une bonne piste. Cet homme que tu cherches, celui dont tu as parlé lorsque nous sommes arrivés à l'auberge, San... quelque chose...

— Sanjay, fit Jérôme en se redressant, étonné.

— Oui, c'est ça ! Celui-là. Celui qui t'a vendu la voiture. Si ton intuition te dit que cet homme a quelque chose à se reprocher, il faut que tu ailles au bout de cette affaire, Jérôme ! Tu es à ton mieux lorsque tu écoutes tes voix intérieures.

— Oui, peut-être, répondit-il, circonspect.

Il remit la rame à l'eau. En coinçant le pommeau entre son petit bras et sa poitrine, il arrivait à pagayer convenablement du côté gauche, mais lorsqu'il fallait changer de côté, c'était plus difficile. Florence, qui lui faisait face, attendait qu'il parle, qu'il dise quelque chose, mais toute son attention était à la navigation. Ils s'étaient encore éloignés du quai, si bien qu'il devait épargner ses forces pour les ramener à bon port. Dans son for intérieur toutefois, il savait que sa mère avait raison, qu'elle avait trouvé le mot juste. Depuis sa rencontre avec Sanjay Singh Dhankhar, chez lui dans Côte-des-Neiges, il savait que cet homme avait quelque chose à se reprocher. Et plus il voulait oublier cette affaire, plus elle le poursuivait. Ou plutôt, le guidait. Elle l'avait amené à l'auberge Marie-Blanc en tout cas, où il avait fait la connaissance de Camille. De fil en aiguille, l'aubergiste lui avait parlé des rideaux devant les glaces arrière de la voiture, ces tentures que l'Indien avait installées pour cacher quelqu'un ou quelque chose. Oui, Florence avait raison. Il ne pouvait fermer les yeux. Pour l'instant toutefois, il devait ramener ce canot au quai, sinon ils seraient toujours sur l'eau à la nuit tombée !

Jérôme dut pagayer pendant une longue demi-heure afin de remonter le faible courant allant du nord au sud sur le lac Témiscouata. Au plus fort de leur sortie, ils ne s'étaient éloignés que d'une centaine de mètres de la rive, mais l'aventure avait hypothéqué ses forces. Lorsqu'il descendit de l'embarcation pour attacher les amarres, il était épuisé. Quant à Florence, elle n'y était plus. Enfin, son esprit n'y était plus. Son corps était toujours là, mais son regard était vide et ses épaules, affaissées. Jérôme lui tendit la main pour l'aider à descendre. Elle le dévisagea longuement :

— Au fait, où sommes-nous ?

— À la mer, maman. Nous sommes à la mer, en vacances.

— Quelle drôle d'idée ! fit-elle remarquer en mettant le pied sur le quai.

— Maintenant, je vais aller dormir, lui dit encore Jérôme. Notre chambre est sûrement prête à cette heure.

Florence ne sembla pas l'entendre. Elle regardait le paysage, qu'elle semblait voir pour la première fois. Intriguée par la montagne qui s'élevait comme un mur sur la rive d'en face, elle émit un doute :

— Tu es sûr que c'est la mer, ici ?

— Une sorte de mer, la rassura Jérôme en l'entraînant par la main. Viens.

Les chambres du Marie-Blanc étaient réparties dans deux immeubles, séparés d'une cinquantaine de mètres de l'auberge proprement dite, qui n'abritait que le restaurant et les quartiers des propriétaires. Il y avait d'une part un motel, soit une dizaine de chambres adossées à un promontoire juste sous la route, et d'autre part un édifice de deux étages plus près du lac, où se trouvaient les suites. Jérôme et sa mère partirent de ce côté. La porte de leur chambre était grande ouverte lorsqu'ils s'y présentèrent. Leurs valises étaient rangées le long du mur. Une femme de ménage finissait d'épousseter. Jérôme se laissa choir sur un des deux lits alors que celle-ci se retirait. Florence était toujours aussi confuse. Debout devant la fenêtre donnant sur le lac, elle semblait hypnotisée par les frissons qui couraient sur l'eau. Il trouva la force de lui dire :

— Tu restes là, n'est-ce pas, maman ? Tu ne sors pas sans me le dire.

Il s'endormit avant qu'elle ne lui réponde.

* * *

Une lumière rose inondait la pièce lorsque Jérôme ouvrit l'œil. Florence avait tiré une chaise droite. Elle était assise près de son lit et le regardait dormir.

— Qu'est-ce que tu fais ? demanda-t-il.

— Je te soigne, dit-elle simplement.

La journée avait filé, le soleil se glissait derrière les montagnes. Jérôme avait faim. Sa mère aussi devait avoir l'estomac dans les talons. Ils n'avaient rien avalé depuis le petit déjeuner, avant cette rocambolesque sortie en canot qui n'avait rien réglé. Florence croyait toujours qu'il était malade. Il se leva en se frottant les yeux et en s'étirant.

— Ce matin, j'ai regardé le menu du restaurant. On doit manger très bien ici. Qu'est-ce que tu dirais d'un petit tête-à-tête, avec un verre de vin peut-être ?

— Tu crois que c'est l'heure ?

Jérôme ignorait comment elle avait passé la journée, mais elle ne semblait pas avoir quitté la chambre. Il avait pris soin de mettre le loquet avant de se coucher. Elle ne l'avait pas enlevé. Pas plus qu'elle n'avait touché aux valises, d'ailleurs. En l'absence de stimulation ou de contact humain, sa vie semblait être entre parenthèses. Elle n'éprouvait aucune émotion, n'avait pas d'appétit et ne se rendait pas compte que le temps passait. Tout au plus avait-elle conscience d'être au chevet de son fils.

— Je prends une douche et on va manger. Ce soir, c'est un grand soir ! annonça-t-il.

Au même moment, quelqu'un frappa à la porte. Florence resta sur sa chaise près du lit, comme si elle n'avait pas entendu, tandis que Jérôme alla ouvrir. C'était Camille, la tenancière de l'auberge. S'efforçant de sourire, elle se frottait les mains, visiblement tendue.

— Est-ce que je peux vous dire deux mots ? fit-elle, en jetant un coup d'œil à Florence près du lit.

— Oui, bien sûr !

Jérôme était content de la voir. Il ouvrit la porte toute grande et l'invita à entrer, mais elle parut hésitante.

— J'aimerais vous parler seule à seul.

Elle regardait toujours du côté de sa mère. D'un geste de la tête, Jérôme la rassura.

— Je n'ai rien à cacher. De toute façon, je ne suis pas certain qu'elle nous entende en ce moment.

Camille entra en continuant de se frotter les mains.

— D'abord, je veux m'excuser pour ce matin. D'habitude, je ne parle pas des clients… je veux dire… aux autres clients. Chacun a droit à son intimité. J'ai dû vous paraître…

Elle cherchait un mot qui ne lui venait pas. Jérôme s'efforça de la rassurer :

— Je vous comprends. On n'est pas indifférent à M. Dhankhar. Lorsqu'on le croise, on ne l'oublie pas.

Un sourire se fraya un chemin sur les lèvres de Camille. Elle hocha ostensiblement la tête.

— En fait, vous le connaissez bien, je crois ?

— Non, pas du tout ! Comme je vous l'ai dit ce matin, je ne l'ai rencontré qu'une fois.

— Ah bon !

Jérôme se tourna vers sa mère. Elle était toujours à demi prostrée, les yeux rivés au lit comme s'il y était toujours. Camille s'éclaircit la voix :

— C'est parce que j'ai remarqué quelque chose... enfin, c'est un détail, mais...

— Qu'est-ce que vous avez remarqué ?

— J'ai regardé la fiche que vous avez remplie ce matin et je l'ai comparée avec celle de M. Dhankhar. Le numéro de la plaque d'immatriculation est le même. Si vous ne l'avez rencontré qu'une fois...

— C'est de la négligence, lui assura Jérôme sans perdre contenance. J'aurais dû changer les papiers et la plaque.

— Vous n'êtes pas en règle, fit remarquer Camille. C'est ce que vous me dites ?

— Mon fils enquête sur M. Dhankhar, lança Florence d'une voix ferme et monocorde. Il est l'adjoint à l'enquêteure chef des homicides, au Service de police de la Ville de Montréal.

Camille et Jérôme se tournèrent tous deux vers elle. Elle était toujours dans la même position sur sa chaise droite. Seule sa respiration avait changé. On aurait dit que cette conversation l'agaçait.

— C'est vrai ? demanda l'aubergiste en regardant Jérôme d'un autre œil.

— Oui et non. Je suis en congé de maladie...

— Mon fils est malade, l'interrompit Florence. Mais ça ne change rien. Il est le meilleur enquêteur du Service de police de Montréal.

— Maman !

— Et ne dis pas le contraire ! insista-t-elle.

Camille était confuse. Son regard allait de Jérôme à Florence. De Florence à Jérôme. D'instinct, elle savait qu'une dame de cet âge n'aurait pas menti. Malgré le ton neutre toutefois, elle avait décelé une pointe de fierté chez la mère. Elle se risqua :

— Eh bien, que vous soyez en congé de maladie ou non, je crois que vous devez savoir ce qui s'est passé lors de la visite de M. Dhankhar, de sa femme et de leur fille chez nous ! J'en ai parlé à la police locale, mais ils m'ont dit que cette affaire ne les regardait pas parce que aucun crime n'avait été commis.

Jérôme dressa les oreilles. Il ne voyait plus Camille de la même manière. Il l'invita à s'asseoir, fit des pieds et des mains pour la mettre en confiance en confirmant qu'il était effectivement l'adjoint à l'enquêteure chef des homicides du SPVM. Il lui expliqua qu'il s'intéressait au cas de Sanjay Singh Dhankhar depuis quelque temps, sans être capable de lui reprocher quoi que ce soit. Camille se mit à table :

— M. Dhankhar et sa famille sont arrivés chez nous le 16 juillet à la première heure, après avoir roulé toute la nuit depuis Montréal. La seule chambre disponible était celle que vous occupez actuellement. Nous l'offrons avec un forfait, c'est-à-dire avec les repas du midi et du soir. Dès le premier jour, j'ai remarqué les rideaux devant les glaces arrière de la voiture, celle que vous avez achetée de lui, si je comprends bien.

— C'est ça. Combien de jours sont-ils restés, au fait ?

— Trois. Trois jours, mais il serait plus juste de dire deux. Ils sont partis au milieu de la nuit, le troisième jour.

Jérôme se tourna subrepticement vers sa mère. Elle était toujours dans la même position. Était-il possible qu'elle n'ait émergé des limbes que pour prendre sa défense, pour confirmer qu'il était bien de la police, alors que tout le reste ne l'intéressait pas ?

— Continuez, murmura-t-il en revenant à l'aubergiste.

— Pas une seule fois je n'ai vu la femme de M. Dhankhar pendant leur séjour. Non seulement il la cachait derrière les rideaux de sa voiture, mais à l'heure des repas, lui seul se présentait à la salle à dîner. Il mangeait copieusement puis, après, il demandait qu'on prépare des assiettes pour sa femme et sa fille. Il emportait le tout dans la suite et c'est là qu'elles mangeaient.

— C'est sans doute dans leurs coutumes, plaida Jérôme. Ils sont de l'Haryana, une région de l'Inde extrêmement traditionaliste.

— Je n'ai pas vraiment de problème avec cela. Les clients peuvent faire ce qu'ils veulent. Nous sommes là pour les servir. Mais ils n'ont pas le droit de nous voler !

— M. Dhankhar vous a volée ? s'étonna Jérôme.

— Pas lui. Mais sa fille. Un soir, elle a essayé de s'emparer de la caisse après la fermeture du restaurant.

Sangeeta la rebelle était tout à fait capable d'une telle chose. Le portrait que lui en avait dressé Gabriel lui permettait de le croire. Il fit toutefois semblant d'être surpris.

— Ah oui ? Et pourquoi aurait-elle fait cela ?

— C'était pathétique ! Je dormais à l'étage. Ma chambre est au-dessus des cuisines. J'ai entendu des bruits et je suis descendue voir. Il y avait cette jeune fille aux cheveux très noirs…

— Elle s'appelle Sangeeta, précisa Jérôme.

Camille hocha la tête, comme si elle l'apprenait.

— Elle était franchement très jolie. Tellement que je n'ai pas eu peur. Elle n'avait rien d'une cambrioleuse. Et pourtant elle avait les deux mains dans la caisse et prenait l'argent qui s'y trouvait. Je lui ai demandé ce qu'elle faisait, elle m'a répondu qu'elle devait absolument rentrer à Montréal, que c'était une question de vie ou de mort. Elle voulait prendre l'autobus ou le train, mais elle n'avait pas de quoi payer, voilà pourquoi elle prenait l'argent.

C'était tout à fait conséquent avec ce que Jérôme savait de la cadette. Après le départ de Rashmi, le besoin de fuir sa famille s'était accentué. Alors que Rashmi avait regagné le rang, acceptant son mariage arrangé, elle avait franchi une frontière, atteint un point de non-retour. Après s'être moquée de la tradition, il ne lui restait plus guère de choix que de disparaître.

— C'était surréaliste ! continua Camille. Je venais de surprendre cette jeune femme en train de me cambrioler. L'instant d'après, elle était dans mes bras, pleurant à chaudes larmes, et je la consolais ! Ses cheveux étaient très particuliers. D'un noir sans reflets mais très soyeux. Son français était impeccable. Les Indiens que nous recevons ici ne parlent généralement que l'anglais. J'ai cherché à savoir ce qui lui faisait peur, pourquoi elle cherchait à fuir ainsi en pleine nuit. Si j'avais eu un peu plus de temps, je crois qu'elle me l'aurait dit. Mais sur ces entrefaites son père est arrivé. Ils ont échangé quelques mots dans leur langue et la jeune femme…

— Sangeeta, répéta Jérôme.

— Peut-être. Son père n'a pas prononcé son nom. Quoi qu'il en soit, elle n'a opposé aucune résistance. Il faut dire que M. Dhankhar avait un regard de feu. Atterrée, la petite acquiesçait à tout ce qu'il disait. Il s'est excusé pour cette intrusion nocturne, a indiqué à sa fille de le suivre et ils sont sortis.

— Vous les avez revus, après ?

— Dix minutes plus tard, précisa Camille. Je m'étais recouchée, plutôt troublée par ce qui venait de se passer, lorsqu'on a sonné en bas. Je suis redescendue. M. Dhankhar était au comptoir. Il m'a demandé s'il pouvait régler la note malgré l'heure tardive. Il souhaitait reprendre la route avant l'aube avec sa famille.

— Ils sont partis, en pleine nuit?

— Malgré ce qui s'était passé, je n'avais pas eu peur, enchaîna-t-elle sans répondre à la question. Mais le regard de cet homme me glaçait. Je n'ai pas osé lui refuser, il a réglé par carte de crédit, s'est excusé encore une fois et est sorti. Une demi-heure plus tard, comme je n'arrivais plus à dormir, je me suis levée et j'ai jeté un œil à la fenêtre. La voiture des Dhankhar n'était plus dans le stationnement.

En laissant tomber ces derniers mots, Camille poussa un long soupir. Que Jérôme soit de la police ou non lui était égal. Le fait de raconter l'épisode semblait lui avoir fait le plus grand bien. Pour minimiser son indiscrétion toutefois, elle ajouta:

— Vous savez, on en voit de toutes les couleurs dans un établissement comme le nôtre. Mais vraiment, cette affaire m'est restée en travers de la gorge. Je me demande ce qui est arrivé à cette jeune fille.

C'est la question que Jérôme se posait. Si l'adolescente avait tenté de s'emparer de la caisse du Marie-Blanc pour fuir, c'est parce qu'elle se savait condamnée. Contrairement à sa sœur, elle avait refusé de jouer le jeu et elle connaissait le prix à payer.

— Quand est-ce qu'on mange? demanda Florence.

Camille se leva comme si ces mots signalaient la fin de la rencontre.

— Justement, fit-elle. J'étais venue vous dire que la cuisine ferme à vingt-deux heures. Votre table est prête.

Elle se tourna vers Jérôme et emprunta un ton plus cérémonieux:

— Ça m'a fait beaucoup de bien de vous parler de tout ça. Mais n'allez pas croire que…

— Je ne crois rien du tout, trancha-t-il. Au contraire, vous m'avez éclairé !

Puis il se tourna vers Florence :

— Tu viens, maman ? C'est l'heure de la soupe.

Blogue

Florence admirait la « mer » lorsque Jérôme ouvrit l'œil, le lendemain. Elle avait tiré une chaise droite jusqu'à la baie vitrée et fixait la montagne d'en face cette fois. Il pensa évidemment qu'elle était absente, que la maladie la gagnait de jour en jour et qu'il faudrait bientôt rentrer à Montréal pour la faire hospitaliser. Il n'en était rien.

— Si tu veux mon avis, la petite… comment elle s'appelle déjà ? Sangee…

Jérôme se redressa dans le lit. Il avait rêvé à Sangeeta et au regard assassin de son père. Toute la nuit, il avait mis en images le récit qu'était venue leur raconter Camille dans leur chambre. Un cauchemar. À deux reprises, il s'était levé pour boire de l'eau et regarder le lac endormi. Lorsqu'il avait refermé l'œil, l'épisode était revenu le hanter. La bouche pâteuse, il murmura :

— Sangeeta. Elle s'appelle Sangeeta.

— Eh bien, si tu veux mon avis, reprit Florence, Sangeeta n'est jamais revenue de ce voyage. Elle n'est jamais revenue du Nouveau-Brunswick.

Jérôme se leva, plus perplexe que jamais. Sa mère lui était apparue si absente la veille, quand Camille avait raconté son histoire ! Apparemment, elle ne l'était pas. Plus étonnant encore, elle savait que les Dhankhar avaient poursuivi leur route vers le Nouveau-Brunswick après leur halte au Marie-Blanc. D'où tenait-elle cette information ? Il ne se souvenait pas le lui avoir dit.

— Oublie cette histoire, maman ! C'est sans importance.

— Depuis quand abandonnes-tu une enquête en cours de route ? lui répondit-elle du tac au tac.

Il s'isola dans la salle de bains et se brossa les dents en s'interrogeant sur cette maladie étrange qui accablait sa mère. Depuis la veille, elle ne sortait de son égarement que pour enquêter, pour coller bout à bout, comme lui, les morceaux du voyage des Dhankhar. L'un et l'autre reconstituaient la fuite de la famille en pleine nuit, après avoir mis leur fille aînée à bord d'un avion à destination de Mumbai. Et comme lui, elle semblait croire que Sangeeta y avait laissé sa peau. Pour le savoir cependant, il fallait s'assurer que la jeune fille n'était pas chez ses parents, avenue de Kent à Montréal. Ce qui posait problème. Étant lui-même en fuite, il ne disposait d'aucune ressource nécessaire pour vérifier la chose.

En regagnant la chambre, un détail attira son attention. Florence avait quitté sa chaise et se déplaçait avec difficulté dans la grande pièce, s'appuyant à tout ce qui était à sa portée. Sans doute était-elle restée assise trop longtemps. Elle avait les jambes engourdies. Elle ne parlait plus de Sangeeta et c'était mieux ainsi. N'étaient-ils pas en vacances ? Le moment fatidique, où il devrait lui dire qu'elle était rendue au bout de la route, n'approchait-il pas ? Ils remontèrent vers l'auberge pour prendre le petit déjeuner, mais durent s'arrêter à plusieurs reprises. Ses forces l'abandonnaient, aurait-on dit. En une nuit, elle semblait avoir vieilli de dix ans.

— J'aimerais bien retourner en mer, suggéra-t-elle, alors qu'ils se mettaient à table. J'ai beaucoup apprécié notre sortie d'hier.

— Je ne crois pas que ce soit une bonne idée, s'empressa-t-il de dire, en s'étonnant qu'elle se souvienne de l'expédition.

Il pensait autant à elle qu'à lui. Florence n'allait pas bien. Ses épaules étaient voûtées, ses mains tremblantes, il aurait toutes les peines du monde à l'installer dans le canot. Pour ce qui est de ramer avec son petit bras, l'affaire serait aussi pénible qu'à leur sortie précédente. Il ne tenait pas nécessairement à répéter l'expérience.

— Lorsqu'on est partis de Montréal, tu as dit que tu voulais me faire plaisir, insista-t-elle.

— Ça n'a rien à voir, maman ! Le vent s'est levé sur le lac, ce matin.

Ce n'était absolument pas vrai. Il n'y avait pas le moindre frisson sur l'eau. Le courant qui les avait emportés la veille était inexistant. Le lac Témiscouata semblait s'être figé dans le temps. La montagne d'en face se reflétait dans l'eau, créant un double parfait. Jérôme sortit l'artillerie lourde pour tenter de la dissuader :

— Je suis malade, tu te souviens ? Ce n'est peut-être pas indiqué de faire ce genre d'activité.

— Au contraire ! Ça va te faire du bien ! Je trouve que tu as meilleure mine, ce matin.

Il eut envie de lui répondre que ce n'était pas son cas, qu'elle était toute repliée sur elle-même, que la mort la guettait, que ce n'était pas la peine de tenter le diable, mais il se ravisa. Pourquoi lui mentait-il, au fait ? Pourquoi était-il incapable de lui présenter les choses telles qu'elles étaient ? Parce qu'il cherchait à la protéger, sans doute. Comme il l'avait toujours fait. La veille pourtant, lorsqu'il lui avait raconté comment il avait accédé au poste d'adjoint à l'enquêteure chef, elle avait été touchée. Plus encore, elle avait affirmé qu'il n'était pas une *pute*, ce qui lui avait fait le plus grand bien.

— Très bien, concéda-t-il. Après le petit déjeuner, on retourne sur le lac. Tu as raison, ça va me faire du bien.

Cette petite victoire la revivifia. Elle petit-déjeuna avec appétit, avala deux cafés, ce qui n'était pas son habitude, et au moment où ils quittèrent le restaurant, elle redressa les épaules, comme si elle partait au combat. Ils descendirent vers le quai flottant avec une certaine assurance, retrouvèrent les vestes de sauvetage où ils les avaient laissées, les enfilèrent et effectuèrent un départ nettement plus réussi que celui de la veille. Le lac était si calme cependant, que le canot n'allait nulle part si Jérôme ne ramait pas. Ils s'éloignèrent d'une trentaine de mètres sans la moindre difficulté, puis firent une pause. Le silence était presque oppressant. Florence regardait toujours la montagne sur l'autre rive. Il sentait l'urgence monter. S'il n'annonçait pas bientôt la nouvelle à sa mère, celle-ci le lui reprocherait lorsqu'il se déciderait enfin à le faire. Évitant le piège du préambule, il voulut aborder le vif du sujet, mais le souvenir de Gabriel Lefebvre le rattrapa. Pendant que lui et sa mère étaient sur les traces de Sanjay Singh Dhankhar, qu'ils refaisaient le voyage qu'avaient entrepris l'Indien et sa famille, Roméo était pour sa part aux trousses de Rashmi, sa Juliette. Lorsqu'il s'était fait conduire à l'aéroport, un peu plus tôt cette semaine-là, le jeune homme lui avait dit son intention d'écrire sur son blogue. Il lui avait même gribouillé l'adresse sur un bout de papier. La photo de son amoureuse s'y trouvait. Jérôme donna raison à sa mère. Depuis quand abandonnait-il une enquête en cours de route ? Même lorsqu'il le disait, il ne le faisait pas ! Le mystère entourant Sanjay Singh

Dhankhar et ses deux filles le poursuivait malgré lui. Il se demanda alors ce qu'il faisait dans ce canot, sur cette « mer », au lieu d'être devant son ordinateur. Il y avait un réseau Wi-Fi dans le restaurant de l'auberge. Des clients surfaient sur le Net lorsqu'il était allé prendre le petit déjeuner. Pourquoi n'y était-il pas lui aussi, pour savoir si Gabriel Lefebvre allait bien, s'il avait trouvé quelque chose ?

— Est-ce que je t'ai parlé de ma rencontre avec…

Il voulait évidemment parler de sa deuxième rencontre avec le Dr Tanenbaum. Florence ignorait qu'il l'avait revu le lendemain de son examen. Ce jour-là, comme bien des fois, il lui avait menti. Alors qu'il cherchait à aller au bout de son idée, elle le devança :

— Si tu m'as parlé du jour où ton père est venu te voir pour tes dix ans ?

Jérôme ne s'attendait tellement pas à cela qu'il se mit à chercher ses mots, à bégayer :

— Je… je… Non, ce n'est pas à cela que je pensais.

— Je t'en ai souvent parlé pourtant. Mais on dirait que tu ne veux pas t'en souvenir.

Elle n'avait pas tout à fait tort. La veille, lorsqu'il avait parlé de Lynda à sa mère, le souvenir de son père l'avait effleuré. Il avait momentanément associé la patronne des homicides avec Justal Jeanty, l'homme qui avait mis sa mère enceinte et qui l'avait abandonnée. Il avait fait le rapprochement en raison de l'humiliation que l'un et l'autre lui avaient fait subir. Mais dans le cas de son père, l'image semblait s'être effacée. Sa mère le surprit à nouveau en lui disant :

— C'était ton anniversaire. Je me souviens. Il était venu pour ton anniversaire. Celui de tes dix ans.

Florence se rappelait ce détail alors qu'elle avait du mal à dire quel jour on était ! Elle confondait l'océan et le lac, mais se souvenait que Justal Jeanty était venu voir son fils dans le bungalow de Duvernay le jour de l'anniversaire de ses dix ans ! Son cerveau était un trou noir d'où surgissaient pêle-mêle des images sans suite, des fragments de vie sans lien. Elle pouvait, dans un même élan, affirmer que Sangeeta, la fille de Sanjay Singh Dhankhar, n'était pas revenue du Nouveau-Brunswick, insister pour qu'ils fassent une balade en canot sans se souvenir de la sortie périlleuse qu'ils avaient faite la veille, et ensuite se rappeler, de façon plus précise que lui, le détail de cette rencontre avec son père.

— Je me suis toujours demandé ce qui s'était passé lorsque je vous ai laissés seuls ce jour-là.

Florence se retourna doucement dans le canot, cherchant son regard. Une dérive intérieure, plus effrayante encore que celle qu'ils avaient vécue la veille, le gagna.

— J'ai oublié, murmura-t-il. Tu nous as laissés seuls ce jour-là ?

Sans la moindre hésitation, Florence lui repassa le film des événements.

— C'était ton anniversaire. Le hasard a voulu que ton père, qui vivait en Haïti depuis ta naissance, soit à Montréal ce jour-là. Il devait assister à une conférence à l'université. Il m'avait écrit pour me l'annoncer. Je l'ai invité. Je croyais que ça te ferait plaisir.

Elle se ravisa.

— Il est normal qu'un fils connaisse son père.

Jérôme lui fit un petit signe de la main. Ça, il s'en souvenait. C'est plutôt la suite qui n'avait pas laissé de trace. Elle lui rappela comment ils s'étaient préparés pour cette visite. Son père était noir. Beaucoup plus noir que lui. Non seulement il ne se reconnaissait pas dans cet homme, mais Justal Jeanty lui faisait peur. Il était grand, parlait très fort et n'écoutait pas.

— On s'est parlé tous les trois un moment au salon. Puis, quand est venu le temps de manger le gâteau, j'ai proposé à ton père d'aller jouer dans le jardin avec toi.

— Je ne me souviens pas du gâteau. Ça s'est arrêté avant, murmure-t-il, l'air de parler d'un film qui s'est cassé en pleine projection.

— Oui, oui, ton gâteau d'anniversaire ! insista Florence. Je l'avais préparé, mais je n'avais pas eu le temps de mettre le crémage ni les bougies.

Florence était agacée qu'il ait oublié. Ils en avaient déjà parlé. Il le faisait sans doute exprès.

— C'était une surprise. Alors vous êtes sortis tous les deux le temps que je prépare le glaçage et que je mette les chandelles. Et là, il s'est passé quelque chose. Je ne sais pas quoi, mais plus rien n'a été pareil, après.

Jérôme savait aussi qu'il s'était passé quelque chose. Maintenant que Florence en parlait, le détail de la scène lui revenait. Mais sans doute l'oublierait-il aussi vite. Ce qui s'était passé entre lui et son père dans ce jardin, son cerveau refusait tout simplement de le retenir. Mais pourtant, là dans ce canot, sur le lac, une image prenait subitement toute la place. Celle d'un ballon de football. Le souvenir venait de si loin qu'il se demanda s'il ne l'inventait pas pour faire plaisir à sa mère.

— Tu dois te rappeler ce qui s'est passé dans le jardin ! Je ne peux pas croire !

Elle le regardait avec une telle intensité qu'il sentit le besoin de parler, même s'il ignorait où cela le mènerait.

— Je me souviens du ballon de football, oui. Ça me revient. Il n'était pas à moi, il était à un voisin, je crois. Mais il était là. Quelqu'un l'avait lancé dans notre jardin. Oui, c'est ça... un ballon de football... alors, il l'a pris dans ses mains et il m'a dit quelque chose comme : « Tu joues au football, toi ? » Oui, c'est ça ! Il a pris le ballon et c'est ce qu'il m'a dit.

— C'est tout ? demanda Florence. C'est tout ce qu'il t'a dit ?

— Non, bégaya-t-il, après un long silence. Comme je ne répondais pas, il a pris le ballon ovale et il me l'a lancé. Un beau lancer, bien droit et fort. Mais j'ai été incapable de l'attraper à cause de mon bras. Je n'ai même pas essayé. Je me suis penché et il est passé au-dessus de ma tête.

La scène défilait devant les yeux de Jérôme, claire et limpide comme si le film s'était recollé de lui-même afin qu'il voie, après toutes ces années, l'origine de son mal-être. Il avait dix ans, un seul bras, et il avait déçu son père.

— Il m'a dit : « Tu n'es même pas capable d'attraper un ballon ! »

Florence le regardait, désolée. Il avait sciemment oublié cet épisode. L'avait effacé, expurgé de sa mémoire. Mais celui-ci venait de ressurgir, intact, entraînant avec lui des larmes qu'il ne parvenait pas à retenir. Coincé sur ce maudit canot avec sa mère, qui finirait par le rendre fou, il n'avait qu'une envie, sauter par-dessus bord et revenir à la nage. Abandonner cette vieille folle, qui était incapable de vivre sans revenir constamment sur le passé. Eh oui, ce père qu'il n'avait rencontré qu'une fois l'avait humilié ! Jérôme ne lui avait pas répondu. Il n'avait rien dit, comme il ne disait jamais rien à ceux qui regardaient son bras, ahuris. Lynda l'avait rabaissé sans qu'il n'offre la moindre résistance. O'Leary et Corriveau l'appelaient Aileron depuis qu'il les connaissait. Même Sanjay Singh Dhankhar avait évoqué son handicap lors de leur brève rencontre. Toute sa vie, il s'était fait dire : « Tu n'es même pas capable d'attraper un ballon ! » Toute sa vie, il avait encaissé. C'est son père qui avait parti le bal, il y avait de cela une éternité. Et voilà que cette blessure revenait le hanter après tout ce temps !

— On rentre ! annonça-t-il brusquement.

Sans se soucier de Florence, Jérôme reprit la rame, coinça le pommeau contre sa poitrine et se mit à pagayer furieusement. Ce n'était pas vrai qu'il se laisserait humilier toute sa vie ! Quelqu'un paierait pour ça ! Depuis toujours, sa mère lui disait : « Défends-toi, mon fils ! N'accepte pas d'être un rat qui se terre ! » À force de se sentir coupable, elle en avait perdu la raison. Il l'avait rendue folle en lui répétant qu'il s'était habitué à sa condition et que cela ne le touchait plus. Mais voilà que sur ce lac, il venait de comprendre. Il en avait mis du temps ! Plus jamais il n'accepterait qu'on le traite ainsi ! Celui qui paierait pour les autres serait le dernier à s'y être risqué. Il s'appelait Sanjay Singh Dhankhar. Quatre jours plus tôt, lorsqu'il lui avait vendu sa voiture, il l'avait regardé de haut en bas comme s'il était un moins que rien. Il l'avait méprisé en s'attardant sur son petit bras. Ne fût-ce que pour cela, Jérôme lui ferait payer.

— Où sommes-nous ? demanda Florence.

Dans l'énervement, il ne s'était pas rendu compte qu'il arrosait sa mère avec la rame. Se retournant, il croisa son regard et se rendit compte qu'elle n'était plus là. Cette séance de thérapie sur les eaux, qui l'avait tant agité, n'avait laissé aucune empreinte dans la mémoire immédiate de sa mère. Lorsque le canot accosta, Florence était si confuse qu'elle tenta de descendre avant qu'il n'attache les amarres.

— Attends ! Attends un peu, maman !

— Mais que se passe-t-il ? disait-elle. Il pleut, maintenant ?

Jérôme tendit la main. Elle s'appuya lourdement sur lui en continuant de poser des questions auxquelles il ne répondait pas. Elle avait du mal à marcher.

— Tu as vu la jolie maison ? Elle n'était pas là lorsque nous sommes sortis de chez moi, il me semble.

— Nous ne sommes pas chez toi, maman. Nous sommes en voyage.

— Ah bon ? fit-elle encore.

Camille était sortie sur la véranda et les regardait à distance. Remontant le sentier, Florence arrivait tout juste à mettre un pied devant l'autre. L'aubergiste les suivit du regard jusqu'à ce qu'ils arrivent au pied de l'escalier menant à leur chambre. S'appuyant lourdement au bras de son fils pour monter les marches, elle lui demanda, candide :

— Où est-ce que tu m'emmènes comme ça ?

— Au paradis, répondit-il.

À l'intérieur, Jérôme l'aida à enfiler des vêtements secs et la mit au lit. Florence dormit tout le reste de la journée.

* * *

En fouillant dans sa valise, Jérôme retrouva le bout de papier sur lequel Gabriel Lefebvre avait griffonné l'adresse de son blogue. Il ne se souvenait pas l'avoir mis à cet endroit mais peu importe, il remonta vers l'auberge, son ordinateur sous le bras, et s'installa dans un petit salon où il se raccorda facilement à Internet. Plus que jamais, il était déterminé à aller au bout de cette affaire. Il ne le faisait pas nécessairement pour les bonnes raisons. C'était un règlement de comptes mais tant pis, il ne lâcherait plus Sanjay Singh Dhankhar.

Après avoir tapé l'adresse en question, il tomba sur une photo de Rashmi. Elle était très belle avec ses longs cheveux noirs, ses traits fins et ses yeux sombres. Un détail attira l'attention de Jérôme. Rashmi n'était pas au centre de la photo, mais plutôt décalée vers la gauche. Il y avait aussi une main au-dessus de son épaule, comme si quelqu'un la tenait par le cou mais avait été exclu de l'image. Les doigts de cette main étaient effilés. Il ne s'agissait pas de Gabriel, de toute évidence, mais peut-être de Sangeeta, la sœur rebelle. Plus bas, il y avait un texte mis en ligne quelques heures plus tôt. Jérôme le lut avec empressement.

Mumbai, 2 août, 7 h 30. Le vol Francfort-Mumbai m'a semblé interminable. Déjà que le vol Montréal-Francfort avait duré sept heures trente, il m'a fallu un autre huit heures et demie pour arriver dans cette ville étouffante, en plein milieu de la nuit. Heureusement, Surinder, le cousin de Rashmi, m'attendait à l'aéroport Chhatrapati Shivaji. Les nouvelles sont plutôt bonnes. Bien qu'il ne lui ait pas parlé directement depuis son retour au pays, il affirme que Rashmi est saine et sauve à Jhajjar. Le mariage est prévu dès le retour de ses parents du Canada. Il a reçu une invitation. Mais ce cousin sur lequel je peux apparemment compter ne m'inspire pas confiance.

Pendant le trajet de l'aéroport au Taj Mahal Palace, où je dois passer la nuit, Surinder n'a cessé de me mettre en garde et de jouer les prophètes de malheur. À cause du choix de mon hôtel d'abord, où un attentat meurtrier a eu lieu le 26 novembre 2008. Mais aussi à cause de mes projets avec Rashmi. Entrer en contact avec elle à Jhajjar ne sera pas une mince affaire. Elle est sans doute surveillée, voire enfermée dans la maison familiale jusqu'à son mariage. D'où le besoin de me liguer avec des amis à lui afin qu'ils me servent d'intermédiaires. C'est par le temple de son quartier que je parviendrai à la rejoindre, les futurs mariés devant s'y rendre chaque jour, dans les semaines précédant leur engagement. Ce sont les deux amis en question qui vont se charger de l'enlèvement – le terme lui revient sans cesse à la bouche –, mais ils ne le feront pas gratuitement.

Tout tourne autour de l'argent dans mes conversations avec Surinder. L'impression s'est confirmée lorsqu'il a été question de passeport. « L'enlèvement » de Rashmi sera suivi d'un départ précipité de l'Inde, à partir de Delhi préférablement. Pour sortir du pays, il lui faudra nécessairement un passeport, sauf qu'il est à parier que celui de Rashmi lui a été confisqué. Surinder a une solution toute prête cependant ; l'achat d'un passeport de contrefaçon sur le marché noir. Un passeport canadien de surcroît ! Il est assez facile d'en obtenir un dans les grandes villes indiennes mais à quel prix ! Environ huit mille dollars pièce. Une aubaine, compte tenu de la valeur du document. Personne ne pose de questions aux frontières lorsqu'on se présente avec un passeport canadien. Surinder n'attend qu'un signal de ma part pour entreprendre les démarches. Je me suis poliment désisté. Il a cru que je ne lui faisais pas confiance. Voulant me rassurer, il m'a raconté comment le trafic de passeports était florissant au pays, entre autre parce qu'un nombre sans cesse grandissant de truands, d'intégristes et de terroristes en tout genre sont poursuivis par l'État. Un aller simple vers le Canada, avec les papiers appropriés, est un ticket vers le paradis, selon lui.

Lorsque Surinder m'a déposé devant l'hôtel en me donnant rendez-vous le lendemain, j'ai proposé qu'on se voie le surlendemain, plutôt. À ce moment, j'aurai quitté la ville. De toute façon, il m'a dit ce que je voulais entendre. Rashmi est à Jhajjar. Pour la retrouver, il me suffira de rôder du côté du temple de son quartier. Je n'ai pas besoin de personne.

Des soldats armés montent la garde dans le Taj Mahal Palace, comme si une autre attaque était imminente. Lorsque je suis allé acheter mon billet de train à la gare Mumbai

Central/BCT, un homme au regard inquiet m'a parlé de l'attentat du 11 juillet 2006. Sept bombes ont explosé simultanément dans les gares et les trains de banlieue de la ville ce jour-là. L'attaque a fait deux cents morts et sept cent quatorze blessés en moins de vingt minutes. Les rues de Montréal me manquent parce qu'elles sont si calmes, parce qu'elles ne connaissent pas la violence. Mais Rashmi me manque plus encore. Et bien que ce pays me fasse peur, cela ne m'empêchera pas de l'enlever. De la ramener avec moi.

Demain, à seize heures quarante, je vais monter dans l'Express 2951-12951, un train qui pendant seize heures va remonter vers le nord. Quatre fois, il va s'arrêter. À Surat, Vadodara, Ratlam et Kota. Depuis le début juillet, je n'aurai jamais été aussi près de ses yeux. Aussi près de la peur qui l'habite et qui se lit en permanence dans son regard. L'aimer, c'est soigner un mal que j'ignorais avant de mettre les pieds ici. Ce voyage m'aura au moins appris cela. J'ai compris la peur de celle que j'aime parce qu'elle est devenue la mienne.

Perplexe, Jérôme repoussa l'ordinateur. Il était revenu à la page d'accueil du blogue de Gabriel. La photo de Rashmi remplissait l'écran. Qu'avait-il appris au juste ? Que Gabriel Lefebvre avait peur et que l'éloignement lui faisait apprécier son pays. Débarquer à Mumbai était un choc pour lui de toute évidence. Il n'était peut-être pas au bout de ses peines. La femme qu'il avait connue et aimée à Montréal était sans doute bien différente de celle qu'il retrouverait à Jhajjar. Un autre détail cependant le titillait : ce passeport que lui avait offert le cousin, un faux, qui se vendait pour la modique somme de huit mille dollars sur le marché noir de Mumbai ou de Delhi. Jérôme fit le calcul. Les cinq mille passeports qu'on avait tenté de voler à Montréal auraient rapporté quelque quarante millions de dollars. Cette information mettait en perspective le coup raté des sous-sols de la Place Guy-Favreau. Sous ce nouvel éclairage, il lui paraissait encore plus invraisemblable que cette affaire n'ait pas donné lieu à une enquête. Ceci expliquant cela, c'était peut-être la vraie raison pour laquelle Pierre Leblanc de la GRC et André Bélanger de la SQ avaient tenté de le coincer avant son départ. Prétextant s'intéresser au *Protocole de 95*, peut-être le considéraient-ils comme un suspect après tout. Son départ précipité de Montréal n'avait certainement rien fait pour arranger les choses.

L'air frais du Témiscouata et les balades sur le lac avec sa mère avaient peut-être un effet thérapeutique, mais il fallait voir plus loin. Qui sait s'il n'était pas en train de s'enfoncer dans un merdier d'où il lui serait de plus en plus difficile de s'extraire. Pris de vertige, il secoua la tête et revint à la photo de Rashmi. Plus précisément à ces doigts effilés posés sur son épaule droite. Une idée lui traversa l'esprit. Il chercha l'adresse courriel de Gabriel parmi les onglets du bas de page de son blogue. En deux clics, une fenêtre s'ouvrit et il rédigea un mot :

Courage, Gabriel ! La route est longue, mais j'ai bon espoir que tu trouveras ce que tu cherches. Sinon, la paix et la sécurité t'attendent ici.

C'était un préambule pour en arriver à la demande qu'il souhaitait faire, mais en se relisant, Jérôme trouva les derniers mots un peu trop paternalistes. Il les effaça et reprit :

… ce que tu cherches. Tes réflexions sur Mumbai, sa violence et la peur que tu éprouves m'ont touché.

Il hésita sur le choix du mot « touché ». Jamais il ne l'aurait employé s'il ne s'était laissé aller à pleurer, le matin même dans le canot avec sa mère. L'émotion lui courait après ces derniers temps ! Puisque c'était ainsi, autant assumer. Il effaça le mot « touché » et le remplaça par « ému ».

... sa violence et la peur que tu éprouves m'ont ému. Aurais-tu la gentillesse de faire quelque chose pour moi ? La photo de Rashmi sur la page d'accueil de ton blogue m'intrigue. Il y a une personne qui se tient à ses côtés dont la main est passée autour de son cou. S'agit-il de Sangeeta ? Si oui, te serait-il possible de publier la photo dans son entièreté ? Je pourrais en avoir besoin dans les jours qui viennent.

À nouveau, Jérôme se questionna sur la formulation. « Entièreté » existait-il ou était-ce un mot de son invention ? Il laissa tel quel et signa : *Je te lis avec grand intérêt. Jérôme Marceau.*

Il leva les yeux pour constater que Camille se tenait là, devant lui.

— Je ne vous avais pas vue, s'étonna-t-il.

Alors seulement, il remarqua la marchette qui se trouvait à côté de l'aubergiste et sur laquelle elle avait posé une main.

— Je vous ai aperçu avec votre mère, ce matin, quand vous reveniez du lac. Elle a du mal à se déplacer. J'ai pensé que ça pourrait lui être utile.

Jérôme regarda l'engin muni de deux roues et de poignées d'appui. C'était mal connaître Florence. Jamais elle n'accepterait de se servir d'un pareil instrument ! Elle était beaucoup trop fière, beaucoup trop orgueilleuse.

— Elle ne va pas très bien, n'est-ce pas ? continua Camille. Elle va mourir, peut-être ?

Les yeux de Jérôme se gonflèrent de larmes.

— Vous avez beaucoup de courage. C'est très louable, ce que vous faites.

— Je m'occupe d'elle. J'en suis tout à fait capable, murmura-t-il en détournant la tête.

Les mots du Dr Tanenbaum avaient surgi de sa bouche sans qu'il ne les pense vraiment. Sans qu'il ne les sente. Il les avait empruntés, tout au plus, mais Camille approuva d'un signe de tête en regardant son petit bras.

— Je n'en doutais pas. Je sais que vous en êtes capable.

Poussant la marchette devant elle, l'aubergiste prit place sur le divan près de lui. Un mot traversa furtivement l'esprit de Jérôme. Glioblastome. C'était le nom de la tumeur qui affligeait sa mère. Le Dr Tanenbaum l'avait prévenu qu'un des premiers symptômes à se manifester serait l'ataxie. Problème d'équilibre. Un peu plus tard, elle aurait des convulsions. Il avait fallu que Camille le lui dise avec la délicatesse qui était sienne pour qu'il s'en rende compte. Les yeux accrochés au déambulateur, l'aubergiste précisa :

— Je vous le donne. Il appartenait à une cliente qui nous a quittés.

Elle se tourna vers Jérôme et plongea dans son regard. Camille avait des yeux magnifiques.

— Elle venait tous les étés. Il y a une semaine, elle était encore ici. Un matin, elle s'est levée et a eu un malaise. Le temps de faire venir l'ambulance et c'était fini. Qu'est-ce qu'elle a au juste votre mère ? enchaîna-t-elle sans se soucier de faire une transition.

Jérôme se sentit coincé. Il aurait pu répondre un glioblastome, mais il aurait fallu expliquer et il n'en avait pas envie. Il voulait s'extraire de cette conversation, mais Camille le dévisageait avec insistance. Balayant la pièce du regard, il chercha une issue :

— C'est très joli chez vous ! Il y a quelque chose de romantique dans cet endroit.

— C'est une maison romantique. Elle a été construite exactement pour cela.

— Ah oui ?

Voyant bien qu'elle n'apprendrait rien de plus sur Florence, Camille lui parla de Marie Melford Blanc Charlier, une Américaine d'origine martiniquaise, maîtresse d'un riche avocat new-yorkais du nom de William Bishop.

— Bishop s'était amouraché de cette belle mulâtre, mais il était marié et avait des enfants. Comme il ne pouvait s'afficher avec Marie Blanc dans la haute société new-yorkaise, il lui a fait construire ce pavillon de chasse sur le bord du lac. Entre 1905 et 1910, les amoureux ont passé leurs étés ici loin des regards, dans cette propriété qui s'appelait alors Gray Lodge. Mais l'affaire a fini par se savoir et Bishop s'est retrouvé dans une position délicate. Soit il quittait sa maîtresse, l'élégante et mystérieuse Marie Blanc, soit il divorçait, au risque de mettre sa fortune en péril. L'argent l'a emporté sur l'amour et, en 1910, les amants se sont quittés. En cadeau d'adieu, Bishop a cédé le pavillon de chasse à la belle métisse, qui l'a conservé jusqu'à sa mort, en 1949. Mme Charlier, comme elle s'est fait appeler par la suite, ne s'est jamais mariée, pas plus qu'elle ne s'est départie de Gray Lodge, d'ailleurs. Chaque année, dans une sorte de pèlerinage à l'amour perdu, elle revenait sur les bords du lac Témiscouata avec sa gouvernante et son jardinier pleurer le mal que l'argent lui avait fait. L'homme qu'elle aimait avait embrassé sa fortune plutôt que de succomber à ses charmes. Quarante ans après la trahison, elle a succombé au romantisme.

Jérôme l'écoutait et ne pouvait s'empêcher de penser à Gabriel Lefebvre, apeuré dans les rues de Mumbai, mais avançant quand même vers celle qu'il aimait. Le romantisme est un état d'esprit dangereux, un jeu qui tue parfois. Cette Marie Blanc l'avait appris à son corps défendant. Après une longue agonie, l'amour l'avait anéantie. Le même danger ne guettait-il pas Gabriel à l'autre bout du monde ? Jérôme aurait voulu le prévenir, mais il s'en garda bien. Déjà il lui avait envoyé un courriel bien qu'il ait promis de ne pas le faire ! Il n'avait pas obtenu de réponse, d'ailleurs. Et de toute façon, qui était-il pour lui faire la leçon ? Jamais il n'avait aimé une femme au point de vouloir tout risquer. Comment pouvait-il comprendre les Marie Blanc et les Gabriel Lefebvre de ce monde ? Jérôme se leva en examinant le déambulateur que lui offrait Camille et hocha longuement la tête.

— C'est très gentil de lui faire ce cadeau. J'ignore comment elle va réagir, mais ça vaut la peine d'essayer.

En quittant l'auberge, la marchette sous le bras, Jérôme repensa au texte que Gabriel avait mis en ligne à partir de Mumbai. Il descendit la petite route en boudant le lac, longea les chambres du motel en les ignorant aussi et constata avec surprise qu'il n'en avait retenu qu'une chose. Bien que Gabriel ait énuméré avec précision les attentats, le nombre de morts et de blessés qu'ils avaient causés dans cette ville et surtout la peur qu'il ressentait, Jérôme n'en avait que pour cette affaire de passeports. Le célèbre vol du train postal Glasgow-Londres en 1963, longtemps considéré comme le vol du siècle, avait rapporté deux millions six cent mille livres sterling à ses auteurs. Une fraction de la valeur des passeports vierges de la Place Guy-Favreau. Sans doute le vol le plus important de l'histoire de la criminalité canadienne, s'il avait réussi. Et personne ne semblait s'en préoccuper. Il y avait une raison à cela. Une enquête secrète était en cours. Il en était persuadé, maintenant.

Jérôme grimpa les quelques marches menant à la suite qu'il partageait avec sa mère et entra sans faire de bruit. Florence ronflait. Il déposa le déambulateur bien en vue, rangea son ordinateur et fouilla dans les poches de son veston à la recherche de monnaie. Il en trouva dans une veste de cuir qu'il avait apportée et même dans sa trousse de toilette. Une quinzaine de dollars en tout, qu'il départagea en pièces de vingt-cinq sous, d'un et de deux dollars. Attrapant les clefs de la Pontiac posées sur la table de nuit, il quitta la chambre sur la pointe des pieds en fermant à double tour derrière lui.

* * *

Il y avait un téléphone public devant l'église au centre du village. Jérôme l'avait repéré le jour précédent, lorsqu'ils avaient traversé Notre-Dame-du-Lac en route vers l'auberge. Il aurait pu acheter une carte d'appel mais préféra utiliser des pièces. L'origine des communications serait plus difficile à retracer, les cartes étant numérotées et dotées d'un code-barres permettant de découvrir leur point de vente. Il composa le numéro. Une voix numérisée lui ordonna aussitôt :

— *Enfoncez bien votre carte ou déposez cinq dollars vingt-cinq pour deux minutes.*

Il s'exécuta. Un timbre se fit entendre à chaque pièce introduite dans l'appareil. Après une sonnerie seulement, l'Irlandais répondit.

— O'Leary à l'appareil, fit-il, exaspéré.

Le ton changea instantanément lorsqu'il reconnut Jérôme.

— Aileron ! Veux-tu me dire où diable tu te caches ? Tout le monde te cherche, ici !

— J'ai un truc à te dire, fit Jérôme sur un ton sec.

— Un truc ?

— Aileron. Tu m'as appelé Aileron. C'est terminé, ça !

Il y eut un silence au bout du fil. O'Leary ne semblait pas avoir compris. Il enchaîna, comme si Jérôme n'avait rien dit :

— Ton histoire de *Protocole*, de corridor souterrain et de salle de conférences où on a trouvé les passeports, ça fait tout un boucan, ici ! Tout le monde veut savoir d'où tu tiens ça et si tu sais autre chose.

— Écoute-moi bien, O'Leary ! Je n'ai que deux minutes. Après, la conversation va s'arrêter.

— Tu es où, là ? Dis-moi d'abord où tu es !

— Tu m'écoutes et tu ne dis plus rien ! gueula Jérôme. Je veux te dire que plus jamais tu ne vas m'appeler Aileron, d'accord ? Tu as compris ? Je n'accepte plus d'être humilié ! Est-ce que tu m'entends ? C'est fini. Terminé !

Gêné, l'Irlandais s'éclaircit la voix :

— Tu disparais des radars. Silence radio. On t'envoie des milliers de courriels et c'est tout ce que tu as à dire ?

— Absolument. Tu as parfaitement compris.

Jérôme savait qu'il avait atteint son premier objectif. L'Irlandais le croyait plus cinglé que jamais. Il était d'ores et déjà moins méfiant, ce qui lui laissait quelques munitions pour la suite. La voix synthétisée qui avait demandé d'insérer les pièces s'immisça dans la conversation :

— *Veuillez déposer deux dollars cinquante pour une minute.*

Jérôme se garda bien de le faire. Il consulta plutôt sa montre et prit bien son temps :

— Je veux te dire que tu es un beau salaud ! Si je t'ai parlé du *Protocole de 95*, ce n'était pas pour que tu ailles le répéter à Lynda. Tu n'es pas mieux que Blanchet, finalement. T'es un *stool*, toi aussi !

La communication s'interrompit deux secondes. La voix d'O'Leary revint. Il bégayait à l'autre bout du fil :

— T'es où, là ? Je vais aller te rejoindre. Je peux t'expliquer.

— J'en veux pas de tes explications ! T'as perdu ma confiance. La conversation est terminée.

— Attends ! Attends ! T'es dans un téléphone public, là ? Mets des pièces. Il faut que je te parle ! Tu vas comprendre !

Le temps filait. Jérôme avait les yeux fixés sur sa montre et sur les pièces au fond de sa main. La communication s'interrompit une deuxième fois, pour l'avertir qu'il ne restait plus que quelques secondes aux deux minutes initiales. La respiration de l'Irlandais s'accéléra.

— Tu veux que je fasse quelque chose pour toi ? C'est pour ça que tu appelles ?

— Je n'ai plus confiance en toi, O'Leary. T'es une *pute* !

— Mets des pièces dans l'appareil et parlons. Dis-moi ce que tu veux.

Jérôme ne répondit pas. La conversation allait s'interrompre définitivement. L'Irlandais était mûr.

— D'accord, je n'aurais pas dû parler à Lynda. J'aurais dû me taire. Mais elle m'a fait des menaces ! Je lui ai dit ce que je savais, mais je ne suis pas une *pute* ! Maintenant, dis-moi ce que tu veux !

Jérôme inséra deux pièces d'un dollar et deux autres de vingt-cinq cents dans la fente de l'appareil. Il entendit à nouveau le timbre. Une minute venait de s'ajouter. L'idée d'être comparé à Blanchet et la perspective de passer pour un *stool* dans le service avaient ramolli l'Irlandais.

— C'est vrai que j'ai quelque chose à te demander, concéda Jérôme. Mais comment je peux être sûr que tu n'iras pas tout raconter à Lynda ?

— Je ne suis pas comme ça, Jérôme ! Tu le sais bien ! Le truc du *Protocole*, c'est autre chose. Lynda a parlé de sécurité nationale et de scandale politique. J'avais le dos au mur.

— Même si je l'avais gardée, ma copie du *Protocole*, tu crois que je la vendrais aux enchères ?

— Tu lui diras ça, à Lynda. Mais qu'est-ce que tu veux, là ? Pourquoi tu téléphones ? Pour que j'arrête de t'appeler Aileron ?

Jérôme fit une nouvelle pause. Peut-être qu'O'Leary disait vrai. Comme lui, il avait été surpris, voire entraîné dans la spirale du *Protocole*. Le souvenir du référendum et des activités occultes qui l'avaient entouré avait réveillé des démons. Personne ne voulait se retrouver du mauvais côté de cette histoire. L'amnésie était la seule issue possible. Le retour aux affaires courantes et aux alliances que l'on savait solides constituait la meilleure protection.

— Alors, écoute-moi bien ! Tu te souviens du type dont je t'ai parlé ? Un Indien nommé Sanjay Singh Dhankhar.

— Encore ça ? fit O'Leary, surpris.

— Oui, encore ça. Tu as de quoi noter ? Il habite au 3190, avenue de Kent, dans le quartier Côte-des-Neiges. Il s'y trouve en ce moment avec sa femme, qui s'appelle Prem, et sa fille cadette, une adolescente de dix-sept ou dix-huit ans. Sangeeta, elle s'appelle. Pas commode, il paraît. Fugueuse, rebelle, tu vois le genre ? Note bien ! S, A, N, G, deux E, T, A. C'est elle qui m'intéresse. Je veux savoir si elle est toujours chez ses parents. Et sinon, où elle se trouve en ce moment. Tu me suis ? C'est très important. Mais tout est dans la manière. Ils ne doivent pas savoir que tu la cherches, que la police veut savoir où elle est. Fais-toi passer pour le ramoneur, un témoin de Jéhovah, n'importe quoi. Trouve quelque chose. Il est hyper méfiant, Sanjay Singh Dhankhar. Parano, même !

— Ça s'écrit comment ? demanda O'Leary.

— Comme ça se prononce, avec deux H à Dhankhar. Ils doivent retourner en Inde d'ici la fin du mois. S'ils sentent qu'on a quelque chose, qu'on les suit, ils vont précipiter leur départ et ça, ce ne serait pas bon.

— Discrétion, fit encore O'Leary.

— C'est ça. C'est le mot. Discrétion avec Lynda aussi. Avec le service. C'est un truc que tu fais pour moi, c'est tout.

— Elle ressemble à quoi, cette Sangeeta ?

— Si je mets la main sur sa photo, je te l'envoie.

La voix sans âme qui les avait interrompus un peu plus tôt répéta son message :

— *Veuillez déposer deux dollars cinquante pour une minute.*

Jérôme avait des ailes. Ces trois minutes de conversation le faisaient revivre. S'entendre donner des ordres lui faisait oublier qu'il était en convalescence et même en fuite.

— Tu peux compter sur moi, lança l'Irlandais. Je m'en occupe. Si je la trouve, je fais quoi ?

— Rien du tout. C'est moi qui t'appelle. Dans un jour ou deux.

— Tu ne veux pas me dire où tu es ?

— Je suis avec ma mère dans Charlevoix. Elle ne va pas très bien. Ça pourrait durer encore un moment.

Une nouvelle coupure annonça la fin de la conversation. Conscient qu'il avait endormi son interlocuteur avec son approche culpabilisante et sa demande très spécifique, Jérôme ajouta avec un vague détachement :

— Au fait, qu'est-ce qui se passe avec les passeports ? Quelqu'un fait enquête ?

L'Irlandais se montra hésitant. C'est avec une fausse assurance qu'il répondit :

— Ils les ont retrouvés, les passeports. Je te l'ai dit, ça. C'est réglé. Le problème, il n'est pas là. C'est le *Protocole* qui les énerve…

Jérôme mit le doigt sur le commutateur dix secondes avant que la conversation ne s'interrompe d'elle-même. Il avait sa réponse. O'Leary ne l'avait pas convaincu lorsqu'il avait affirmé que seul le *Protocole* – la possibilité que Jérôme en ait conservé une copie en fait – faisait l'objet d'une enquête. Rien n'était moins sûr. La mission qu'il lui avait confiée – chercher à retracer Sangeeta – servait en fait deux objectifs. Certain que son « meilleur ami » s'empresserait de tout dire à Lynda, Jérôme envoyait un message à celle-ci. Si on cherchait à l'incriminer dans le vol des passeports, il avait peut-être de quoi se défendre. De quoi les faire chanter tous. Cette précieuse copie du document maudit qu'il n'avait pas nié avoir en sa possession cette fois. Deuzio, si l'Irlandais retrouvait Sangeeta chez ses parents, il pourrait tranquillement poursuivre ses vacances avec sa mère sans plus se préoccuper de cette pseudo-histoire de crime d'honneur.

Il replaça le combiné et s'éloigna du téléphone public en regardant autour de lui. Les gens vaquaient à leurs occupations dans le village. Au bout de la rue, en face de l'église, le traversier faisant la navette entre les deux rives du lac s'approchait du quai avec quelques voitures à son bord. Il monta dans la Pontiac, lança le moteur et regagna l'auberge en se repassant sa conversation avec O'Leary. Bien qu'il l'ait maintenu hors d'équilibre pendant tout l'échange, celui-ci avait cherché à savoir où il se trouvait. Dans quelle mesure sa curiosité était-elle liée au *Protocole* ? Une enquête secrète était peut-être en cours relativement aux passeports et O'Leary n'en savait rien. Il était aussi possible que l'affaire du *Protocole* et la copie du document que l'on croyait en sa possession soient la seule chose qui importait. À cet égard, il pouvait compter sur les mauvaises habitudes de ce pays. Celles de s'interroger *ad nauseam* sur la possibilité de son éclatement. Le capital politique que les uns ou les autres tireraient de cette affaire était cent fois plus important qu'un vol fabuleux, évité de justesse, même si les conséquences s'il avait réussi étaient incalculables. Il n'y avait pas de réponses faciles à ces questions. Voilà pourquoi il était temps que Jérôme s'en aille. Qu'il efface ses pistes, qu'il brouille un peu plus les cartes le temps de voir de quoi tout cela retournait.

Lorsqu'il entra dans la chambre, il trouva Florence au milieu de la grande pièce en train de s'exercer avec le déambulateur. Les deux mains sur les poignées, elle avançait puis reculait, tournait vers la gauche puis vers la droite. Ce petit jeu semblait l'amuser. Lorsqu'elle l'aperçut, elle annonça fièrement :

— Il y a un moment que je voulais m'acheter une de ces marchettes. Eh bien, je me suis enfin décidée !

Jérôme ne s'attendait pas à cette réaction. Il feignit toutefois la surprise et lui demanda où elle l'avait trouvée. Elle hésita un moment avant de répondre.

— Je ne me souviens plus. Mais je l'ai eue à très bon prix !

Voilà maintenant qu'elle fabulait ! Qu'elle imaginait des choses qu'elle n'avait pas faites ! C'était nouveau. Jusque-là, Florence n'avait été affligée que de confusion et de moments d'absence. Qu'importe, elle trottinait dans la suite en soulevant la marchette, la poussant devant elle, se félicitant de sa mobilité retrouvée. Jérôme en profita pour faire une mise au point :

— Maman, il y a une chose que je dois te dire.

Elle s'arrêta net et leva les yeux vers lui.

— Tu ne vas pas bien ? Tu es malade ?

— Non, non, rigola-t-il. C'est à propos de la mer.

— La mer ? fit-elle en se tournant vers la fenêtre donnant sur le lac.

— Oui, la mer. Je t'ai dit que nous étions à la mer, mais ce n'est pas tout à fait vrai. Ici, c'est un lac.

— Il me semblait bien, aussi ! Habituellement, il n'y a pas de montagne dans la mer.

Jérôme s'amusa du commentaire. Depuis leur arrivée, Florence n'avait cessé de fixer la rive d'en face. Peut-être se demandait-elle, sans oser faire la remarque, pourquoi la ligne d'horizon était aussi arrondie.

— La mer, c'est beaucoup plus loin, précisa Jérôme. Je me demandais si c'était sage d'y aller. Le voyage va te fatiguer.

— Sage ! fit-elle, cinglante. Mais voyons ! On a dit qu'on allait à la mer, on y va !

Il sortit une carte routière, la déploya sur la table et lui montra où il souhaitait l'emmener. Les Aboiteaux, un complexe touristique où ils pourraient louer un chalet, se trouvait au sud-est du Nouveau-Brunswick, à proximité du village de Cap-Pelé. Les images qu'il avait trouvées sur Internet étaient invitantes. Sans lui avouer comment il avait fait ce choix, il mit la deuxième étape de leur voyage en contexte. Le lac Témiscouata n'avait été qu'un prélude, une mise en bouche avant d'atteindre le but. La mer les attendait là-bas et si tout se passait bien, ils y seraient dès le lendemain.

Jérôme refit les valises en préparation du départ. Il fallait aussi régler la note. Florence insista pour l'accompagner à l'auberge. Lorsque Camille les accueillit dans le hall d'entrée du pavillon de chasse, elle s'intéressa tout de suite à la marchette, se gardant bien de dire qu'elle avait appartenu à une cliente décédée. Toujours convaincue qu'elle l'avait elle-même achetée, Florence en vanta les mérites, allant même jusqu'à faire une petite démonstration. Une confusion délicieuse planait dans le hall de l'auberge, jusqu'à ce que Jérôme annonce leur départ après le repas. Ils feraient le trajet à la faveur de la nuit, afin que sa mère puisse dormir pendant le voyage.

— Comme les Dhankhar, fit remarquer Camille.

— Oui, comme les Dhankhar.

Attentionnée, l'aubergiste se mit au téléphone et discuta un long moment avec la réceptionniste des Aboiteaux. Habituellement, c'était complet à ce moment de l'année, mais il y avait une annulation. Si Jérôme et sa mère acceptaient de rester une semaine, un chalet de trois chambres loué à fort prix était à leur disposition. L'affaire fut conclue sur-le-champ et une fois les arrangements faits, Camille prit Jérôme à part.

— Je ne sais pas ce que vous cherchez, mais j'espère que vous allez le trouver !

Jérôme se contenta de hocher la tête. Il voulait en dire le moins possible mais, chose certaine, il préférait croire qu'il faisait enquête sur la disparition de Sangeeta Singh Dhankhar plutôt que de s'imaginer en fugitif, soupçonné d'avoir trempé dans la tentative de vol de cinq mille passeports.

La mer

Lorsque Jérôme ouvrit la porte du chalet qu'il venait de louer au complexe touristique Les Aboiteaux, une odeur d'ammoniac le prit à la gorge. La maisonnette, sise devant un marais que traversait un trottoir flottant, était d'une propreté exceptionnelle. Avant leur arrivée, on avait lavé les planchers, astiqué les meubles et le comptoir de cuisine, épousseté les murs, lavé la literie au parfum de lavande. L'endroit était aseptisé, si bien qu'il semblait dénué de vie. Debout sur la terrasse devant le chalet, Florence regardait au loin.

— C'est la mer, ça ?

Jérôme, qui déposait les valises, mit un moment à se rendre compte de sa déception. Lorsqu'il la rejoignit à l'extérieur, il pointa la dune et lui expliqua que la mer était de l'autre côté. Il avait vu des photos aériennes du complexe. Pour protéger les chalets des intempéries, on les avait érigés loin de la mer.

— Allons voir ! proposa-t-elle, retrouvant son enthousiasme.

Jérôme avait sommeil. Il avait conduit toute la nuit depuis Notre-Dame-du-Lac, alors que Florence ronflait à l'arrière de la Pontiac. Le tapage nocturne de sa mère l'avait gardé éveillé, mais comme à l'étape précédente, il avait fini par lui tomber sur les nerfs. À un moment, il avait dû s'arrêter et sortir prendre l'air tellement le bruit était monotone et abrutissant. Plus tard, il s'était arrêté dans un restaurant, où des camionneurs aux paupières lourdes enfilaient des cafés les uns après les autres pour rester éveillés. L'endroit était lugubre. Une serveuse, vêtue d'un costume ridicule avec un diadème de papier rouge et blanc planté dans les cheveux, lui avait demandé quel type de camion il conduisait. Lorsqu'il avait répondu une Pontiac, elle avait soulevé les épaules, croyant qu'il se moquait d'elle. D'après la carte routière, l'autoroute longeait la rivière Saint-Jean, mais il ne l'avait à peu près pas aperçue. La nuit était noire, la forêt omniprésente et lorsque le jour s'était levé, il avait bifurqué vers l'est en direction de Moncton.

— On défera les valises plus tard, insista Florence. Je veux voir la mer !

Jérôme sortit le plan du complexe. Le trottoir flottant, qui traversait le marais de part en part, devait faire près de cinq cents mètres. C'était beaucoup pour sa mère. Avec la marchette, ils mettraient une heure pour y arriver. Encore faudrait-il revenir ! Il valait mieux emprunter la voiture et contourner le plan d'eau pour rejoindre le grand pavillon construit sur la dune. Florence accepta le compromis et ils remontèrent dans la Pontiac, laissant leurs valises derrière eux.

Il était encore tôt pour les touristes et les baigneurs. La plage était à peu près déserte lorsqu'ils descendirent les marches de l'escalier, qui venait mourir dans le sable. Au bout de cinq mètres, Florence abandonna sa marchette et s'accrocha au bras de son fils. Il n'y avait pas de doute cette fois, c'était bien l'océan. À la queue leu leu, les vagues jetaient leur dévolu sur la grève.

La ligne d'horizon était parfaitement droite et il n'y avait aucune montagne en vue. Si Jérôme n'avait pas été aussi fatigué, s'il n'avait pas eu les idées si embrouillées, il aurait enfin abordé le sujet qu'il évitait depuis des jours et mis les pendules à l'heure. Mais l'exercice lui sembla au-dessus de ses forces. D'autant que Florence semblait être dans une phase d'absence. Envoûtée par la mer, elle ne réagissait plus, ne disait rien. Elle semblait même avoir les yeux fermés. Il lui proposa de s'asseoir sur un tronc d'arbre échoué près d'une touffe d'herbe saline, à quelque distance du grand pavillon. Elle acquiesça et pendant un long moment ils restèrent ainsi, immobiles l'un près de l'autre, à regarder l'horizon. Il la croyait perdue dans les limbes de l'oubli lorsqu'elle murmura :

— Quand vas-tu te décider à me le dire ?

Il lui demanda de répéter, mais elle n'en fit rien, consciente qu'il avait parfaitement entendu. Elle précisa plutôt, sur un ton qui ne laissait aucune ambiguïté :

— Depuis le début, je suis au courant. Mais il m'arrive d'oublier par moments. C'est vraiment affolant de perdre la tête !

Interdit, Jérôme se tourna vers elle. Un sourire énigmatique courait sur ses lèvres.

— Nous avons fait le plus beau des voyages. Mais je ne suis pas certaine que tu aurais accepté de l'entreprendre si je t'avais dit que je voulais mourir près de la mer.

Il sentit la colère monter en lui. Sa mère, qui l'avait tenu en laisse toute sa vie, qui l'avait protégé, surprotégé, étouffé même, venait une fois encore de le mettre dans sa petite poche ! De le mener en bateau !

— Ne te fâche pas, Jérôme ! Je sais que je vais mourir bientôt… mais dans dix minutes, je l'aurai peut-être oublié. Il y aura encore un trou, puis un autre plus tard et enfin un dernier, plus grand que les autres, duquel je ne sortirai pas vivante. C'est fou, perdre la tête!

— Tu m'as joué la comédie? finit-il par dire. Quand tu disparaissais, quand tes yeux se vidaient de leur regard, c'était faux? Tu faisais semblant?

— Je ne faisais pas semblant, Jérôme! Ça va, ça vient. Là, j'y suis. Mais dans dix minutes ou dans une heure, je vais repartir. J'aurais dû t'en parler avant, mais, comme toi, je n'en ai pas eu le courage.

— Pourquoi dis-tu cela? De quel courage parles-tu?

— Ce serait peut-être plus juste de parler de peur. De ta peur à toi. Celle d'être abandonné.

Était-ce l'effet de l'eau, du lac ou de la mer? Allez savoir. Mais chaque fois qu'ils s'en étaient approchés ces derniers temps, ils avaient fait des bonds en arrière, revisité le passé. Florence pensait évidemment au père de Jérôme. Le premier à l'avoir abandonné. La marque originelle. Mais pourquoi revenait-elle là-dessus? Maintenant?

— Tu as toujours eu peur qu'on t'abandonne, Jérôme. Après la visite de ton père, ça s'est même accentué. Il t'a fait plus de mal que tu ne crois.

— Ce n'est pas de lui qu'il est question, maman. C'est de toi.

Florence mit un long moment à répondre, comme si elle rassemblait ses forces ou encore qu'elle inventait ce qu'elle allait dire.

— Je t'en parle parce que c'est pour cela que tu n'as pas osé me dire ce qui m'arrivait. Lorsque tu as appris que j'allais mourir, tu n'as pu te résoudre à m'en parler.

— Parce que c'est délicat, comme sujet.

— Faux! La vraie raison, c'est que tu vas vivre mon départ comme un nouvel abandon. Plutôt qu'affronter, tu repousses le moment.

Florence faisait des liens où il n'y en avait pas. Un nouveau symptôme du glioblastome sans doute. Des fils se touchaient, des connexions se faisaient qui n'étaient pas nécessaires. Son père ne l'avait pas abandonné. Il n'avait tout simplement jamais existé !

— Tu ne me crois pas ? demanda-t-elle. Tu crois que je suis folle ?

Il se garda bien de répondre. Ce qu'elle lui disait était un roman. Un roman comme celui qu'il avait lu alors qu'il préparait son voyage. Le périple de cet homme vers le Pacifique au volant d'une Volkswagen. À la différence que le passé qu'évoquait sa mère en était un de son invention. Le paysage et surtout la mer l'incitaient à le réinventer. Peut-être l'abandon était-il sa tache originelle, mais il y avait survécu. Il s'en était défait il y a de ça bien longtemps.

— Tu ne t'en rends même pas compte, poursuivit-elle, mais dans tout ce que tu es, dans tout ce que tu fais, tu as toujours peur de cela. Qu'on te laisse tomber. Si seulement tu en prenais conscience, tu serais à moitié guéri.

— Mais ce n'est pas moi qui suis malade, maman. C'est toi.

— Dans les jours qui ont suivi ma visite chez le Dr Tanenbaum en tout cas, tu acceptais volontiers de dire que tu l'étais, malade.

— Maman, je ne souffre de rien du tout, même si je n'ai pas eu de père. Je n'en ai jamais souffert et je ne souffrirai pas non plus lorsque tu partiras. Je vais être triste. Tu vas me manquer, mais c'est comme ça. C'est la vie.

— Pourquoi tu as toujours l'impression que ta patronne va t'abandonner, alors ?

— Lynda ?

— Pourquoi tu penses toujours qu'elle va te jeter ?

— Ce n'est pas la même chose.

— Si tu acceptais seulement de le voir.

Alors qu'il la croyait envoûtée par la mer qu'elle ne cessait de regarder, Jérôme se rendit compte que sa mère n'y était plus. Ses pupilles étaient dilatées. Elle contemplait le gouffre intérieur qui se creusait en elle en cherchant à s'accrocher, mais c'était peine perdue. Le sourire qu'elle affichait l'instant d'avant, en devisant sur l'abandon, avait disparu. Son cerveau s'était une nouvelle fois grippé. Il aurait pu continuer à débattre de la question, lui démontrer par A plus B que Justal Jeanty, ou plutôt son absence, n'avait eu aucun effet sur lui. Il aurait pu dire que si abandon il y avait eu, c'était plutôt lui qui avait fait en sorte que sa mère ne se sente jamais abandonnée. Mais l'effort n'en aurait pas valu la peine. Elle ne l'aurait pas entendu. Résigné, Jérôme la prit par le bras, l'aida à se relever et ils quittèrent la plage. Le soleil était haut maintenant, les vacanciers commençaient à arriver. Une musique tonitruante montait des haut-parleurs du grand pavillon, où un restaurant et un bar venaient d'ouvrir leurs portes. Ils montèrent dans la voiture, contournèrent le marais et regagnèrent le petit chalet.

Florence eut plus de difficulté que d'habitude à descendre de la Pontiac. Elle insista pour avoir sa marchette, mais lorsqu'elle s'y appuya, elle perdit l'équilibre. Comme Jérôme lui tournait le dos pour refermer la portière, elle roula par terre, entraînant le déambulateur avec elle. Il crut soudain que c'était terminé. Qu'elle venait de mourir. Une voix s'éleva aussitôt, du chalet voisin :

— Est-ce que vous avez besoin d'aide ?

Jérôme aida sa mère à se relever et, ensemble, ils se dirigèrent vers la maisonnette, pendant que la voisine se précipitait pour leur ouvrir la porte.

— Est-ce qu'elle s'est fait mal ?

Jérôme prêta peu d'attention à cette femme trop volontaire à son goût qui entra dans le chalet comme si elle était chez elle. Les devançant dans la chambre, elle tira les couvertures et aida Florence à se coucher. Très sûre d'elle-même, elle lui tâta les bras et les jambes, comme si elle s'y connaissait.

— Avez-vous mal quelque part ? disait-elle. Est-ce que vous vous êtes cassé quelque chose ?

La mère de Jérôme ouvrit finalement les yeux, plus confuse que jamais. La bonne Samaritaine lui mit la main sur le front et prit son pouls. Les yeux fixés à sa montre, elle décréta au bout d'une minute :

— Ça m'a l'air d'aller.

Comme si elle l'avait entendue et qu'elle en était rassurée, Florence ferma les yeux. Debout près du lit en compagnie de cette voisine tout en contrôle, Jérôme s'attarda un moment, jusqu'à ce que sa mère se mette à ronfler. C'était bon signe. Ils se retirèrent. Dès qu'ils furent dans la grande pièce toutefois, la dame lui tendit la main :

— Je m'appelle Viola. Je suis infirmière... à la retraite. C'est votre mère, je suppose.

Jérôme hocha la tête en regardant les valises sur le plancher. La donne avait changé. Florence était mourante, mais ce n'était plus un secret. Plus encore, ce voyage était vraiment celui pour lequel il s'était préparé. Celui que lui avait inspiré le livre. Un périple dans ses souvenirs dont chaque arrêt, comme un chemin de croix, servait à effacer un morceau du passé. Mais que diable venait faire cette histoire d'abandon dans l'aventure ? Et Lynda ? Pourquoi Florence lui avait-elle parlé de Lynda ?

— Pardon, qu'est-ce que vous dites ? demanda-t-il à la femme qui lui tendait toujours la main.

— Je suis infirmière à la retraite. Peut-être que je peux vous aider ?

Cette proposition lui parut presque suspecte. Il ne connaissait pas cette femme, qui disait s'appeler Viola. Elle était accourue pour l'aider alors qu'il croyait sa mère arrivée au bout de la route. Elle en avait déjà beaucoup fait.

— Je vous remercie, mais je crois que ça va aller. Lorsqu'elle aura dormi, elle ira mieux.

Il ne croyait pas un mot de ce qu'il disait, mais il n'allait tout de même pas s'épancher devant cette femme qui avait déjà eu la gentillesse de prendre le pouls de Florence et de la rassurer. Pourquoi être en dette vis-à-vis de cette étrangère ?

— Nous avons voyagé toute la nuit, précisa-t-il. J'ai moi-même besoin de dormir. Je crois que ça va aller.

— Je suis juste à côté, insista Viola. Il ne faut pas vous gêner, surtout ! Si je peux faire quelque chose, ça me fera plaisir.

L'infirmière à la retraite se retira et Jérôme défit les valises. L'arrivée aux Aboiteaux avait été pour le moins chaotique. D'abord cette révélation de sa mère : qu'elle était au courant de tout. Puis sa chute en revenant au chalet ! Il installa son ordinateur sur la table de la salle à manger et remit de l'ordre dans les papiers qu'il avait apportés, puis il se traîna jusqu'à la chambre la plus proche où il se laissa choir sur le lit. Bien qu'il fût épuisé, il ne parvint pas à fermer l'œil. Les propos de Florence l'avaient à ce point irrité qu'il ne pensait qu'à cela. C'était à croire qu'il était affligé d'une maladie, depuis son tout jeune âge, mais qu'il venait tout juste de l'apprendre. Pendant tout ce temps, Florence l'avait tenu dans le noir et voilà qu'elle sortait ce lapin du chapeau. C'était une façon de se venger, en fait. Elle transférait sur lui ce qu'elle vivait.

S'il avait été enclin à la croire sur parole depuis le début de leur voyage, cette nouvelle confidence, voire plutôt ce nouveau diagnostic, ne passait pas. Tout comme le doute qu'elle avait soulevé par rapport à Lynda. Florence divaguait. Elle s'enfonçait dans la maladie. Il rejeta en bloc cette conversation sur la plage et se remit plutôt sur le cas de Sanjay Singh Dhankhar. Cette affaire qui le faisait courir depuis des jours – l'hypothétique disparition de quelqu'un que personne ne cherchait – avait un peu perdu de son lustre, toutefois. Il touchait pourtant au but. Il était dans le chalet même que la famille indienne avait loué quelques semaines plus tôt. De nouvelles bribes s'étaient bien ajoutées à l'histoire. Cette tentative de fugue qu'avait faite Sangeeta, lors de son passage au Marie-Blanc, par exemple. Rien pour lui permettre de conclure quoi que ce soit et tout pour le convaincre de laisser tomber.

Contrarié, il se releva et tourna en rond dans le chalet en se demandant ce qui lui arrivait. Depuis quand laissait-il tomber une enquête alors que sa résolution était à portée de main ? Par dépit, il se jeta sur le relevé de compte de la carte de crédit de Sanjay Singh Dhankhar. Les traces laissées derrière par l'Indien n'avaient pas fini de révéler leurs secrets, chercha-t-il à se convaincre. En pensant ainsi, il avait au moins l'impression de se rendre utile.

Dans l'heure qui suivit, Jérôme détailla avec un soin méticuleux tous les achats et les transactions que le père de Sangeeta avait faits pendant les huit jours qu'il avait passés dans la région. À force de tourner et retourner ces chiffres, une inscription finit par attirer son attention. Sanjay avait dépensé en une seule fois plus de quatre cents dollars dans un garage de Cap-Pelé. Il y était retourné à deux reprises par la suite, pour faire le plein d'essence sans doute. À quoi donc correspondaient les quatre cent quatre-vingt-six dollars qu'il avait déboursés le 19 juillet ? À une réparation après un bris mécanique, peut-être ? Lors de l'achat de la Pontiac, Sanjay Singh Dhankhar lui avait dit qu'il avait fait faire des travaux sur la voiture depuis son acquisition et que les reçus se trouvaient dans le coffre à gants.

Tout à ses pensées, Jérôme sortit du chalet et monta dans la Pontiac. Sans surprise, il y trouva une facture au même montant que celui du relevé. Les freins avaient été réparés dans un garage Sergaz des environs. L'adresse et le nom du propriétaire du commerce, un certain Eymard Thibodeau, apparaissaient sur le papier à en-tête. Il glissa la facture dans sa poche, descendit et croisa le regard de Viola, l'infirmière à la retraite, qui se berçait sur la terrasse du chalet voisin. Aimable, elle lui sourit en s'enquérant :

— Votre mère va bien ?

— Oui, oui, répondit-il, pressé.

Il ne voulait pas engager la conversation. Cette femme semblait s'ennuyer à mourir. Voilà pourquoi elle était accourue pour rendre service, pensa-t-il. Lui accorder trop d'attention lui aurait donné une responsabilité supplémentaire. Il en avait déjà assez avec Florence ! Il regagna le chalet, l'adresse du garage en main, et alluma son ordinateur pour savoir où celui-ci se trouvait. Manque de chance, le complexe possédait une zone Wi-Fi, mais pour s'y inscrire il fallait donner un numéro de carte de crédit. Comme il ne voulait pas prendre ce risque, il remit le projet à plus tard et déploya plutôt une carte routière. Par déduction, il conclut que le garage en question n'était pas très loin et qu'une visite à son propriétaire, Eymard Thibodeau, s'imposait.

Florence ronflait toujours. La veille, au Marie-Blanc, elle avait dormi tout l'après-midi. S'il fermait à clef et faisait vite, il aurait le temps de revenir avant qu'elle ne se réveille. Rassemblant ses affaires, il sortit. Alors qu'il refermait toutefois, il sentit le regard de Viola se poser sur lui. Sa chaise berçante avait cessé son va-et-vient. À distance, elle le dévisageait.

— Vous devez sortir… pour faire des courses ? demanda-t-elle.

Il n'y avait pas pensé. Le frigo était vide. Contrairement au Marie-Blanc, qui offrait une très bonne table, il n'y avait pas de restaurant aux Aboiteaux. Les chalets et les condos étaient munis de cuisinettes. Chacun se faisait à manger.

— Euh oui… oui, c'est ça !

Viola avait quitté sa terrasse. Elle s'approcha, un sourire moqueur accroché aux lèvres.

— C'est juste en ville qu'on barre les portes ! Ici, c'est pas nécessaire !

Jérôme eut l'impression de s'être fait prendre en flagrant délit. Il abandonnait sa mère sans vergogne en l'enfermant dans le chalet, une heure seulement après qu'elle eut fait cette chute en descendant de voiture. Il sentit le besoin de s'expliquer :

— J'allais lui préparer un repas, mais, effectivement, il n'y a rien dans le frigo. Et comme elle dort…

— Je vais m'en occuper ! fit Viola, en pointant la chaise berçante qui se trouvait sur la terrasse tout près de Jérôme. Me bercer chez moi ou me bercer ici, c'est la même chose !

Jérôme ne pouvait refuser. L'infirmière l'aurait pris pour un sans-cœur. Il entrouvrit la porte en faisant un petit signe de la tête et marmonna, les dents serrées :

— Merci. C'est très gentil à vous.

— Ça me fait plaisir, répéta-t-elle, comme si c'était les seuls mots qu'elle connaissait.

Il était désarçonné par tant de gentillesse.

— Vous savez où aller pour acheter de la nourriture ?

Il haussa les épaules en la regardant de la tête aux pieds. Viola devait être dans la soixantaine mais elle ne les faisait pas. Petite, mince, les cheveux coupés à la garçonne, elle avait les tempes grisonnantes. Si elle ne lui avait pas avoué qu'elle était retraitée, il lui aurait donné cinquante ans tout au plus.

— Vous avez un papier et un crayon ?

C'était un prétexte pour s'inviter à l'intérieur, pensa Jérôme. En ville, on ne faisait pas ce genre de choses.

— Je vais vous faire un dessin. Ce n'est pas très compliqué.

Il pensa un instant qu'il était misogyne. Qu'il voyait dans toutes les femmes des mères envahissantes et manipulatrices, qui lui faisaient faire ce qu'elles voulaient. Viola n'était pourtant pas mal intentionnée, au contraire. Elle s'avéra même d'une remarquable efficacité. Sur un bout de papier, elle lui dessina le village de Cap-Pelé, indiquant d'une croix où se trouvait le marché et, un peu plus loin, la poissonnerie. Il lui faudrait acheter du homard, c'était un impératif, on était en pleine saison. Lorsqu'il l'interrogea sur le garage Sergaz, elle lui indiqua où il se trouvait en précisant qu'elle connaissait bien Eymard Thibodeau et qu'il pouvait lui dire que c'était elle qui l'envoyait. Elle eut même un moment d'émotion lorsqu'elle posa sa main sur la sienne :

— Quand je vous ai vu arriver avec votre maman, ça m'a touchée. De nos jours, les gens mettent les vieux dans des hospices et attendent qu'ils meurent. Pas vous, on dirait.

Jérôme réprima un sourire. À ses yeux, Florence n'était plus une maman. Elle était une présence qui s'éternisait. Un être qui l'avait accompagné depuis déjà trop longtemps dans sa vie. Et non, il n'aurait pas un sentiment d'abandon lorsqu'elle partirait. Mais il garda ces réflexions pour lui-même. Viola aurait sans doute été déçue.

— Ne vous inquiétez pas, je vais m'en occuper, fit-elle en le raccompagnant jusqu'à la porte.

Jérôme monta dans la Pontiac en cherchant à se convaincre que quelque chose venait de se passer. Leur arrivée à Cap-Pelé marquait un nouveau virage dans la maladie de sa mère. Si l'ataxie était un des symptômes du glioblastome, le discours que Florence lui avait tenu marquait peut-être le début de sa démence. Ne l'avait-elle pas avoué, elle perdait la tête. D'où l'importance d'oublier cette conversation et surtout l'évocation de Lynda. Il ne s'était pas senti abandonné toute sa vie et, non, il ne craignait pas par-dessus tout que Lynda le jette. C'étaient des balivernes, tout cela. Il alla plus loin. Peut-être que l'apparition de cette infirmière était plus significative qu'il ne le croyait. Cette femme sortie de nulle part faisait peut-être partie d'un dessein plus grand, qui jusque-là lui avait échappé. Une coquetterie du destin qui les avait amenés dans cet endroit afin que quelqu'un prenne le relais dans cette situation pour laquelle il n'était absolument pas qualifié. Rien n'arrive pour rien, tenta-t-il de se convaincre en remontant l'Allée du Parc et en gagnant la route 950. S'ils étaient venus ici, ce n'était pas parce qu'il était en fuite pour une quelconque histoire de passeports volés puis retrouvés. Ni parce qu'il s'était obstiné à garder une copie du *Protocole de 95* et encore moins parce qu'il retrouverait la trace de Sangeeta Singh Dhankhar. C'était parce qu'une infirmière à la retraite les y attendait et qu'elle accompagnerait sa mère mieux que lui-même ne saurait le faire.

Après avoir atteint la grande route, Jérôme roula vers le sud et trouva rapidement le garage d'Eymard Thibodeau. Comme Viola ne lui avait pas dit son nom de famille, il lui serait difficile d'évoquer l'infirmière en guise d'introduction. Il rangea la voiture près des pompes à essence et descendit en prenant bien son temps. L'endroit semblait désert. Un homme dans la cinquantaine, la tête grisonnante, s'approcha enfin en s'essuyant les mains avec un torchon. Jérôme sut tout de suite à qui il avait affaire. Sur sa chemise, sous le sigle de Sergaz, on pouvait lire : Eymard.

— Le plein, dit-il en feignant l'indifférence.

Le garagiste n'était pas un homme pressé. Il détailla la Pontiac, comme s'il la reconnaissait, introduisit le pistolet dans l'embouchure du réservoir et marmonna :

— Vous voulez que je *checke* l'huile, aussi ?

— Pourquoi pas ? fit Jérôme en l'observant discrètement.

Eymard Thibodeau ouvrit la portière côté conducteur, tira sur le levier à gauche près de la pédale du frein de secours et le capot s'entrouvrit. Il étira le cou pour examiner la partie supérieure gauche du pare-brise. Posant le doigt sur un autocollant indiquant le kilométrage du dernier changement d'huile, il annonça fièrement :

— Il me semblait bien, aussi ! Je l'ai déjà vu, ce *char*-là ! C'est moi qui *a* changé l'huile la dernière fois !

Jérôme s'approcha pour voir l'autocollant. Comme sur la chemise d'Eymard Thibodeau, on pouvait y voir le sigle Sergaz.

— Vous n'avez pas changé les freins aussi ?

Le garagiste hocha la tête puis se tourna vers l'arrière du véhicule, où le lit défait de Florence avait les allures d'un champ de bataille.

— Vous avez enlevé les *curtains* ? C'est une bonne idée, ça ! C'était laid à mourir !

Jérôme avait raté le début de la phrase. Pendant que Thibodeau soulevait le capot pour vérifier l'huile, il se repassa la conversation et comprit de quoi il était question. Les rideaux n'y étaient plus. Thibodeau les avait remarqués lui aussi, comme Camille, l'aubergiste du Marie-Blanc.

— Je l'ai achetée à Montréal il y a une semaine à peu près… d'un type qui m'a dit justement qu'il était venu par ici.

— Un type, ouais ! Tout un type ! grogna Thibodeau en retirant la jauge du moteur et en l'examinant de près.

— Qu'est-ce qui vous fait dire ça ? lui demanda Jérôme en regardant autour de lui comme si la réponse ne l'intéressait pas vraiment.

— C'est un *weird* !

Jérôme connaissait le mot. Il collait plutôt bien à l'image qu'il se faisait de Sanjay Singh Dhankhar. Eymard Thibodeau replongea la jauge dans le moteur, la ressortit et donna son verdict :

— Ces *chars*-là, c'est ce qu'il y a de plus laid sur le chemin, mais ils ont des bons moteurs.

Il referma le capot d'un coup sec et regarda Jérôme dans les yeux :

— Pourquoi tu t'intéresses à ce gars-là ?

— Comme ça, répondit Jérôme.

Cherchant à imiter l'accent de son interlocuteur, il ajouta :

— Moi aussi, je l'ai trouvé *weird* !

Le garagiste parut amusé. Il retourna à la pompe, retira le pistolet de l'embouchure du réservoir, remit le bouchon et se dirigea vers le garage. Jérôme devait trouver le moyen de le faire parler mais rien ne lui venait. Le silence était peut-être la meilleure stratégie. Il suivit Thibodeau jusqu'au comptoir, enfonça la main dans sa poche pour sortir son porte-monnaie et se rendit compte que le garagiste avait les yeux rivés sur son petit bras. Comme s'il ne pouvait se retenir, il demanda :

— Qu'est-ce qui vous est arrivé ?

Pour une fois, Jérôme répondit sans hésiter :

— Thalidomide.

— Ah oui ! fit l'homme, changeant brusquement d'attitude.

Thibodeau devint tout d'un coup volubile et l'écho de ses paroles résonnait dans le garage.

— Mon frère a eu ça aussi. Vous devez avoir à peu près cinquante ans. Il est né en 1961, lui. C'était la mode en ce temps-là, la thalidomide ! Ils disaient qu'avec ça les femmes enceintes étaient pas malades le matin. C'était le médicament miracle ! J'en ai entendu parler toute ma jeunesse. Mon frère était ben plus mal *amanché* que vous. Il avait pas de bras et juste une jambe. Il était toujours malade. Il n'a pas vécu vieux. Ça l'a tué. Ma mère s'en est jamais remise. Elle est morte de découragement. Ils avaient dit qu'ils donneraient de l'argent aux victimes. Ç'a traîné en cour, ç'a duré des années et des années, mais ils ont jamais rien fait. Ils ont attendu que tout le monde soit mort. Au fond, les vraies victimes là-dedans, c'était les femmes. Ma mère ne s'est jamais pardonnée d'avoir pris ça. Elle a creusé sa tombe à force de le regretter. Les compagnies, les grosses compagnies, elles s'en moquaient ! Elles auraient pu faire quelque chose, mais elles ont aimé mieux regarder ailleurs, faire semblant que c'était pas arrivé. Toutes les femmes qui ont pris de ce poison-là, c'est de ça qu'elles sont mortes. C'est une histoire pendable !

Eymard Thibodeau avait littéralement aboyé les derniers mots de son réquisitoire. Dans ses yeux, Jérôme voyait le deuil qu'il n'avait pas fait et surtout la douleur latente, toujours prête à exploser lorsque le mot « thalidomide » était prononcé. Le plus étrange, c'est qu'habituellement, lorsqu'on lui demandait ce qui était arrivé à son bras, il mentait. Il prétextait un accident ou encore, surtout avec ses collègues policiers, un fait d'armes. Pourquoi avait-il avoué à cet homme qu'il était une victime de la thalidomide, alors qu'il refusait de l'entendre de la bouche de sa mère ? La seule évocation du médicament et du drame qu'il avait provoqué le rendait fou, le mettait en rogne. Et voilà qu'il s'en confiait à un parfait étranger comme s'il acceptait enfin la réalité !

— C'est Viola qui m'a parlé de vous, baragouina Jérôme. L'infirmière. Elle s'occupe de ma mère en ce moment… qui est probablement comme votre mère, précisa-t-il. Elle va mourir sans jamais être arrivée à se pardonner.

À peine eut-il dit ces mots que Jérôme se sentit *pute*. Il avait peut-être fait un pas en admettant simplement qu'il était une victime de la thalidomide, mais il n'avait pas perdu le cap. Il était aux trousses de Sanjay Singh Dhankhar et tous les moyens étaient bons pour le rattraper, même si pour cela il devait utiliser sa mère ! C'était une maladie chez lui. Une autre maladie qu'il avait du mal à admettre.

— Viola, la fille à Aldèche ? s'étonna le garagiste. C'est ma petite-cousine ! Du côté de mon père. Eh ben, je peux te dire, mon gars, que ta mère, elle est entre bonnes mains !

Jérôme venait de marquer un point. Dans le ton du garagiste, il devinait qu'il s'en était fait un ami. Thibodeau le tutoyait, un large sourire accroché au visage. Tablant sur ce capital de sympathie, Jérôme revint à la charge en jouant la carte de la curiosité :

— Je l'ai vraiment trouvé *weird* ce type-là, celui qui m'a vendu la voiture, mais je n'ai pas très bien compris ce qu'il était venu faire ici avec ses rideaux dans son *char*, sa femme pis sa fille qu'il cachait derrière.

— Ah, ça, t'es pas le seul à te poser la question ! avoua Thibodeau sans détour. D'après ce que j'ai compris, c'était un *businessman*. Il voulait acheter une terre par ici.

— Une terre ?

— Oui, oui ! C'est l'histoire qu'il m'a *ramanchée*. Il a dit la même chose à Léopold.

— Léopold ?

— C'est un gars qui traîne au garage de temps en temps. Quand il a rien à faire, il vient ici pour bavasser.

Eymard Thibodeau était en confiance. Il s'appuya sur son comptoir et se mit à raconter, le plus naturellement du monde :

— Comment il s'appelle le gars, encore ? Sanji…

— Sanjay, précisa Jérôme.

— Il est venu ici parce qu'il fallait changer les *brakes* sur son *char*. Mais il voulait être là pendant que je faisais le travail, comme s'il me faisait pas confiance. Il avait une façon de te regarder, ce gars-là ! T'avais pas trop envie de t'ostiner avec lui. Fait que, je l'ai laissé faire. Pendant que je travaillais, il m'a dit qu'il pensait acheter quelque chose par ici. Mais par sur le bord de l'eau, comme tous les *étranges* qui s'installent ici. Non, lui, il voulait quelque chose dans les terres. Pour faire sa *business*, mais il m'a pas dit ce que c'était. Un peu comme les *curtains* dans son *char*. Il voulait pas qu'on sache ce qu'il faisait, ce qui se passait chez lui.

Jérôme était perplexe. Il imaginait mal les Dhankhar s'installant sur une terre au Nouveau-Brunswick. Ils avaient des billets de retour pour l'Inde le 21 août. Sanjay était venu se perfectionner à Montréal parce qu'il avait un poste au sein d'une multinationale française, chez lui en Haryana, et il projetait de surcroît de marier ses deux filles à des Rajputs, une situation on ne peut plus enviable dans son pays.

— Est-ce qu'il a fait des démarches ? Vu un agent immobilier, peut-être ?

— Non, non, assura le garagiste, le sourire amusé. Il m'a demandé si je pouvais lui trouver quelqu'un qui connaissait le coin, pour le *driver*.

— Pour le *driver* ?

— Je lui ai dit que Léopold pourrait faire ça. Il connaît bien les *backs*, Léopold. Il vient de Haute-Aboujagane.

Une fois encore, le mot lui échappa. Jérôme aurait voulu prendre des notes, se faire expliquer ce qu'était un *back* et où se trouvait cette localité appelée Hautabou quelque chose, mais là aussi il joua la prudence. Il avait gagné la confiance du garagiste, précipiter les choses risquait de lui faire perdre un précieux allié. Il osa tout de même :

— Est-ce que je pourrais lui parler, à ce Léopold ?

Eymard Thibodeau se montra hésitant, cette fois. Non pas qu'il se méfiât de Jérôme, mais plutôt parce que Léopold semblait être un drôle d'oiseau.

— Léopold, il va et il vient. On sait jamais. Mais la prochaine fois qu'il passera au garage, je peux lui dire que tu veux lui parler. Tu *restes* où, là ? Aux Aboiteaux ?

Jérôme se demanda comment il avait deviné. Le garagiste le vit bien et s'empressa de dire :

— Viola prend toujours ses vacances aux Aboiteaux. Elle s'assit sur la galerie, elle se berce pendant deux semaines en regardant le pré salin, pis elle s'ennuie parce que tu peux pas faire de bénévolat dans une place de même. Depuis qu'elle est à la retraite, c'est tout ce qu'elle fait, Viola, du bénévolat. Mais en vacances, ça se fait pas. Alors, elle fait rien !

Pour renforcer leurs liens, Jérôme lui avoua qu'en ce moment même Viola faisait du bénévolat en se berçant sur la terrasse du chalet qu'il partageait avec sa mère plutôt qu'en le faisant sur la sienne. Thibodeau lui promit de le mettre en contact avec Léopold et ils s'échangèrent une tape sur l'épaule comme s'ils se connaissaient depuis toujours.

— Je repasserai demain, annonça enfin Jérôme en déposant des billets sur le comptoir.

Il avait mis beaucoup plus que le compte. Le garagiste se tourna vers la caisse pour lui redonner la monnaie, mais il leva sa seule main utile :

— C'est beau !

Eymard Thibodeau apprécia le geste et s'empressa de dire :

— Tu vas avoir de mes nouvelles, ce sera pas long !

— Y a rien qui presse, fit nonchalamment Jérôme, bien qu'il pensât exactement le contraire.

Eymard Thibodeau n'en crut pas un mot. Et pour cause. Lui aussi était rongé par la curiosité, comme Camille du Marie-Blanc et tous ceux qui avaient croisé Sanjay Singh Dhankhar sur leur route. Pour Jérôme, cette histoire de terre que l'Indien voulait acheter n'avait pas de sens. C'était un mensonge grossier. Le genre de chose que l'on balance à des gens que l'on croit naïfs ou simples d'esprit. Eymard Thibodeau aussi le savait. Mais pourquoi Sanjay était-il allé dans la forêt au juste ? Il devait bien y avoir une raison.

Jérôme repartit content. C'est par dépit qu'il s'était remis sur la piste de l'Indien. Il préférait s'occuper l'esprit de cette façon plutôt que de se farcir les élucubrations de sa mère. Il avait trouvé sur la grande toile un article sur les glioblastomes. La démence faisait bien partie des symptômes reliés à la tumeur. Il préférait croire que sa mère en éprouvait les premiers signes plutôt que de reconnaître que son père avait eu une quelconque influence sur sa vie.

Sangeeta

Lorsque Jérôme ouvrit l'œil le lendemain, il resta un long moment au lit à regarder le plafond. Il n'y avait pas un bruit dans le chalet si bien qu'il faillit se rendormir, mais il réalisa soudain que sa mère ne ronflait pas. Se levant en vitesse, il enfila son pantalon, sortit et courut vers la chambre voisine. Le lit était vide. Revenant sur ses pas, il jeta un œil par la fenêtre. Florence se berçait sur la terrasse en compagnie de Viola. L'infirmière à la retraite avait déménagé sa chaise. Côte à côte, les deux femmes regardaient le marais, le trottoir flottant et la dune au loin sans échanger le moindre mot.

La veille, après avoir eu son entretien avec le garagiste Eymard Thibodeau, Jérôme avait fait le plein de provisions au marché local, s'était arrêté dans un débit pour acheter de la bière et du vin, sans oublier le homard, qu'il avait acheté pour une bouchée de pain chez le poissonnier. Il détestait ces petites bêtes rouges à la chair délicieuse, parce que leur coquille récalcitrante le privait chaque fois de son plaisir. Avec une seule main, il avait toutes les peines du monde à les décortiquer. En rentrant, il avait trouvé Florence en grande conversation avec Viola. Les deux semblaient se connaître depuis toujours et étaient prises par moments de fous rires qu'il n'arrivait pas à s'expliquer. De quoi parlaient-elles ? Qu'avaient-elles de si important à se dire pour qu'elles l'ignorent ainsi pendant qu'il rangeait les provisions dans le frigo et sur les étagères ? Chose certaine, Florence était à son mieux. Lorsqu'elle vit le nombre de homards qu'il avait achetés, elle annonça avec enthousiasme :

— Je suis contente que tu aies pensé à notre invitée. Nous allons tous manger ensemble !

Jérôme n'avait pas exactement pensé à Viola. Il appréhendait même de se retrouver devant elle, attaquant les crustacés à coups de marteau ou de tout autre outil lui tombant sous la main. Les choses se passèrent autrement. La nouvelle amie de Florence annonça d'abord que le homard se mangeait sans accompagnement, à part la bière. L'idée de prendre congé de légumes n'était pas pour lui déplaire ! Quant à la combinaison du coffre-fort, elle s'en chargerait volontiers ! Armée d'un couteau à patate, elle était apparemment capable de venir à bout du homard le plus récalcitrant en moins de deux.

Florence s'installa joyeusement au bout de la table tandis que l'infirmière à la retraite lui passait une bavette autour du cou. Elle, pourtant si coquette, se prêta au jeu comme si cela allait de soi. Le décorum, ou plutôt son absence, évoquait quelque cérémonie exotique. Viola aligna les bêtes devant elle, posa un grand bol à salade juste à côté et ouvrit deux bières, une pour Jérôme et une pour elle-même. Sans façon, elle se mit à la tâche avec son minuscule couteau, déverrouillant les carapaces et en extirpant la chair comme si c'était un jeu. Le repas avait un côté africain ou arabe. Ils n'étaient pas assis en tailleur autour de la nourriture mais c'était tout comme. L'assiette avait un rôle symbolique, ne servant qu'à recueillir l'eau dégoulinant des carapaces à même lesquelles ils mangeaient. Car c'est tout ce qu'ils faisaient, manger! Viola se chargeait du reste.

Fasciné par la virtuosité de l'infirmière et ravi du bonheur de Florence, Jérôme se mit à boire. En préparant le repas, Viola avait omis de lui donner un verre parce que, selon elle, ça se faisait ainsi. Elle buvait elle-même au goulot et bientôt les bouteilles vides s'entassèrent près du bol à salade rempli de carapaces. Jamais Jérôme n'avait eu autant de plaisir à manger du homard. Et jamais il n'avait bu autant de bière! Lorsqu'ils eurent terminé les dix bouteilles qu'il avait achetées, il proposa de passer au vin, mais Viola s'en offusqua. Ce n'était pas ainsi que les choses se faisaient, apparemment. Abandonnant son travail, elle courut chez elle et revint avec une douzaine de bières fraîches. La fête pouvait continuer.

Une heure et quelques bouteilles plus tard, Viola mit Florence au lit en s'assurant de lui faire prendre ses médicaments. La mère de Jérôme n'avait pas bu, mais elle était tout aussi soûle, enivrée par cette ludique convivialité. Dès qu'elle se mit à ronfler, Viola reprit du service, brisa la carapace des homards en y prenant un malin plaisir. Jérôme n'avait plus faim mais continuait à manger, comme s'il était partie prenante de cette cérémonie sans fin. Ils burent encore. Jérôme sentit que la tête commençait à lui tourner. Au moment où il s'y attendait le moins, Viola lui fit une confidence:

— Votre mère m'a dit que vous cherchiez quelque chose... et que vous trouvez toujours ce que vous cherchez!

— Elle a dit ça? s'étonna-t-il, tout à coup sur la défensive.

Les yeux de l'infirmière s'étaient mis à briller.

— Emma, la belle-sœur de mon cousin, m'en a parlé ! Elle se souvient très bien de cet homme avec des rideaux dans les fenêtres de sa voiture.

— C'est une coutume chez eux, balbutia Jérôme, comme s'il prenait la défense de Sanjay Singh Dhankhar.

Il en voulait à sa mère d'avoir parlé de son enquête. Elle ne l'avait pas fait exprès, son cerveau lui avait fait faux bond, mais tout de même !

— Qui est Emma ? s'enquit-il.

— Emma, la femme de Jean-Paul ! C'est à eux, tout ça ! Les Aboiteaux, ça leur appartient.

Elle faisait des moulinets en parlant, embrassant les chalets voisins du regard et pointant la dune. Jérôme avait déjà mille questions en tête. Où se trouvait cette Emma ? Pouvait-il lui parler ? Qu'avait-elle remarqué à propos de la famille Dhankhar ? Qu'avaient-ils fait pendant leur séjour à part rester enfermés dans leur chalet ? Il garda toutefois ses interrogations pour lui-même. Viola en savait déjà beaucoup trop. S'il confirmait qu'il faisait secrètement enquête, la belle-sœur du cousin en parlerait à Eymard, le garagiste, qui était son petit-cousin. Bientôt, tout le canton serait au courant. Il s'efforça de changer de sujet.

— C'est très gentil de vous occuper de ma mère comme ça !

— Elle est très fière de vous ! Elle dit que dans votre domaine, vous êtes le meilleur. À mon avis, vous devriez parler à Emma.

Jérôme porta la bouteille à sa bouche et avala une grande gorgée de bière. La tête lui tournait à nouveau. Voilà bien ce qu'il appréciait de la ville. Il pouvait arpenter les tunnels et les corridors souterrains à sa guise sans jamais croiser quelqu'un qui le reconnaisse, qui sache qui il était et ce qu'il faisait. À Montréal, c'était lui l'enquêteur, alors qu'ici il avait l'impression d'être l'objet de l'enquête. Cette conversation avait assez duré.

— Je ne sais pas vraiment de quoi vous parlez. De toute façon, je suis fatigué. Je vais aller dormir.

Il mentait, évidemment. Jérôme n'était pas fatigué, il était ivre. Viola en revanche semblait aussi fraîche qu'une rose. Elle se leva sur une patte en annonçant :

— C'est fatigant de conduire la nuit. Allez vous coucher ! Je vais m'occuper de ça.

Florence lui avait donc raconté que, la veille, ils avaient fait route de Notre-Dame-du-Lac à Cap-Pelé à la faveur de la nuit ! Y avait-il autre chose qu'elle savait ? Que Jérôme s'inquiétait pour Gabriel Lefebvre, par exemple ? Qu'il suivait à distance ce garçon dans son aventure romantique vers l'Haryana ? Que savait-elle encore sur Sanjay Singh Dhankhar et sa fille Sangeeta ? Il devrait dorénavant se méfier de sa mère. Son cerveau anarchique en faisait la plus dangereuse des espionnes, dans ce pays où tout le monde était le cousin ou le beau-frère de son prochain.

— Attendez, je vais vous aider, proposa Jérôme, pour se débarrasser d'elle.

Viola le surprit une fois encore en débarrassant la table en un tournemain. Versant le bol à salade rempli de carapaces dans un sac-poubelle, elle passa un linge sur la table, remit les bouteilles vides dans leur caisse et déposa le tout sur la terrasse. La soirée était terminée.

Le lendemain, Jérôme ne gardait de ce festin qu'un mal de tête persistant. Ce qui n'était certainement pas le cas de Viola et de sa mère. Très enjouées, elles se berçaient sur la terrasse en se parlant à voix basse et en rigolant par moments. Ni l'une ni l'autre ne s'étaient rendu compte qu'il était levé. Il se versa un café, sans doute préparé par l'infirmière. Après en avoir avalé quelques gorgées, il s'attarda devant la porte ouverte du frigo, comme un adolescent désemparé. Mangerait-il des œufs, des céréales ou des rôties ? Incapable de se décider, il pensa plutôt à Emma, la belle-sœur du cousin de Viola, qui était elle-même la fille d'Aldèche et, bien sûr, la petite-cousine d'Eymard, le garagiste. L'exercice de mémoire l'aida à s'extraire des limbes du sommeil et surtout à donner une direction à sa journée. Il lui fallait prendre des nouvelles de Gabriel Lefebvre et pour cela, il avait besoin d'un code pour accéder à la zone Wi-Fi. Ce serait peut-être l'occasion de faire la connaissance de la propriétaire.

Après avoir déjeuné, il sortit et embrassa Florence, mais curieusement elle resta distante, comme si elle ne le reconnaissait pas. Il insista pour lui parler, évoquant le repas de la veille, mais elle parut encore plus confuse. Assise dans sa chaise berçante à ses côtés, Viola mit son index sur sa bouche, l'intimant de se taire. C'était la première fois que sa mère se comportait de cette façon avec lui. Comme s'il était un étranger. Était-ce une nouvelle étape, un nouveau symptôme de sa maladie ? Pour l'heure, il l'ignorait et passa son chemin en se promettant d'interroger Viola à la première occasion. Peut-être le savait-elle.

Jérôme anticipait un problème lorsqu'il se présenta à la réception du complexe afin d'obtenir un code pour le réseau Wi-Fi. Comme il voulait payer en liquide, il était certain qu'il ne pourrait l'obtenir. Sur le site internet, il était clairement indiqué que Les Aboiteaux n'acceptaient que les cartes de crédit comme moyen de paiement pour ce genre de service. Mais la préposée se montra accommodante en lui disant que les frais seraient tout simplement portés à son compte. Il demanda alors à parler à la patronne. Pour toute réponse, la jeune femme promit de faire le message en décrochant le téléphone qui ne cessait de sonner.

Jérôme regagna le chalet, passa devant Florence et Viola, toujours dans leur bulle, et se réfugia à l'intérieur où il mit son ordinateur en marche. Branché sur le reste du monde, il tapa l'adresse du blogue de Gabriel et se retrouva instantanément en Inde, plus particulièrement devant les jolis visages de Rashmi et de Sangeeta. Gabriel avait donc reçu son message et accédé à sa demande. Jérôme avait vu juste. La main sur l'épaule de Rashmi était bien celle de sa sœur cadette. Elles ne se ressemblaient pas vraiment mais partageaient un air de famille. Il s'empressa de consulter sa boîte de réception. Il y avait une vingtaine de messages, dont cinq au moins provenant de Lynda et autant d'O'Leary. Aucun cependant de Gabriel Lefebvre. Il remit à plus tard la lecture de ses courriels et plongea dans le blogue de Roméo.

Jhajjar, État de l'Haryana, 4 août, 9 h 30. Dans le train bondé qui m'a conduit de Mumbai à Delhi, j'ai fait la paix avec l'Inde. Après Ratlam, dans l'État de Madhya Pradesh, mes peurs se sont estompées. Personne ici ne veut de cette fureur qui fait sporadiquement exploser les villes. Dix heures se sont écoulées depuis mon départ de Mumbai. Après une courte halte à Kota, un étudiant en médecine ayant pour nom Mehtab Kaur est venu s'asseoir près de moi. Nous nous sommes mis à discuter et il m'a dit qu'il allait à Jhajjar, où il fait son internat dans un hôpital local. Lorsque je lui ai dit que je me rendais aussi dans cette ville, je l'ai senti perplexe. D'une voix grave, il m'a confié que cette ville où je me rendais était le fief des Jats. Je le savais, bien sûr. Et comme ça, sans raison, Mehtab s'est mis à me parler des crimes d'honneur. Depuis qu'il travaille à l'hôpital de Jhajjar, il a envoyé des tas de jeunes gens à la morgue parce qu'ils ou elles aimaient des personnes qu'ils n'auraient pas dû aimer.

Une véritable « guerre civile », m'a-t-il confié. Dans ces régions les plus traditionalistes, comme l'Haryana, le Penjab et l'Uttar Pradesh, c'est avec la bénédiction des sages des villages que l'on tue ceux qui brisent la loi des castes. Soupçonnant peut-être mes intentions, il a fini par me demander : « Alors dis-moi, qu'est-ce que tu vas faire à Jhajjar ? » Et sans détour je lui ai dit : « Je vais retrouver la femme que j'aime pour la ramener avec moi à Montréal. »

Mehtab aurait préféré ne pas entendre ces mots. Inquiet, il m'a avoué : « C'est comme si on venait de se donner rendez-vous à la morgue, mon ami ! » Ces mots m'ont fait frémir. Pendant le reste du trajet, il a cherché à me convaincre de renoncer à mon projet. Je lui ai parlé de Rashmi, du mariage que nous avions dû repousser, de son départ précipité de Montréal le 15 juillet dernier. Je lui ai montré l'adresse de la maison des Singh Dhankhar à Jhajjar, je lui ai parlé du temple aussi, celui qu'elle fréquentait sans doute en préparation de son mariage. Mehtab hochait la tête, de plus en plus soucieux. « Tu ne te rends pas compte ! répétait-il. Tu vas arriver à Jhajjar, tu vas aussitôt être repéré par la famille. Ils vont te faire la peau ! Si elle est promise à un Rajput, tu ne peux rien contre ça. Ils vont te tuer… et ils vont la tuer. »

Lorsque le train est entré en gare, Mehtab m'a fait une proposition. New Delhi est une ville immense. Ne la connaissant pas, je mettrais des heures à m'y retrouver et encore plus à en sortir le lendemain pour filer vers Jhajjar, qui n'était qu'à une soixantaine de kilomètres de là. Si j'acceptais de le suivre, nous y serions avant la tombée de la nuit. Sans détour, il m'a fait part de son plan. Je louerais une chambre au Bhindawas Hotel, un complexe touristique situé à une quinzaine de kilomètres de la ville. Haut lieu du tourisme à Jhajjar, en raison de sa proximité d'un lac magnifique, ce serait la planque idéale. Au lieu d'arpenter les rues de la ville, je jouerais les plaisanciers sur les rives du Bhindawas. Et lui se chargerait du reste. Il irait au temple, trouverait Rashmi et organiserait une rencontre. Mehtab était tellement convaincant que j'ai fini par accepter.

À notre arrivée à Jhajjar, nous avons traversé la ville sans nous faire remarquer. Mehtab m'a laissé au terminal du Haryana Roadways Bus. Une demi-heure plus tard, j'entrais dans la chambre qu'il m'avait réservée depuis New Delhi. Ce n'est pas exactement ainsi que j'avais imaginé les choses. Le triomphe de l'amour s'est transformé en opération clandestine. J'ignore si le danger dont me parle Mehtab est aussi grand que ce qu'il en dit, mais ai-je le choix ? Toute la nuit j'ai attendu Rashmi. Une nuit chaude, moite et interminable.

Et puis, il y a une demi-heure, un employé de l'hôtel est venu frapper à ma porte. Un certain Mehtab Kaur me demandait au téléphone. Comme il n'y a pas d'appareils dans les chambres, je me suis rendu à l'accueil, dans le pavillon central. Au bout du fil, mon compagnon de voyage était méconnaissable. Dans son rôle de médecin, il m'annonçait qu'il était en route vers le Bhindawas Hotel pour la consultation que j'avais demandée. La direction de l'établissement était prévenue de sa venue. Il serait accompagné d'une assistante afin de me donner des soins. Je devais les attendre dans ma chambre. J'attends depuis. J'attends et j'espère que cette assistante soit Rashmi, que Mehtab ait prévu un plan de fuite et que ce soir même, nous serons à Delhi. Sur place, nous nous rendrons à l'ambassade du Canada pour demander assistance. L'idée d'acheter un faux passeport est exclue. Je n'en ai pas les moyens, mais nous trouverons certainement quelqu'un pour nous aider. Je sais que nous allons y arriver.

Le texte se terminait sur une note d'espoir. Grâce à ce médecin rencontré sur sa route, ce bon Samaritain qui visiblement avait le sens de la mise en scène, Gabriel parviendrait peut-être à tirer son épingle du jeu. Jérôme osait le croire. L'idée de Mehtab Kaur – installer Gabriel loin de Jhajjar en se chargeant lui-même d'établir le contact avec Rashmi – était la chose à faire en pareilles circonstances. C'était en tout cas une stratégie qu'il pratiquait tous les jours dans les souterrains et les tunnels de Montréal ; passer inaperçu pour surprendre l'ennemi. Cette approche était moins évidente dans le coin de pays où il se trouvait présentement, dans ce village où chacun était le cousin de son semblable et où sa mère, improbable compagne de voyage, répétait tout ce qu'elle entendait parce qu'elle n'était plus capable de discernement ! Mais qu'à cela ne tienne, les nouvelles étaient bonnes. Il pouvait se permettre un peu d'optimisme. Encouragé, il survola les courriels qui s'étaient accumulés dans sa boîte de réception, des pourriels pour la plupart sauf évidemment les bons mots de Lynda et d'O'Leary. Les deux lui reprochaient son départ précipité et le fait de ne pas avoir donné de nouvelles depuis. Autant la patronne que l'Irlandais disaient comprendre qu'il vivait des moments difficiles avec sa mère, mais que ce n'était pas une raison pour rester muet sur la délicate question du *Protocole*. Pas un mot sur l'étrange affaire des passeports toutefois. Pas le moindre signe qu'une enquête était en cours ce qui, une fois encore, lui paraissait plus que suspect.

Il referma l'ordinateur en se promettant de revenir aux nouvelles un peu plus tard, pour voir comment s'était passée la rencontre entre Gabriel et Rashmi. Au même moment, la sonnerie d'un téléphone cellulaire le fit sursauter. Instinctivement, il chercha le sien, qu'il avait jeté du haut du balcon de l'appartement de sa mère, avant de se rendre compte que Viola était en train de parler à quelqu'un sur la terrasse. Il s'approcha de la fenêtre. L'infirmière se retourna en pointant son appareil du doigt :

— C'est Eymard, mon cousin… du garage. Il fait dire que Léopold est là !

Comme la porte du chalet était fermée, Viola parlait très fort pour qu'il entende. Jérôme se passa la main sur le visage pour chasser les derniers relents de son mal de tête. Il l'avait momentanément oublié, celui-là ! Comme il avait oublié Sangeeta et la conversation qu'il avait eue avec O'Leary depuis Notre-Dame-du-Lac, pour lui demander de vérifier si l'adolescente était bien rentrée chez elle avec ses parents. L'idée que Gabriel soit sur le point de retrouver Rashmi dans un hôtel de Jhajjar avait mis tout le reste en perspective.

— Qu'est-ce que je lui dis ? lui criait Viola.

Il agita la main pour qu'elle se fasse plus discrète, attrapa les clefs de la Pontiac sur la table et sortit. En l'apercevant, Florence s'anima :

— Ça va, Jérôme ? Les choses se passent comme tu veux ?

Viola était à l'affût. Dieu seul savait ce que sa mère lui avait encore raconté. Elle le regardait comme une mordue dévorant son feuilleton préféré à la télé !

— Veux-tu bien me dire qu'est-ce que Léopold vient faire là-dedans ? demanda-t-elle.

Jérôme fit tinter ses clefs pour annoncer son départ et se pencha pour embrasser sa mère sur le front. Une fois encore, Florence le surprit :

— À mon avis, ce Léopold va t'aider à retrouver Sangeeta.

— Sangeeta est à Montréal avec ses parents ! répondit-il, agacé. Et je ne cherche personne ! Nous sommes en vacances, ici. Tu te souviens ?

Il comptait sur les trous de mémoire de sa mère, sur le gouffre qui se creusait de jour en jour dans son cerveau pour l'endormir, pour lui faire croire qu'elle se trompait, mais elle n'entendait pas se faire berner ainsi.

— Tu sais bien que non ! Je t'ai entendu, lorsque nous étions au lac. Elle a fait le voyage avec ses parents et elle a tenté de faire une fugue, là-bas. Je n'ai pas rêvé !

— Cette affaire ne nous concerne pas, maman. Et oui, tu as peut-être rêvé.

Florence se vexa. Elle n'appréciait pas du tout qu'il la diminue ainsi devant sa nouvelle amie. Elle s'entêta :

— Nous en avons parlé ! À mon avis, elle n'est pas revenue de ce voyage. Il lui est sans doute arrivé quelque chose. Et tu étais d'accord. Tu as dit que c'est ce que tu craignais, toi aussi.

Jérôme était de plus en plus contrarié. D'autant que Viola buvait les paroles de sa mère comme s'il ne pouvait s'agir que de la vérité. De peur que Florence n'en dise davantage, il s'éloigna sans dire au revoir. L'infirmière se leva et le rejoignit alors qu'il allait monter dans la voiture.

— Je ne veux pas vous dire quoi faire, mais ce n'est pas une bonne idée de contredire votre mère. Avec ce qu'elle a…

Elle avait pointé sa tête de son index en disant ces mots.

— … c'est mieux de dire comme elle. Ça l'aide.

Loin de ses repères, Jérôme avait l'impression d'être à nu devant cette femme. Privé de ses tunnels et de leur mystère, de la ville souterraine et de l'anonymat qu'elle lui procurait, il se sentait comme un épouvantail laissé à lui-même au gré du vent. Entre sa mère malade et cette femme qui la soignait, il était devenu un livre ouvert dont Florence faisait la lecture à voix haute. Il allait lui dire de se mêler de ses affaires, lorsque l'infirmière suggéra, le plus gentiment du monde :

— Vous savez, elle a peur qu'on l'abandonne. Alors, elle cherche à être de la conversation.

— Qu'on l'abandonne ? s'interrogea-t-il.

Il n'y avait pas une once d'avidité dans le regard de Viola. Contrairement à ce qu'il avait cru, elle n'était pas à l'affût de quoi que ce soit. Ne suivait pas son enquête comme s'il s'agissait d'un feuilleton télévisé et n'était en quête d'aucune vérité et encore moins celle de Sangeeta, dont elle était incapable de prononcer le nom. Elle soignait Florence, un point c'est tout. Viola ignorait tout du glioblastome. L'idée ne lui serait jamais venue d'aller consulter la grande toile, mais d'instinct elle savait ce qu'il fallait faire. Dire comme elle, toujours. Et lui rappeler sans cesse qu'elle était là.

— Vous avez sans doute raison, finit-il par dire.

L'infirmière parut satisfaite. Elle le gratifia d'un large sourire et alla rejoindre Florence sur la terrasse. Lorsqu'il monta dans la Pontiac toutefois, Jérôme se repassa les quelques mots de leur échange. Pourquoi l'infirmière lui avait-elle parlé d'abandon ? Sa mère lui avait peut-être soufflé le mot à l'oreille. Florence et lui n'en étaient pas à une confusion près. Quelques jours avant qu'elle ne voie le Dr Tanenbaum, n'avait-elle pas affirmé qu'elle souffrait de migraines sympathiques, que ses maux de tête à lui étaient devenus les siens ? Craignant d'être abandonnée, elle faisait un nouveau transfert affectif. Encore des sornettes auxquelles il ne fallait prêter attention.

Jérôme se mit en route en s'efforçant de faire table rase. Il préférait chercher Sangeeta plutôt que se chercher lui-même. Pour la simple raison qu'il savait à quelle adresse il logeait, alors que les choses étaient nettement moins claires pour la fille cadette de Sanjay Singh Dhankhar.

* * *

Eymard Thibodeau attendait Jérôme près des pompes à essence de son garage. Il l'accueillit comme s'ils se connaissaient depuis toujours, s'empressant de lui dire à voix basse :

— Léopold, il est un peu spécial. Il ne parle pas beaucoup. Mais il est fiable.

Jérôme se demanda pourquoi tant de précautions, mais dès qu'il aperçut le gaillard, il comprit. Léopold faisait un mètre quatre-vingt-dix, affichait une moustache qui lui donnait l'air d'un lanceur de couteaux et n'avait pas un cheveu sur le caillou. Comme si ce n'était pas assez, lorsqu'il ouvrait la bouche, on ne comprenait rien !

— *Driver* les *étranges*, j'fais pas ça *free*, moi ! L'autre *weirdo*, il m'a donné cent *piasses*. Toi, comment c'que tu *buy* ?

Le garagiste s'empressa de traduire :

— Il veut être payé.

— Pas de problème, annonça Jérôme en enfonçant la main dans sa poche.

Sanjay Singh Dhankhar lui avait refilé cent dollars. Il lui offrit le même montant.

— Je serais bien allé avec vous, s'excusa Thibodeau, mais je suis seul au garage en ce moment.

Il n'y eut aucune discussion. Léopold empocha l'argent, ils montèrent dans la Pontiac et se mirent en route vers l'ouest. Au bout d'un moment, le colosse se rendit compte que les rideaux avaient disparu devant les glaces arrière. Il haussa les épaules, sans toutefois faire de commentaire. Puis il pointa la bretelle d'accès de la route 15. Ils enjambèrent un cours d'eau, roulèrent encore un moment vers l'ouest, jusqu'à ce que le colosse lui dise :

— Tu vires par là jusqu'à Haute-Aboujagane !

Jérôme n'avait toujours pas retenu le nom, mais il fit ce que son guide lui disait. La route 933 était tout en dos-d'âne. Une campagne ridée qui avait mal vieilli. Plus ils avançaient, plus il y avait de nids-de-poule et de crevasses sur la chaussée. Le silence était lourd. Jérôme tenta de faire la conversation :

— M. Dhankhar voulait acheter une terre, si j'ai bien compris ?

Léopold le regarda longuement avant de dire :

— C'était ça son nom ? Danker ?

— Dhankhar, précisa Jérôme. Sanjay Singh Dhankhar.

— Un *weirdo* !

— Pourquoi vous dites ça ? Ça fait deux fois...

— Parce que c'est un *weirdo* ! répéta le colosse, indigné. Je lui ai dit que les terres de l'autre côté de Haute-Aboujagane appartenaient aux Anglais. C'est des terres de roches. Y a rien qui poussera jamais là-dessus ! Y a des places ben mieux que ça en Acadie ! Mais c'est là qu'il voulait aller, lui ! Il avait *spotté* une place sur une *map*. C'est ça qu'il voulait voir. Ça n'avait pas de bon sens, son affaire !

Sur ce point, Jérôme s'entendait avec Léopold. Ce projet d'acheter une terre ne tenait pas la route. Encore moins à l'endroit où le colosse le conduisait. Ils passèrent Haute-Aboujagane sans s'y arrêter, bifurquèrent sur une plus petite route encore appelée Babe Road. Ces noms ne lui étaient pas moins étrangers que ceux qu'il avait lus sur le blogue de Gabriel ! En continuant à rouler ainsi, peut-être croiseraient-ils Surat, Vadodara, Ratlam et Kota ! De l'autre côté de la forêt de Haute-Aboujagane, peut-être déboucheraient-ils sur Jhajjar, le pays des Jats et des Rajputs ! Se rendant compte qu'il ne s'y retrouverait pas si jamais il voulait revenir, Jérôme s'arrêta sur le bas-côté de la route, trouva un bout de papier et nota à rebours le trajet qu'ils venaient de faire.

— Danker aussi a fait ça, fit remarquer Léopold. Il a écrit le chemin sur un morceau de papier.

Jérôme nota ce détail. Sanjay comptait donc revenir ici. L'endroit lui plaisait assez pour considérer un achat. Au bout d'un moment, ils se remirent en route. Un kilomètre plus loin, la chaussée se dégrada encore et devint très étroite. Le colosse abaissa la glace, comme s'il avait chaud. En fait, il était nerveux. Peut-être ne s'y retrouvait-il pas ? Assis sur le bout de son siège, il marmonnait à voix basse quand soudain, il pointa du doigt :

— Là, là... sur la *drette* !

Jérôme ne voyait rien. Léopold s'impatienta :

— Là, j'te dis ! C'est le rang Beaubassin.

Il avait raison. Un ancien chemin de bûcherons débouchait sur la droite, au milieu d'un boisé d'épinettes. Une allée si étroite que les branches des arbres égratignèrent la caisse de la Pontiac lorsqu'il s'y engagea.

— C'est encore loin ? demanda Jérôme, plus ou moins rassuré.

— J'te dirai.

Le rang Beaubassin n'était rien de plus qu'un sentier. La voiture tombait dans des trous, faisait des bonds vertigineux lorsqu'elle en ressortait. Jérôme roulait à pas de tortue, se demandant comment il sortirait de là. À moins que la piste ne débouche sur une clairière, il lui serait à peu près impossible de faire demi-tour. Il n'aurait d'autre choix que de faire marche arrière, ce qui ne serait pas un exercice de tout repos avec son unique bras. Un mur de conifères apparut alors devant eux. Léopold déclara tout de go :

— C'est *icitte* !

Désemparé, Jérôme immobilisa la Pontiac et descendit. Il croyait que le colosse ferait de même, mais celui-ci resta à l'intérieur et alluma une cigarette. Le sentier faisait un virage en épingle à cet endroit. Sanjay Singh Dhankhar n'était pas allé plus loin. Des traces de pneus dans l'herbe rappelaient son passage. Il se pencha pour les regarder de plus près. Un essaim de mouches noires s'abattit alors sur lui, l'attaquant de tous côtés. Il essaya de les chasser de la main en continuant d'examiner les empreintes. L'érosion avait fait son œuvre. Il s'était écoulé trop de temps depuis le passage de l'Indien pour que l'on puisse en tirer quelque information. Les mouches, elles, redoublaient d'efforts, arrachant littéralement des bouts de peau de sa main et de son visage découvert. Il s'éloigna du sentier et s'enfonça dans la forêt, espérant semer le nuage noir qui s'était formé autour de lui. C'était pire encore. Des moustiques l'attendaient dans cet enchevêtrement de feuillus. Les petites bêtes le dardant de partout, il comprit pourquoi Léopold était resté dans la voiture à tirer sur sa cigarette. Quelques-unes d'entre elles s'étaient faufilées dans la Pontiac lorsqu'il en était descendu, mais la fumée de cigarette les tenait éloignées du colosse.

Jérôme arpenta la forêt pendant une dizaine de minutes, conscient qu'il représentait un festin inespéré pour ces mouches affamées qui le harcelaient, s'introduisant dans ses narines et ses oreilles. Comme il était loin de ses corridors, de ses tunnels urbains, dont il savait lire les murs, décoder les portes et reconnaître les odeurs ! Ici, les arbres se ressemblaient tous dans la mesure où ils ne lui parlaient pas. La hantise d'être sur une fausse piste s'empara alors de lui. Cette échappée dans la forêt était une perte de temps ! Il ne trouverait rien ici ! Sanjay Singh Dhankhar avait imaginé cette diversion parce qu'il se sentait épié, surveillé par les gens du village. Dans ce pays où tout le monde sait ce que tout le monde fait, il avait ressenti le besoin de donner un sens à son voyage pour cacher ses véritables intentions. Pendant qu'il gardait sa femme et sa fille enfermées dans un chalet, il se présentait comme l'acheteur potentiel d'une terre. Pour donner du poids à son alibi, il avait même engagé ce Léopold un peu simplet, qui n'y avait vu que du feu. Les apparences étaient sauves. Pendant qu'Eymard Thibodeau, sa belle-sœur, sa cousine et son beau-frère étaient persuadés que ce *weirdo* rêvait de s'installer du côté de Haute-Aboujagane, il avait les mains libres pour mener à bien son projet. Une machination qui lui paraissait maintenant limpide et que Florence avait été la première à deviner : « Si tu veux mon avis, Sangeeta n'est jamais revenue du Nouveau-Brunswick », avait-elle dit. Il le croyait aussi. Mais qu'était-il advenu de la cadette de la famille dont il revoyait la photo sur le blogue de Gabriel ?

Soudain, Jérôme eut une bouffée de chaleur. Les oreilles en feu, il se mit à tituber entre les arbres, se demandant ce qui lui arrivait. Levant les yeux, il aperçut la Pontiac au loin. Il s'était considérablement éloigné. C'est à peine s'il voyait Léopold à l'intérieur. Prenant ses jambes à son cou, il se mit à courir en se plaquant les mains de chaque côté de la tête. Une douleur indescriptible l'assaillait, lui arrachant littéralement les pavillons des oreilles. Même s'il courait, les mouches ne le lâchaient pas. Plusieurs le suivirent lorsqu'il monta dans la voiture, mais cessèrent de l'attaquer dès qu'il referma la portière.

— Elles t'ont mangé la *goule* ! rigola Léopold en continuant de tirer sur sa cigarette.

Jérôme leva les yeux et jeta un œil dans le rétroviseur. Il avait les oreilles rouges et enflées. Démesurément enflées. C'est alors seulement qu'il reconnut l'odeur.

Celle de la marijuana. Bien calé dans son siège, Léopold tirait sur un joint, « le meilleur antidote contre cette engeance », affirma-t-il en lui offrant le mégot du deuxième pétard qu'il s'envoyait.

— Non merci ! fit Jérôme en sentant monter sa colère.

Il voulut abaisser la glace pour aérer le véhicule et chasser l'odeur, mais les mouches n'attendaient que cela. Le colosse l'en dissuada très vite :

— Si tu veux pas qu'elles finissent de te manger la tête, t'es mieux de rester dans la boucane !

N'ayant aucun argument à offrir, Jérôme lança le moteur et fit marche arrière. Le voyant manœuvrer avec sa seule main, le colosse lui offrit de prendre le volant. Il avait l'habitude dans ces chemins boisés.

— Tu n'es pas en état de conduire ! lui reprocha sèchement Jérôme.

Léopold se vexa. Du coup, Jérôme perdit le contrôle et s'écarta de la piste. Il voulut se reprendre en faisant marche avant, mais s'enfonça dans un trou et resta coincé. Furieux, il remit en marche arrière et enfonça l'accélérateur. Une odeur de caoutchouc se répandit aussitôt dans l'habitacle.

— Wo, wo ! lui cria Léopold. Tu vas *blower* l'engin !

D'autorité, il descendit, fit le tour du véhicule et ouvrit la portière côté conducteur.

— Tasse-toi, *m'a* te montrer, moi !

Penaud, Jérôme se glissa sur la banquette voisine et le laissa faire. Les effluves de marijuana, mêlés au parfum âcre du caoutchouc brûlé, lui donnaient le tournis. Avec ses oreilles en feu et ses dix mille piqûres de moustiques, il devenait fou. En revanche, Léopold était plus éveillé que jamais. Malgré ses deux joints, il conduisait mieux en marche arrière que Jérôme en marche avant. Il évitait les obstacles, faisait valser la Pontiac entre les trous et les crevasses si bien qu'ils débouchèrent à reculons sur la route de Haute-Aboujagane en un rien de temps. Refusant de céder le volant, le colosse prit la route de Cap-Pelé en sifflant et en fouillant dans ses poches. Lorsqu'il brandit un troisième joint, Jérôme sortit de ses gonds :

— Non, non ! C'est assez ! Je ne veux pas que tu fumes dans mon *char* !

Il avait employé ce mot pour être certain de se faire comprendre. Le souvenir de Sanjay Singh Dhankhar le rattrapa aussitôt. C'était la première chose que lui avait dite l'Indien en lui ouvrant la porte : « Vous venez voir le *char* ? » Il regrettait presque de lui avoir répondu et surtout d'avoir acheté le véhicule. Cette affaire l'avait précipité dans une spirale dont il n'arrivait plus à se sortir.

— C'est juste du *home grown*, marmonna le colosse en allumant le joint.

Léopold conduisait d'une seule main et roulait beaucoup trop vite sur cette route défoncée. Les maisons de Haute-Aboujagane se profilaient déjà au loin. L'air vicié de la Pontiac aidant, Jérôme commença à croire qu'il était dans un cauchemar. La marijuana lui turlupinait les neurones, si bien que lorsqu'ils bifurquèrent sur la route 933, il eut l'étrange impression qu'ils étaient suivis. Il se pencha pour regarder dans le rétroviseur du passager. Léopold annonça aussitôt, flegmatique :

— Je l'ai vue !

Il n'avait pas rêvé. Une auto-patrouille de la GRC s'était mise à les suivre lorsqu'ils s'étaient engagés sur la grande route. Affolé, Jérôme baissa la glace pour aérer tandis que le colosse faisait de même. Un peu moins fantasque, il avait levé le pied et ne quittait plus le rétroviseur des yeux. Normalement, la voiture se serait rapprochée mais elle n'en faisait rien, se contentant de les suivre à distance. Jérôme imagina tout de suite la scène. Un agent de police les forçant à se ranger sur le bas-côté de la route, leur demandant leurs papiers puis, reconnaissant l'odeur de la marijuana, les obligeant à descendre. Il se voyait debout, la main sur la voiture, en train de se faire fouiller. Nettement plus détendu, Léopold sifflait toujours.

— Arrête ! Arrête de siffler ! Tu me rends fou ! lança Jérôme, féroce.

— *Freake* pas ! Y a rien là !

La suite lui donna raison. Ils roulèrent sans se presser jusqu'à la route 15, empruntèrent l'autoroute et sortirent à Cap-Pelé. L'auto-patrouille ne les lâchait pas mais elle restait à distance, comme si tout cela n'était qu'une coïncidence. Une voiture de police allant au même endroit et empruntant la même route qu'eux. Jérôme desserra les mâchoires lorsqu'il aperçut le garage Sergaz, sur la gauche à l'entrée du village. Léopold arrêta la Pontiac devant les pompes à essence et descendit comme si tout allait pour le mieux dans le meilleur des mondes. L'auto-patrouille passa son chemin et l'agent au volant ne leur prêta pas la moindre attention. Jovial, Eymard Thibodeau se pointa aussitôt, s'essuyant les mains avec son éternelle guenille :

— Pis ? Avez-vous vu quelque chose ?

Jérôme était vert ! Était-ce l'effet de l'herbe qu'il avait fumée bien malgré lui ou les coutumes du pays qui continuaient à lui échapper ? Chose certaine, la paranoïa s'était emparée de lui. Où qu'il aille, quoi qu'il fasse, il lui était dorénavant impossible de passer inaperçu. Les détails de son enquête étaient étalés sur la place. Lorsqu'il sortait du fond des bois, un agent de la GRC le filait ! Et maintenant ces questions d'Eymard Thibodeau qui le regardait d'un drôle d'air !

— Pour moi, Léopold t'a fait goûter à sa p'tite boucane, ajouta-t-il le sourire en coin.

— C'est les mouches, se contenta de dire Jérôme en reprenant le volant de la Pontiac.

Il n'avait surtout pas envie d'engager la conversation avec Thibodeau, de peur que ses propos ne soient répétés. S'il était allé se faire manger les oreilles dans la forêt, ça ne regardait que lui ! Il avait découvert que le projet de Sanjay Singh Dhankhar, celui d'acheter une terre en Acadie, n'était qu'un alibi, une couverture pour dissimuler ce qu'il comptait réellement faire dans ce pays où tout finit par se savoir. Si Jérôme voulait mener son enquête à bien, il avait tout avantage à en dire le moins possible.

* * *

Ce n'est que beaucoup plus tard dans la soirée que Jérôme retrouva ses esprits. À son retour de Haute-Aboujagane, Viola les avait laissés seuls, Florence et lui. Faisant des merveilles avec ce qu'elle avait trouvé dans le frigo, l'infirmière leur avait préparé une espèce de soupe au poulet très goûteuse, relevée à la sarriette, qu'elle avait appelée un « fricot » et dont il s'était servi deux fois. Sa mère était taciturne, mais elle allait bien. L'air de la mer l'avait vivifiée, la présence de Viola, sans doute rassurée, et lorsque à la tombée du jour elle avait dit : « J'irais bien me coucher, moi… », Jérôme l'avait prise par le bras et l'avait conduite dans sa chambre. Aussitôt la porte fermée, elle ronflait.

Jérôme passa par la cuisine, attrapa une bière dans le frigo, en fit sauter la capsule et vint s'asseoir devant la grande fenêtre donnant sur le marais et son trottoir flottant. Sa journée avait été un chapelet de contrariétés, mais les choses s'étaient apaisées après le repas, après le réconfortant fricot de Viola. Depuis, il cherchait à se convaincre que toutes ces enquêtes qu'il menait dans sa tête étaient aussi futiles les une que les autres. Si on l'avait soupçonné d'avoir participé à la tentative de vol des passeports, il y a belle lurette qu'on l'aurait rattrapé. Et s'il était si important que la GRC ou la SQ mette la main sur sa copie du *Protocole*, ce serait déjà fait. Il y avait bien l'hypothétique disparition de Sangeeta qui le faisait encore courir, mais à bien y penser, ce n'était qu'une façon d'échapper à sa mère et à toutes ces maladies qu'elle lui attribuait.

Jamais la bière n'avait été aussi bonne. Avec en plus cette demi-lune, déjà bien haute dans le ciel, et le silence qui régnait dans la petite maison, il touchait presque au bonheur. Dans la forêt de Haute-Aboujagane, il s'était bien vu courir après son ombre comme un chien effrayé. Un vieux réflexe pensait-il maintenant. Après une bonne nuit de sommeil, il céderait pour de bon. Les vacances étaient enfin là.

Il allait se lever pour prendre une autre bière et peut-être dégoter ce livre dans ses valises, celui de l'homme faisant route vers le Pacifique, pour en relire des passages qu'il avait bien aimés, lorsque deux ombres se profilèrent sur la terrasse. Celles d'un homme et d'une femme qui vinrent frapper à la porte. Il alla leur ouvrir.

— Bonsoir, fit l'homme en lui tendant la main. Je m'appelle Jean-Paul. Et elle, c'est ma femme… Emma. On est propriétaires ici. Les Aboiteaux, c'est à nous.

Jérôme les salua en les invitant à entrer.

— Vous voulez boire quelque chose ? J'allais prendre une bière.

— Non merci, fit Emma en se tournant vers la table.

— Vous voulez nous voir, je crois. La jeune fille à l'accueil nous l'a dit et nous avons parlé à Viola aussi.

L'un et l'autre parlaient à voix basse, comme s'ils craignaient que leurs propos ne soient entendus par quelque oreille indiscrète, tapie dans l'ombre du chalet. Leur réserve plut immédiatement à Jérôme. Il les invita à prendre place autour de la table. Comme Camille, la propriétaire du Marie-Blanc, Jean-Paul et Emma y allèrent d'abord d'une mise en garde :

— N'allez pas croire qu'on parle dans le dos de nos clients ! On ne le fait jamais. Quand les gens louent un chalet chez nous, ils ont droit à leur intimité et on respecte ça. Mais pour les Dhankhar, disons que…

Emma s'était arrêtée au milieu de sa phrase comme si le mot juste lui échappait. Son mari parla à sa place :

— Ce n'était pas des clients ordinaires.

— C'est ce que j'ai cru comprendre ! fit Jérôme sur le même ton.

Pendant les quelques minutes qui suivirent, le couple fit tour à tour un compte rendu du séjour de la famille indienne aux Aboiteaux. Les phrases étaient courtes, le ton sobre, mais Jérôme n'apprit rien de nouveau. Jean-Paul évoqua les rideaux de la Pontiac et le fait que la mère et la fille passaient leurs journées enfermées à double tour dans le chalet. Emma fit part de la rumeur qui courait dans le village, à savoir que Sanjay, le père, cherchait à acheter une terre dans le coin, un projet auquel il n'avait pas donné suite.

— Pendant tout leur séjour, ils ont refusé de laisser entrer les femmes de ménage pour nettoyer. Les rideaux du chalet étaient toujours tirés. Au bout d'une semaine, ils sont partis… en pleine nuit. C'est lui qui a payé avec une carte de crédit. Aucun pourboire. Bonjour la visite ! conclut Emma.

— Donc, si je comprends bien, ils n'ont rien fait de mal, reprit Jérôme, se faisant l'avocat du diable.

— Pas vraiment, concéda Jean-Paul.

Ce à quoi Emma s'empressa d'ajouter :

— C'est la tête qu'il avait, cet homme. Dans les yeux, il y avait quelque chose de pas clair. Je ne sais pas comment dire. C'était *épeurant*!

Jérôme savait évidemment de quoi il était question, mais cette conversation nocturne n'apportait pas d'eau au moulin. En rien elle ne faisait avancer les choses.

— Ils n'ont rien cassé, rien volé. Vous n'avez rien à leur reprocher à part leurs manières et le comportement mystérieux du père.

— Non, rien! reconnut Jean-Paul.

Emma ajouta tout de même un bémol:

— C'est vrai que tout était parfait quand ils sont partis. Mais le lendemain, on s'est rendu compte qu'il manquait un drap.

— Un drap? répéta Jérôme.

— Ça arrive quelquefois! Quand les gens partent, ils emportent des serviettes, des draps, des linges à vaisselle. Ils pensent que c'est à eux, que ça leur appartient. On en perd plein chaque année. Vraiment, c'est tout ce qu'on peut leur reprocher.

Il y eut un long silence. Jamais durant cette conversation Jean-Paul et Emma ne lui demandèrent s'il était policier. Ils semblaient le savoir. Ils ne lui demandèrent pas non plus ce qu'il cherchait. Cela semblait leur être égal. À l'image de leur arrivée, leur sortie de scène fut aussi abrupte que polie. Emma se leva la première:

— J'espère que ça vous aidera.

Jean-Paul tendit la main à Jérôme et ils se retirèrent sans bruit. Après leur départ toutefois, il se demanda ce qu'il devait retenir de cet échange nocturne. Bien peu de choses, conclut-il, sinon que Sanjay Singh Dhankhar n'était coupable de rien. Tout compte fait, c'est peut-être Blanchet qui avait raison, dès le départ. Après sa brève rencontre avec l'Indien, il était tombé dans le piège du profilage racial. L'idée lui paraissait tout à coup acceptable, d'autant qu'elle libérait de l'espace dans sa tête pour qu'il se sente réellement en vacances. Peu à peu, il lâchait prise.

Il allait passer dans sa chambre chercher le livre et relire le passage qu'il avait en tête lorsqu'il aperçut son ordinateur, sur la table basse du salon. C'est Viola qui l'avait mis à cet endroit au moment de servir son fricot. Douze heures s'étaient écoulées depuis qu'il avait pris des nouvelles de Gabriel Lefebvre. Ne pouvant résister, il prit l'appareil dans ses mains, releva l'écran et tapa l'adresse du blogue. Ce qu'il y apprit le stupéfia.

Aéroport international Indira Gandhi, New Delhi, 5 août, 21 h 30. J'attendais Rashmi. Mehtab Kaur m'avait annoncé sa venue. C'est plutôt avec Sangeeta qu'il s'est présenté au Bhindawas Hotel. La sœur cadette était terrorisée, mais elle tenait à me rencontrer pour me dire ce qui s'était passé. J'ai mis un moment à comprendre. Douze heures se sont écoulées depuis. Je suis sur le point de monter dans un avion qui me ramènera à Montréal et je ne suis pas encore certain d'avoir saisi tous les tenants et aboutissants de cette affaire. Le 15 juillet dernier, c'est Sangeeta qui a pris l'avion à l'aéroport Montréal-Trudeau avec son oncle, Prabhat Singh Dhankhar, et non Rashmi, sa sœur aînée. La plus rebelle des deux sœurs s'est bien rendu compte, dans les jours précédant le présumé départ de Rashmi, qu'elle était condamnée. L'humiliation qu'elle avait fait subir à son père était une faute irréparable. La prétendue perte de sa virginité et surtout sa fronde à l'endroit de Sanjay signalaient ni plus ni moins que son arrêt de mort.

L'arrivé de l'oncle Prabhat, le 13 juillet, a toutefois changé la donne. Il était porteur du jugement des sages de la khap panchayat *de Jhajjar. Mis au courant de ce qui se passait à*

Montréal chez les Singh Dhankhar, ceux-ci avaient débattu la question lors du palabre du vendredi précédent. L'honneur de la famille était entaché, mais la vraie coupable n'était pas celle qu'on pensait. Rashmi, l'aînée des Singh Dhankhar, avait le devoir de donner l'exemple. En s'engageant à épouser un étranger, c'est bien elle et non Sangeeta qui avait rompu la tradition. Les vieillards de Jhajjar considéraient que la cadette s'était tout au plus laissé influencer et qu'elle avait droit à une deuxième chance. À condition bien sûr qu'elle accepte de rentrer dans le rang. Pour cela, il lui suffisait d'épouser Manoj Wazirpur, même si sa virginité ne pouvait être garantie. Et l'honneur de la famille serait sauf. Rashmi, en revanche, devrait payer pour sa faute. C'était une chance inespérée pour Sangeeta. Le dos au mur après des jours de séquestration, elle voyait la porte s'entrouvrir. Profitant de l'occasion, elle s'est inclinée. Le tout s'est joué dans les heures précédant le départ de Montréal. Utilisant le passeport et le titre de voyage de Rashmi, la cadette s'est fait passer pour sa sœur et a pris la fuite sans se retourner. Les douaniers n'y ont vu que du feu.

Donc, Rashmi est à Montréal. Et moi, je n'ai aucune raison de rester ici ! Qu'est-ce qui lui est arrivé ? Je l'ignore. Quel sombre dessein se cache derrière ce jeu de substitution ? Sangeeta est bien consciente de ce qu'elle a fait. Elle croit, ou plutôt elle espère qu'en épousant Manoj Wazirpur, elle expiera la faute de sa sœur. C'est en tout cas ce qu'on lui a fait croire. Mais j'ai des raisons d'en douter. Le poids de la tradition est écrasant. Et parfois mortel. Sanjay Singh Dhankhar aurait très bien pu dissimuler l'affaire, puisqu'elle s'était passée si loin de l'Haryana. Il a plutôt décidé d'obéir à la loi, à ces règles tout droit sorties du moyen âge. Le mariage entre Sangeeta et Manoj Wazirpur aura lieu dès le retour des Singh Dhankhar au pays. Mais qu'est-il advenu de Rashmi ? J'ai envie de croire que son père aura résisté à cette folie. Mais en est-il capable ?

Mehtab Kaur avait honte ce matin. Honte de cet honneur qui le déshonore. Ce qu'il ne m'a pas dit cependant, c'est qu'il est lui aussi inquiet pour Rashmi. Il ne me l'a pas avoué, mais il ne donne pas cher de sa peau. Ni de la mienne d'ailleurs. Avec la même intensité dont il a fait preuve à Delhi pour m'inciter à rester loin de Jhajjar, il m'a convaincu de partir. Si Prabhat venait à apprendre que j'étais au pays, le pire était à craindre, non seulement pour moi mais également pour Sangeeta. Voilà d'ailleurs pourquoi elle était morte de peur. Ce n'est pas tant le sort de Rashmi qui la faisait trembler que ce qui pouvait lui arriver si on la trouvait en train de discuter avec ce Canadien par qui le mal est venu. Elle avait rêvé de s'enfuir elle aussi, d'échapper à ces mœurs rétrogrades. Elle était rebelle, mais elle ne l'est plus. Elle a peur et elle est condamnée à l'Haryana. Lorsque nous nous sommes quittés ce matin, Sangeeta était déjà la femme de Manoj Wazirpur, un homme qu'elle ne connaît pas.

Une fois encore, Mehtab Kaur s'est chargé de tout. Après avoir reconduit Sangeeta au temple, il est revenu me chercher et m'a laissé au dépôt d'autobus de Jhajjar. Jusqu'à la dernière minute, il n'a cessé de s'excuser. À la fin, je ne l'écoutais plus. Lorsque je me suis mis en route vers Delhi, j'ai eu le sentiment que je me rapprochais de Rashmi. Je me suis accroché à cette idée qui ne m'a plus quitté depuis. Tout compte fait, je n'ai cessé de m'en éloigner en venant ici. Mais aujourd'hui, j'ai envie de croire qu'elle est chez moi, qu'elle est bien vivante et que je n'ai pas fait ce voyage pour rien. Je suis venu ici pour constater, de mes yeux, la peur que j'ai toujours vue dans les siens.

Rashmi

Jérôme avait mal dormi. Toute la nuit, il avait ressassé l'affaire. Sangeeta était retournée dans son pays en utilisant le passeport et le titre de voyage de sa sœur. À Jhajjar, Manoj Wazirpur ne voyait aucun inconvénient à épouser la cadette plutôt que l'aînée, qu'elle soit vierge ou non, le but de l'opération étant tout autre. Dès que Sangeeta lui donnerait un enfant, Manoj gagnerait le gros lot. Il hériterait du patrimoine de sa famille. C'est bien ce que Gabriel lui avait expliqué avant son départ. Pour Sanjay Singh Dhankhar en revanche, la situation était nettement plus délicate. Il devait respecter la volonté des sages de la *khap panchayat*. Revenir au pays avec Rashmi jetterait la honte sur sa famille. D'où l'importance de trouver une solution à ce problème. Une solution définitive.

Trois fois pendant la nuit, Jérôme s'était réveillé avec ces mots en tête. Une solution définitive. Il n'arrivait pas à croire que Sanjay ait fait une chose pareille. Autant il maudissait cet homme qui le faisait courir, autant il éprouvait de la tristesse pour lui. Prisonnier d'une tradition cruelle, il devait vivre une épouvantable détresse. Ce qu'il avait d'emblée pris pour le regard d'un tueur était peut-être l'expression d'une grande misère. Et s'il avait décidé d'épargner Rashmi, finalement? S'il l'avait ramenée à Montréal? Il jonglait avec cette hypothèse lorsqu'un bruit le tira brusquement du sommeil. Le jour était levé. Il tendit l'oreille mais n'entendit plus rien. Le calme plat. Il allait se rendormir lorsque le bruit se fit entendre à nouveau. On frappait à la porte.

— Oui, j'arrive! lança-t-il en enfilant son pantalon.

Jérôme sortit de la chambre et regarda par la fenêtre. Il aperçut une auto-patrouille de la GRC rangée tout près de la Pontiac. Il pensa évidemment à cette voiture qui les avait suivis la veille, alors qu'ils revenaient de Haute-Aboujagane. Sans bruit, il vint ouvrir. Un agent de police était debout sur la terrasse, un téléphone portable dans les mains. En le voyant, les paupières lourdes et les cheveux hirsutes, il parut hésiter.

— Jérôme Marceau?

— Oui, c'est moi.

— Une minute, lui dit-il.

Il déplia le téléphone, appuya sur la touche de recomposition et le lui donna.

— Y a un appel pour vous.

Jérôme mit un moment avant de prendre l'appel. Cette petite mise en scène ne lui disait rien qui vaille. L'agent s'impatienta:

— Je pense que vous auriez avantage à répondre!

Jérôme sortit du chalet, referma derrière lui et jeta un œil vers le chalet voisin. Malgré l'heure matinale, Viola se berçait déjà sur sa terrasse. Elle suivait la scène à distance en sirotant un café. Jérôme prit l'appareil au moment même où quelqu'un décrochait à l'autre bout.

— Bon matin, enquêteur Marceau. Ici le sergent Pierre Leblanc.

Jérôme reconnut l'accent du policier rencontré dans les sous-sols de la Place Guy-Favreau, celui-là même à qui il avait parlé la nuit de son départ de Montréal.

— Oui ?

— Vous n'êtes pas facile à rejoindre !

— Je suis en vacances en ce moment, marmonna-t-il.

— Je sais, je suis au courant. Vous êtes avec votre mère, je crois... qui a des petits ennuis de santé, si j'ai bien compris. Est-ce qu'elle va mieux ?

— Non, répondit sèchement Jérôme.

— Ah, c'est dommage ! Vous savez, il y a de très bons hôpitaux à Montréal.

— L'air de la mer lui fait du bien.

— Je vous comprends ! Je suis moi-même originaire d'Acadie et je peux vous dire que...

— Qu'est-ce que vous me voulez, sergent ? fit Jérôme en élevant la voix.

Il y eut un silence au bout du fil. L'agent qui lui avait remis le téléphone se tenait à quelques pas. Il n'avait pas une tête à rigoler. Sur sa terrasse, Viola ne se berçait plus. Elle écoutait en se demandant pourquoi Jérôme s'impatientait ainsi.

— L'autre jour, quand on s'est rencontrés pour cette histoire de passeports volés, reprit le sergent Leblanc, j'ai été un peu...

Il fit mine de chercher un mot, mais ce n'était que pour la forme. Il savait parfaitement ce qu'il voulait dire.

— Je me suis renseigné depuis et je me suis rendu compte que je vous ai sous-estimé. Les gens qui vous entourent ont une très haute opinion de vous. On me dit que vous êtes très fort...

Il avait appuyé sur le mot « fort » puis avait fait une pause, laissant à Jérôme le plaisir de savourer le compliment. Mais il n'avait pas fini :

— … et que vous pourriez occuper un poste beaucoup plus…

— Je suis en congé de maladie, l'interrompit Jérôme. Et je suis plutôt content de mon sort.

Il y eut un long silence au bout du fil. Le sergent Leblanc revint à la charge, visiblement agacé :

— On s'entend que le SPVM, c'est sympathique comme organisation, mais il n'y a pas grand avenir de ce côté-là ! Pour tout vous dire, je ne connais personne qui soit l'adjoint d'un enquêteur chef et qui ne rêve pas de le remplacer un jour !

— Je suis très bien comme je suis, insista Jérôme.

— Je ne connais pas l'enquêteure Léveillée, votre patronne, mais d'après ce qu'on m'a dit, j'ai beaucoup de mal à vous croire !

Cette conversation était de plus en plus désagréable. Elle se jouait surtout à forces inégales. Leblanc tenait à lui faire savoir qu'il avait enquêté sur lui. Jérôme devait en revanche se contenter de deviner l'objet de son appel.

— Venez-en au fait, sergent ! Je n'ai pas toute la journée !

Le coup de semonce déstabilisa momentanément son interlocuteur. Leblanc avait un plan de match. Après avoir flatté son orgueil, il voulait lui faire miroiter un poste, une meilleure situation. Un enquêteur de son calibre méritait mieux. Jérôme prit les devants :

— Vous voulez me parler du *Protocole de 95* ? C'est ça ?

— Notre dernière conversation s'est terminée un peu abruptement, reprit le policier. J'aurais effectivement aimé qu'on approfondisse la question…

— Parce que vous faites toujours enquête sur les passeports, si je comprends bien, et que vous aimeriez bien savoir qui était derrière le coup ?

Nouveau silence. Leblanc ignora la question de Jérôme, prit une grande respiration et reprit là où il avait arrêté :

— Voyez-vous, monsieur Marceau, nous croyons que vous avez une copie de ce document, ce plan d'action advenant que le « Oui » l'ait emporté au référendum de 1995. Cela touchait notamment la prise de contrôle des étages souterrains de la Place Guy-Favreau et certains documents liés à la sécurité nationale…

— Je vous arrête tout de suite, sergent ! Je n'ai pas conservé de copie du *Protocole de 95*. Je vous l'ai déjà dit et je vous le répète !

— J'aimerais tout de même vous rencontrer pour en parler.

— Ça ne servirait à rien ! Je suis en congé de maladie et je m'occupe de ma mère en ce moment.

— Je suis prêt à me déplacer. À aller vous voir où vous êtes.

— Vous perdriez votre temps !

— Voici ce que nous allons faire, insista le sergent Leblanc. Comme vous n'avez pas de téléphone en ce moment, je vais vous laisser celui que vous avez entre les mains. Mon numéro est en mémoire. Si pour une raison ou une autre, vous veniez à changer d'idée et étiez intéressé à savoir ce que nous pourrions vous offrir, vous n'aurez qu'à faire la recomposition automatique. Je serai au bout du fil…

— Je ne veux pas de votre téléphone ! Je me suis départi du mien parce que je voulais avoir la paix !

— Vous avez l'occasion d'améliorer votre sort, enquêteur Marceau. Vous êtes extrêmement doué et il n'y a pas de raison pour que vous croupissiez ainsi dans un service qui ne fait pas le poids. Pensez-y ! Je ne suis qu'à une heure d'avion de l'endroit où vous vous trouvez. Et j'aime bien retourner en Acadie !

Jérôme referma le téléphone et le tendit à l'agent, qui n'avait cessé de froncer les sourcils tout au long de la conversation. Refusant de prendre l'appareil, celui-ci baragouina avec une pointe de respect dans la voix:

— Il est à vous, enquêteur Marceau.

C'est tout juste s'il ne lui fit pas le salut militaire en se retirant. Jérôme le suivit du regard jusqu'à ce qu'il monte dans sa voiture. Le cou tordu, Viola faisait de même sur sa terrasse. L'auto-patrouille s'éloigna doucement. Jérôme regagna le chalet et déposa le téléphone sur la table. Les choses se précipitaient. Il n'avait pas appris grand-chose de l'hypothétique enquête sur les passeports volés, mais chose certaine, sa copie du *Protocole* continuait d'être un objet de convoitise, particulièrement du côté fédéral ce qui, à n'en pas douter, donnait raison à Lynda. Il y avait un potentiel de scandale énorme dans cette affaire. Il lui faudrait bientôt se débarrasser de cette patate chaude avant qu'il ne s'y brûle. Mais pas avant d'avoir parlé à O'Leary.

En effet, la donne avait changé depuis sa lecture de la dernière entrée au blogue de Gabriel. Contre toute attente, son enquête sur Sanjay Singh Dhankhar avait repris. Bien qu'il en eût douté la veille, l'affaire était loin d'être terminée. Sa priorité pour l'instant était de savoir ce que l'Irlandais avait trouvé à Montréal. Avec un peu de chance, Rashmi était toujours vivante. Après avoir mis Sangeeta dans l'avion avec son frère Prabhat, Sanjay s'était imaginé qu'en roulant pendant des jours dans ce Canada si vaste, il atteindrait le bout du monde. Une sorte de *Far East* si loin de tout, si dépeuplé, qu'on pouvait y tuer quelqu'un sans que personne ne s'en rende compte. Il avait mal choisi sa destination. Tout comme Jérôme, on l'avait immédiatement repéré lorsqu'il avait mis le pied en Acadie. Avec les rideaux dans les glaces de sa voiture, sa mauvaise idée d'enfermer sa femme et sa fille et surtout l'improbable projet d'acheter une terre dont personne ne voulait, il était à parier que Sanjay Singh Dhankhar s'était senti surveillé. Il avait donc revu ses plans, changé de tactique. C'est à Montréal finalement, dans cette ville endormie par la canicule, qu'il mettrait son plan à exécution, s'il trouvait le courage de le faire. C'est en tout cas ce que Jérôme espérait. Ce qu'avec un peu de chance O'Leary lui confirmerait.

Il ne voulait pas utiliser le téléphone dont Leblanc lui avait fait cadeau cependant. La ligne était certainement sur écoute. Il chercha plutôt de la monnaie dans ses poches, dans le sac à main de sa mère et dans sa valise, où il gardait toujours quelque réserve. C'est d'un pas décidé qu'il se rendit à l'accueil du complexe touristique où il avait repéré un téléphone public. Sans perdre de temps, il composa le numéro de l'Irlandais. La même voix sans âme l'interpella :

— *Enfoncez bien votre carte ou déposez huit dollars soixante-quinze pour obtenir deux minutes.*

Il mit un moment à enfoncer toutes les pièces. Il ne lui restait que cinquante sous. Cela ne suffirait pas pour prolonger l'appel. Il faudrait être expéditif. O'Leary répondit aussitôt, comme s'il attendait son appel.

— Tu as fait ce que je t'ai demandé ? lui lança Jérôme.

— J'ai fait ce que j'ai pu.

— Et ça donne quoi ?

— J'ai rejoint le propriétaire de l'appartement, qui n'y a pas mis les pieds depuis qu'il l'a loué aux Dhankhar. On a provoqué une panne en surchargeant le circuit électrique et on a envoyé un électricien. Un de nos électriciens…

— Et alors ? s'impatienta Jérôme. Il y avait quelqu'un à l'intérieur ?

— Ben, personne à part lui. Sanjay ? C'est son nom ?

— Ouais, c'est ça. Même pas sa femme ? Elle n'y était pas ?

— C'est elle qui a téléphoné au propriétaire pour signaler l'interruption de courant, mais l'électricien ne l'a pas vue lorsqu'il est allé faire la réparation. Son mari l'a conduit au sous-sol et ne l'a pas quitté d'une semelle pendant qu'il travaillait. Lorsque le courant a été rétabli, il l'a reconduit à la porte. Impossible de savoir qui était dans le logement à ce moment-là.

— Il y a d'autres façons de s'y prendre ! avança Jérôme.

— Sans se faire remarquer ? Il m'a l'air assez méfiant, si tu me demandes mon avis. Mais si tu veux, je demande un mandat et je fouille la maison.

— Surtout pas. Ça pourrait précipiter les choses.

Jérôme réfléchissait. Tout aurait été si simple si l'électricien avait aperçu Rashmi ! Il serait retourné au chalet rejoindre sa mère, aurait jeté le téléphone que lui avait fait parvenir le sergent Leblanc et il aurait passé la journée sur la terrasse, à regarder la dune et le trottoir flottant qui filait en S sur le marais.

— Tu es toujours dans Charlevoix avec ta mère ? lui demanda O'Leary.

— Oui, oui, répondit Jérôme avec un semblant d'enthousiasme. Elle s'est fait une amie et elle s'y plaît bien.

— Pourquoi tu mens ? rétorqua l'Irlandais.

Jérôme pensa d'abord qu'il avait mal entendu. O'Leary avait changé de ton. Les choses se corsaient. Ignorant combien de temps s'était écoulé depuis qu'il lui parlait, il pensa le mettre en garde. Faute de sous, la conversation pouvait s'interrompre à tout moment.

— On sait où tu es, Jérôme ! le devança-t-il. Et j'aime autant te le dire, il y a beaucoup de gens qui te courent après !

— Parce qu'il y a bien une enquête sur les passeports volés, lança-t-il dans l'espoir de parer le coup. On me court après soi-disant pour le *Protocole*, mais c'est un prétexte. On croit que j'ai quelque chose à voir avec le coup des passeports parce que je connaissais l'existence du tunnel où on les a trouvés. Mais pourquoi je t'aurais dit de chercher de ce côté alors ? Peux-tu m'expliquer ça ?

— Pour dénoncer Lynda, répondit O'Leary.

La ligne coupa une première fois, pour annoncer la fin des deux minutes. Jérôme pensa le faire répéter, mais ce n'était pas la peine. Il avait bien entendu. Voyant bien qu'il avait fait mouche, l'Irlandais changea d'attitude.

— Jérôme ! T'es dans la merde ! Si tu fais un faux pas, t'es fini ! Tu ne vaudras pas plus qu'un chien abandonné dans le désert !

Nouveau silence. Jérôme avait besoin de temps pour digérer, pour comprendre. L'Irlandais, lui, parlait à mots couverts. Sans doute craignait-il d'être sur écoute.

— Écoute, O'Leary, je t'appelle d'un téléphone public. J'ai mis neuf dollars. C'est tout ce que j'ai et ça va s'arrêter d'une minute à l'autre.

— En tout cas, ne parle pas à la GRC ! eut-il le temps d'ajouter.

Jérôme raccrocha avant même que le temps ne soit écoulé. Il n'avait encore rien avalé depuis qu'il était debout. Pas même un café. Tout le rendait irritable et plus particulièrement cette conversation où O'Leary avait semblé lui parler en code. Depuis qu'il avait lu le dernier texte de Gabriel, ses obsessions étaient revenues, plus fortes que jamais. Peut-être y avait-il une horde à ses trousses, peut-être lui reprochait-on tous les maux du monde, mais il avait son plan. Puisque personne ne pouvait ou ne voulait l'aider, il poursuivrait dorénavant la route seul. D'un pas décidé, il regagna le chalet en se repassant le ruban de la conversation. Mais il avait trop faim pour y trouver un sens. À quoi donc jouait O'Leary ?

— J'ai rêvé à toi ! lui annonça sa mère en le voyant entrer.

Viola était dans la cuisine en train de faire le café. Un châle sur les épaules et le sourire épanoui, Florence était en grande forme. Elle arrivait à peine à se contenir :

— J'ai rêvé que tout allait très bien pour toi ! Qu'on te reconnaissait enfin à ta juste valeur et que tu prenais du galon.

Il sourcilla en entendant le mot. Après sa conversation avec O'Leary, cette perspective lui semblait on ne peut plus improbable. À moins, bien sûr, qu'il ne se laisse leurrer par le sergent Leblanc et ses offres intéressées, ce qui revenait à faire une fois de plus la *pute*. Dans le genre, il avait déjà donné !

— J'ai aussi rêvé que tu trouvais la petite !

— Ah oui ? s'étonna Jérôme, sans toutefois demander de précisions.

Viola s'approcha de lui, une tasse de café à la main.

— Tiens, bois ça ! Ça va te remettre les idées à l'endroit.

Le grand fouillis qui régnait dans sa tête était donc si évident ? L'histoire lancinante du *Protocole de 95* qui n'était peut-être qu'un paravent de l'enquête sur les passeports le mystifiait. O'Leary avait cherché à lui dire qu'il était au nombre des suspects dans cette affaire de gros sous, mais il avait aussi offert une explication. En lui confiant que les passeports se trouvaient peut-être dans un passage sous le boulevard René-Lévesque, il avait dénoncé Lynda. Mais comment donc l'Irlandais en était-il venu à cela ?

Florence prit place à la table en l'invitant à faire de même. Ce séjour à la mer et surtout sa rencontre avec

Viola avaient transformé sa mère. Au point que Jérôme se demanda si le Dr Tanenbaum ne l'avait pas alarmé inutilement. Ils petit-déjeunèrent en rigolant, furent même pris d'un fou rire en se remémorant cette chute de Florence qui avait donné lieu à leur rencontre avec l'infirmière. Ce n'est qu'en nettoyant la table un peu plus tard que le regard de Jérôme se posa sur le téléphone dont l'agent de la GRC lui avait fait cadeau. Un loup dans la bergerie, pensa-t-il, expressément offert pour semer le doute.

Il termina son café en tournant et retournant le petit appareil dans ses mains. La ligne était sur écoute, de toute évidence, ce qui n'était pas nécessairement une mauvaise chose. L'idée qui le gagnait peu à peu était à ce point machiavélique qu'il en ressentait de la gêne. Mais avait-il le choix ? Les événements s'étaient précipités depuis la veille. Il dansait les yeux bandés au bord du précipice. Pour réaliser ce qu'il voulait faire cependant, pour parler à Lynda, il devait être calme et surtout jouer de ruse. S'il voulait mettre un terme à cette méprise, il n'avait d'autre choix que d'affronter la patronne et surtout d'être parfait. N'avait-elle pas le don de le mettre en déroute lorsqu'il s'y attendait le moins ?

— J'ai des courses à faire, annonça Viola en se levant de table. Est-ce que vous voulez que je rapporte quelque chose du village ?

Florence n'eut pas la moindre réaction. Jérôme, en revanche, remercia l'infirmière pour tous les services qu'elle leur rendait en lui assurant qu'ils n'avaient besoin de rien. Elle se retira la démarche légère, en faisait un signe de la main à sa mère. Celle-ci surnageait dans un de ces trous noirs qui parsemaient dorénavant ses jours. Mais elle ne semblait pas malheureuse. Un sourire béat courait sur ses lèvres. Pour la forme, Jérôme lui demanda :

— Tu n'as pas d'inconvénient à ce que je passe un coup de fil ?

Toujours pas de réaction. Il se tourna donc vers la fenêtre pour admirer la dune, prit une grande inspiration et composa le numéro de Lynda. Elle répondit d'une voix qui lui parut hésitante, voire inquiète. Sans doute n'avait-elle pas consulté l'afficheur. Lorsqu'elle le reconnut, elle se ressaisit aussitôt :

— Jérôme ! T'en as mis du temps à rappeler ! Est-ce que tu aurais quelque chose à cacher par hasard ?

Le ton était donné. Jérôme regardait le trottoir qui filait sur le marais. Contrairement à la patronne, il savait que quelqu'un les écoutait. Que Leblanc aurait une retranscription de leur échange dans l'heure qui suivrait.

— Lynda, je suis parfaitement conscient du scandale qui éclaterait si une copie du *Protocole* refaisait surface. Cela reviendrait à dire que le gouvernement du Québec envisageait une déclaration unilatérale d'indépendance en 1995, contrairement à ce qui avait été dit pendant la campagne référendaire. Je peux concevoir que le fédéral veuille mettre la main sur un tel document, alors que la SQ cherche à le faire disparaître à jamais. Alors tu vas m'écouter, Lynda, parce que je vais te le dire pour la dernière fois. Je n'ai pas conservé de copie du *Protocole de 95* ! *Niet*, rien ! Ça n'existe pas ! C'est de la fabulation, tout ça !

— Je ne te crois pas, Jérôme, murmura-t-elle d'une voix remplie de colère. Un jour, tu laisses entendre que tu l'as peut-être. Le lendemain, tu dis le contraire. En fait, ce que je constate, c'est que tu ne réalises pas les conséquences de ton geste, advenant que tu déciderais de brader ta copie pour tes intérêts personnels.

— Eh bien, tu entends mal ! Vois-tu, Lynda, lorsque je me suis joint à ce groupe, il y a seize ans, je me suis engagé à ne jamais rien dire, à ne jamais rien révéler de ce que nous faisions. Je ne trahirai pas ma parole. Par contre, si tu as décidé de le faire, toi, ça te regarde. Mais ne m'entraîne pas dans cette histoire.

Il y eut un long silence. Lynda ne s'attendait pas à ce qu'il évoque ce serment, qu'elle avait aussi prononcé, et surtout qu'il prenne le risque de l'accuser, même à mots couverts. Elle ne pouvait pas savoir qu'il bluffait, pas plus qu'elle ne savait qu'on les écoutait. Elle reprit comme si de rien n'était :

— Le fédéral va chercher à te joindre. Un type qui se fait passer pour un enquêteur de la GRC. Il s'appelle Pierre Leblanc. En fait, il est du Service canadien du renseignement de sécurité. Ils vont t'offrir la lune. Flatter ton orgueil...

— C'est déjà fait ! l'interrompit Jérôme. Je lui ai dit la même chose que je te dis en ce moment. Je n'ai rien ! Mais toi, pourquoi es-tu si préoccupée par cette affaire ? Aurais-tu quelque chose à te reprocher, Lynda ?

C'était une conversation étrange. Quoi que Jérôme dise, quoi qu'il insinue, elle ne répondait pas. Ne réagissait pas. Se savait-elle épiée, écoutée elle aussi ? Sa ligne étant également sur écoute, peut-être essayait-elle de passer un message. De l'incriminer.

— Je sais que tu as une copie du document, Jérôme ! Et je suis prête à faire un marché avec toi. J'ai lu le rapport que tu as préparé sur le juge Rochette et les circonstances entourant son assassinat. Dès que tu rentres à Montréal, je fais ajouter la pièce au dossier et on le rend public. C'est ce que tu veux, n'est-ce pas ? C'est ce que tu as toujours voulu. Je te l'accorde en échange de ta copie du *Protocole*.

Jérôme aurait dû dire non. Refuser tout net. Mais il hésita le temps d'un souffle. Deux petites secondes de rien du tout qui le trahirent.

— C'est effectivement ce que je veux, finit-il par dire. Que la lumière soit faite dans l'affaire du juge. Mais je ne peux accepter ton marché pour la simple et bonne raison que je n'ai pas ce maudit *Protocole* !

— Tu es certain ? insista-t-elle. Tu es vraiment certain ?

C'est Lynda qui avait l'avantage maintenant. Et sans doute bluffait-elle parce qu'il y avait beaucoup de monde sur la ligne qui écoutait leur échange. Jamais elle n'inclurait son rapport au dossier afin de rendre publique les circonstances ayant entouré la mort du juge Rochette. Cela s'entendait dans sa voix. Elle cherchait seulement à lui faire avouer qu'il avait une copie du *Protocole* afin que d'autres – ceux qui étaient tapis dans le silence – l'entendent.

— Je vais mettre fin à cette conversation, Lynda, annonça-t-il. Nous n'allons nulle part.

Jérôme sentit immédiatement sa nervosité, au bout du fil. Elle était acculée au pied du mur, mais il ne savait pas pourquoi. Il l'avait poussée dans ses derniers retranchements mais ne l'avait pas fait exprès. Quelque chose lui échappait.

— Au revoir, Lynda.

Il espérait qu'elle dise quelque chose, qu'elle le retienne. Un tout petit indice de rien du tout. Mais elle avait raccroché, ou du moins le pensait-il. Puis, il entendit :

— Aileron…

Elle y était toujours, sauf qu'elle ne disait rien. Il allait la reprendre sur ce sobriquet qu'il n'acceptait plus qu'on lui lance à la figure, lui dire qu'elle pouvait bien le larguer, l'abandonner, qu'il s'en fichait éperdument. Qu'il n'avait plus peur… lorsqu'elle murmura d'une voix presque éteinte :

— Si je coule, Aileron, tu coules avec moi.

Et elle raccrocha.

* * *

Ce n'est qu'au retour de Viola, une heure plus tard, que Florence émergea des profondeurs de l'oubli. Elle ne semblait pas s'être rendu compte de son absence ni de la conversation téléphonique que Jérôme avait eue avec sa patronne. Échange qui l'avait laissé dans un état second. Depuis, il était devant la fenêtre donnant sur le marais, son petit bras posé sur son ventre, et regardait l'horizon, plus perplexe que jamais.

— Alors, est-ce qu'on y va ? avait lancé sa mère en apercevant l'infirmière.

— Vous croyez vraiment que c'est une bonne idée ? lui avait répondu celle-ci.

— Mais oui, j'insiste, disait Florence.

Jérôme ignorait de quoi elles parlaient. En fait, sa mère s'était mis en tête de traverser le marais en empruntant le trottoir flottant afin de se rendre à la mer. C'était une journée magnifique, il n'y avait pas un nuage dans le ciel, mais selon Viola le projet était trop ambitieux. Elle mettrait un temps infini à parcourir la distance avec son déambulateur et finirait par s'épuiser. L'argument était bon, mais Florence refusait d'entendre raison. Elle avait repris des forces depuis qu'elle était là. Un peu d'exercice lui ferait le plus grand bien.

— À quoi bon la contrarier ? intervint Jérôme.

Il avait bien retenu la leçon. Viola ne lui avait-elle pas fait comprendre la veille que s'obstiner avec Florence ne servait à rien ? Elle se sentait exclue, ce qui ne l'aidait en rien. L'infirmière s'inclina tandis que Jérôme cherchait des chaussures de marche dans la valise de sa mère. Il l'aida à les enfiler, lui dégota un chapeau et insista pour qu'elle mette une petite laine. Une fois qu'elle fut fin prête, il l'accompagna jusqu'à l'entrée du trottoir en la soutenant de son bras gauche tandis que Viola portait la marchette.

Florence était à nouveau celle que Jérôme connaissait. La perspective de relever un défi l'avait toujours allumée. Elle était parfaitement consciente de ce qui se passait autour d'elle, maintenant. Même l'inquiétude affichée de Jérôme ne lui avait pas échappé. Elle lui tapota l'avant-bras avant de se lancer dans l'aventure :

— Faut pas perdre confiance ! le rassura-t-elle. Tu y es presque !

Il regagna le chalet sans prêter attention à ces propos. Sa conversation avec Lynda et surtout les derniers mots qu'elle lui avait lancés lui broyaient l'estomac. En s'obstinant à poursuivre Sangeeta, n'avait-il pas abandonné la proie pour l'ombre ? En se lançant sur la route, comme il l'avait fait, s'imaginant qu'il menait une enquête qui n'existait pas, il avait détourné le regard de la vraie menace. Son départ précipité était maintenant interprété comme une fuite. Le fait qu'il soit un initié du *Protocole de 95* en faisait un suspect de la tentative de vol des passeports et il n'y avait personne pour le défendre. Tous, y compris O'Leary, l'avaient lâché. Cette affaire ferait certainement des victimes et la patronne y était allée sans détour. Si elle coulait, il coulerait avec elle.

Jérôme avait fait une erreur stratégique. La chose lui semblait évidente, maintenant. Si depuis seize ans il gardait cette copie du document dans sa poche arrière, c'est parce qu'il croyait pouvoir l'abattre un jour pour gagner une bataille. L'ultime carte à abattre pour arriver à s'imposer, lui qui n'avait qu'un bras et qui s'était toujours battu à armes inégales. Le chantage, c'était son affaire ! Un art qu'il pratiquait comme d'autres respirent. Oui, il rêvait de devenir le patron, comme l'avait laissé entendre Leblanc, bien qu'en apparence, rien ne le favorisait pour qu'il parvienne à ses fins. Mais beaucoup de choses avaient changé ces derniers temps. À commencer par la lente sortie de scène de sa mère. Malgré un cerveau qui ne fonctionnait qu'à moitié, elle lui avait fait comprendre qu'il pouvait gagner quand même parce qu'il était fort. Plus fort qu'il ne se permettait de le croire. Peu de gens lui avaient dit une telle chose dans la vie. Et surtout pas son père à qui, normalement, ce privilège aurait été dévolu.

En rentrant dans le chalet, Jérôme revint se placer devant la grande fenêtre. De ce poste d'observation, il pouvait voir Florence et Viola progresser sur le trottoir flottant. Sa mère poussait sa marchette devant elle, s'arrêtant à tous les trois pas pour admirer le paysage. À ce rythme, elles mettraient la journée à se rendre à la mer. Il détourna le regard, désespérant de trouver une issue à ce labyrinthe qui le consumait lorsqu'il eut une pensée pour Gabriel Lefebvre. Il avait certainement pris l'avion à cette heure. Peut-être même avait-il fait une nouvelle entrée sur son blogue. Curieux, Jérôme se tourna vers l'ordinateur, retrouva l'adresse, mais constata avec regret que Roméo était resté silencieux depuis son départ de Delhi. Il allait fermer l'appareil lorsque, par réflexe, il consulta ses courriels. Contre toute attente, Gabriel lui avait écrit un mot.

Aéroport de Francfort, 5 août, 14 h 30

Salut, Jérôme !

J'aurais dû t'écrire avant. Mais comme je sais que tu lis mon blogue, j'ai pensé que ça suffisait. Sauf que plus rien ne suffit, maintenant. Il ne faut rien négliger. Il faut agir surtout, et vite ! J'ai pensé que je pouvais me passer de toi, de l'aide que tu m'as offerte, mais je me suis trompé. J'ai pensé que je pouvais tout faire seul, c'était une erreur ! J'ai besoin de toi pour retrouver Rashmi ! C'est ton métier, tu dois savoir comment faire. Je voudrais tellement t'aider à y voir clair !

La seule chose que je puis te dire, c'est que les Singh Dhankhar vont quitter Montréal le 21 août. Rashmi ne rentrera pas au pays avec eux. Cela jetterait la honte sur la famille, comme je l'ai déjà dit. Les chefs de la khap panchayat *de Jhajjar l'ont condamnée, le temps est compté. Mais son père n'est pas fou. S'il se rend à leur volonté, il a tout avantage à le faire dans les jours, voire les heures précédant leur départ, à lui et sa femme, ce qui réduira considérablement les chances que le crime soit découvert avant qu'il ne quitte le pays. Rashmi est vivante, j'en suis persuadé. Mais il faut faire vite ! C'est l'instinct de survie de son père qui me permet de croire qu'il y a de l'espoir... mais bien peu de temps. Elle est quelque part à Montréal. Sanjay la cache et attend le moment propice. Je suis à Francfort et j'attends un avion. J'ai fait la moitié d'un tour du monde pour en arriver à cette conclusion. Je suis sûr de ce que j'avance. Le 15 août, nous devions nous marier. Il n'est peut-être pas trop tard. C'est toi qui es venu me conduire à l'aéroport, Jérôme. C'est toi qui as reconnu le tueur dans le regard de cet homme. C'était peut-être le regard de celui qui a l'intention de tuer. Le regard de celui qui, forcé par la tradition, n'aura d'autre choix que de tuer. S'il te plaît, Jérôme, je te le demande comme un fils le demanderait à son père, s'il te plaît, peux-tu retrouver Rashmi ? Peux-tu me faire signe ou m'attendre à l'aéroport ? Je suis en ce moment sur une liste d'attente. Je passerai sans doute la nuit dans ce maudit aéroport, mais je suis assuré de partir. Dans le pire des cas, je serai à Montréal demain le 6, à 11 h 30. Dis-moi que je peux compter sur toi !*

Gabriel Lefebvre

Jérôme était bouleversé. Dans chaque ligne de ce message, Gabriel demandait son aide, lui qui à priori l'avait repoussée. Et ce qu'il disait n'était pas bête, surtout. Rashmi était toujours vivante. Sanjay avait espéré la faire disparaître en venant en Acadie, mais il s'était senti épié, surveillé. Et c'est vrai que tuer sa fille, s'il en trouvait le courage, dans les heures précédant son départ pour l'Inde était la chose à faire pour s'assurer un retour sans encombre. Toutefois, au-delà de ces arguments somme toute rassurants, c'est le ton de ce message qui touchait Jérôme. L'enfant parti à l'étranger était sur le chemin du retour. Il demandait à son père de venir le chercher à l'aéroport. L'émotion avait pris le contrôle de sa vie dernièrement, brouillant de plus en plus son esprit d'analyse. Il s'imaginait Gabriel se présentant au 3190, avenue de Kent, confrontant Sanjay Singh Dhankhar et lui disant: « Ce petit jeu a assez duré! Rendez-nous Rashmi, elle ne vous appartient plus! Elle a le droit de vivre! » Les choses ne pouvaient se passer ainsi, il le savait parfaitement. Mais il avait envie d'y croire. Tout aurait été si simple. Il était absorbé par ses pensées lorsque la porte s'ouvrit et que sa mère entra en poussant sa marchette:

— On s'est rendues jusqu'au milieu! La prochaine fois, on ira jusqu'à la mer! J'en suis certaine!

Jérôme referma l'ordinateur en s'efforçant de lui sourire. Il ne voulait pas que Florence voie son désarroi, qu'elle se rende compte à quel point il était déchiré. Il ne pourrait être à l'aéroport Montréal-Trudeau le lendemain pour accueillir Gabriel. Il ne pourrait non plus aller frapper à la porte des Singh Dhankhar pour sauver Rashmi. Pas plus qu'il ne saurait trouver une excuse justifiant le fait qu'il ait gardé une copie du *Protocole de 95*. Une à une, les portes se refermaient. Florence s'arrêta devant lui et le regarda de haut en bas:

— Tout à l'heure, lorsque tu parlais avec Lynda, tu l'as fait, une fois encore.

— Qu'est-ce que j'ai fait ? s'étonna-t-il.

— Tu t'es écrasé… parce que tu as eu peur qu'elle t'abandonne. Je l'ai entendu. Je l'ai senti dans ta voix.

Contrairement à ce qu'il avait pu croire, sa mère avait tout entendu. Sous le couvert de l'absence, elle avait épié sa conversation et la lui renvoyait en plein visage. Cette balade sur le trottoir flottant lui avait donné un second souffle. Elle était en feu.

— Lorsque tu lui as demandé si elle avait quelque chose à se reprocher, elle n'a rien dit, n'est-ce pas ? Elle n'a pas répondu ?

Jérôme bégaya.

— Et ça t'a suffi comme réponse, ça ?

Jérôme aurait juré que sa mère était complètement guérie. Elle rangea son déambulateur près du fauteuil, s'y laissa choir comme si elle avait couru un marathon, poussa un long soupir et continua de plus belle.

— Qu'est-ce qui te dit qu'elle n'a pas tout faux, Lynda ? Qu'est-ce qui t'empêche de douter d'elle ? Absolument rien, si ce n'est qu'elle est ta patronne et que tu lui dois tout ! Mais si c'est toi qui décidais de la larguer au lieu du contraire ? As-tu pensé à ça ?

— Maman, tu dis n'importe quoi.

— Je ne crois pas. Tu ne te permets pas de croire qu'elle a triché, pourtant lorsque tu lui parles, c'est ce que j'entends. C'est ce que tu soupçonnes !

Cette conversation était détestable. Les manières de sa mère étaient de plus en plus sournoises. Les trois quarts du temps, elle était absente, mais elle n'était jamais bien loin. Tant qu'il lui resterait une once de lucidité, elle chercherait à lui dire quoi faire, comment mener sa vie. C'était plus fort qu'elle, Florence serait une mère jusqu'au dernier souffle. Jérôme était à ce point exaspéré qu'il lui tourna le dos :

— Il faut que j'aille prendre l'air, moi. Ça devient étouffant, ici.

En sortant, il dut se retenir pour ne pas faire sauter la porte de ses gonds. Viola était dans sa chaise berçante, sur la terrasse. Il pointa le trottoir flottant en évitant son regard.

— Je reviens tout de suite.

— Prends ton temps, lui répondit-elle. Tu es en vacances.

Il voulut lui répondre que non, qu'il ne serait pas en vacances tant que sa mère serait vivante, qu'elle ne le lui permettrait pas et qu'il commençait à en avoir jusque-là, mais il n'en fit rien. Plus encore, il se ravisa avant même d'atteindre l'entrée du trottoir flottant. Et si Florence avait raison ? L'hypothèse lui donnait le vertige. Lynda, compromise dans une affaire de vol ? Il chassa l'idée aussi vite qu'elle avait surgi. Il avait autre chose à faire. Il devait s'écouter d'abord, avant de prêter oreille à sa mère. Faire d'une pierre deux coups en pareille circonstance relevait de l'exploit. C'est pourtant ce qu'il devait faire. Régler à jamais cette histoire de *Protocole* et se dissocier de façon définitive de l'affaire des passeports.

Conscient qu'il jouait sa dernière carte, il s'avança sur le trottoir en regardant de part et d'autre du marais. L'air salin lui fouettait les neurones. Il déploya le téléphone et consulta la mémoire de l'appareil. Un seul nom y figurait. Celui de Pierre Leblanc. Il appuya sur le bouton de composition automatique. La voix du faux sergent se fit presque aussitôt entendre :

— Enquêteur Marceau ! J'ai bien pensé que j'aurais de vos nouvelles aujourd'hui !

Jérôme fit mine de ne pas entendre le ton triomphant de l'agent du SCRS. Il lui annonça sans hésiter :

— Je suis prêt à me mettre à table. Mais j'ai un certain nombre de conditions.

— Je vous l'ai déjà dit, Marceau. Il y a une place pour vous chez nous. Je sais ce dont vous êtes capable.

Il fallait en dire le moins possible. Les conversations en face à face étaient à privilégier dans ce genre de situation.

— Vous m'avez dit ce matin que vous étiez prêt à vous déplacer, que vous étiez à une heure d'ici.

Jérôme sentit une hésitation chez son interlocuteur. La perspective ne semblait pas le réjouir, mais il se ravisa bien vite :

— Vous aimeriez mieux qu'on se voie ? On ne peut pas faire ça au téléphone ?

— Comme vous dites : on ne peut pas faire ça au téléphone !

Leblanc eut un rire forcé, insista pour dire qu'il se ferait un plaisir de venir le rencontrer et ajouta, presque à la blague :

— Est-ce qu'il y a autre chose qui vous ferait plaisir ?

— Oui, fit Jérôme. J'y arrivais.

Leblanc ne disait plus rien. Cette conversation ne se passait vraisemblablement pas comme il l'avait imaginée.

— On se retrouve demain à neuf heures, à l'entrée du village de Cap-Pelé, dans un garage Sergaz tenu par un type qui s'appelle Eymard Thibodeau.

— Je vois qui c'est, fit Leblanc.

— Vous ne venez pas seul. Vous serez accompagné d'un ou deux agents locaux.

— C'est tout ? s'impatienta l'agent du SCRS.

— Non. Il y a autre chose encore. Nous allons avoir besoin d'un chien.

Cette fois, il y eut un silence au bout du fil. Leblanc flairait le piège. Il ne jouait plus.

— Je crois que nous nous sommes mal compris, Marceau. Je veux vous parler du *Protocole*...

— Nous nous sommes très bien compris, au contraire, reprit Jérôme. Je vous ai dit que j'étais prêt à me mettre à table mais qu'il y avait des conditions. Mes conditions, c'est ça !

— Un chien ! rechigna Leblanc. Je ne vois vraiment pas...

— Vous verrez, le brusqua Jérôme. C'est ça ou rien du tout !

L'agent du SCRS se taisait. Debout au milieu du trottoir flottant, Jérôme pensa un moment qu'il allait raccrocher. Il se tourna vers le chalet, espérant voir sa mère au grand soleil sur la terrasse. Rien ne bougeait de ce côté-là. Il allait le relancer lorsque la voix de Leblanc le surprit, nettement plus affirmative :

— Très bien, je serai à Cap-Pelé demain à neuf heures avec deux collègues.

— Et un chien !

— Un chien et son maître, précisa l'agent du SCRS.

Ils se saluèrent cordialement, Jérôme glissa le téléphone dans sa poche et reprit sa marche sur le trottoir flottant. Le coup de fil s'était bien passé. Tout compte fait, il avait eu raison de conserver une copie du *Protocole*. Sinon, Leblanc ne se serait jamais déplacé.

* * *

Assis au bout de la table de pique-nique devant le chalet, Jérôme fixait le feu qu'il venait d'allumer dans le foyer extérieur. Florence dormait. Viola aussi, sans doute. Les lumières de son chalet étaient éteintes. À part le bruit des grenouilles dans le marais et des éclats de rires sporadiques, venant d'un chalet éloigné, c'était le calme plat. Pour la première fois depuis des jours, Jérôme n'avait pas l'impression de tomber, d'être en chute libre dans un monde qui lui échappait. Il faisait noir comme dans les tunnels de sa ville. Ambiance propice pour mettre de l'ordre dans ses idées. La première à s'imposer concernait Lynda. Lors de leur conversation téléphonique, elle se savait écoutée, épiée. D'où ces propos incriminants qu'elle lui avait balancés pour le compromettre. Mais il n'avait pas réagi et elle avait perdu ses moyens. Leur conversation s'était terminée par ce laconique : « Si je coule, tu coules aussi. »

À bien y penser – et bien que cela l'irritât profondément –, Florence avait une fois encore raison. Lynda était dans la merde, mais il refusait de le voir parce qu'il la considérait toujours comme sa patronne. Et si elle avait, contre toute attente, trempé dans l'affaire du vol des passeports ? L'enquête, puisqu'il y en avait bien eu une, s'était intéressée à ceux qui connaissaient l'existence du passage sous le boulevard René-Lévesque, donc ceux qui avaient été liés au *Protocole de 95*. Lui-même s'était retrouvé en tête de liste. Mais Lynda aussi était au nombre des suspects. Il restait quelques zones d'ombre. Pourquoi cette obsession de récupérer sa copie du *Protocole* si la vraie mission était de découvrir qui était derrière le coup des passeports ? Il s'agissait là de deux choses bien distinctes et surtout de gravité fort différente. La copie du *Protocole* n'était qu'une redondante affaire de politique intérieure alors que la disparition des passeports était une question de sécurité nationale. Pourquoi ce mélange des genres ?

Les yeux rivés au feu de foyer, comme si toutes les réponses s'y trouvaient, Jérôme se repassait dans l'ordre et dans le désordre les conversations qu'il avait eues avec les uns et les autres. O'Leary n'avait-il pas laissé entendre qu'il avait dénoncé Lynda en lui faisant part, à lui, de l'existence de ce passage souterrain ? Pour dire une telle chose, elle était donc soupçonnée, voire accusée de faire partie du coup. Et Leblanc ne lui avait-il pas lancé, avec une assurance qu'il avait prise pour une fanfaronnade, qu'il rêvait sans se l'avouer de prendre la place de sa patronne ? Savait-il que la place serait bientôt libre ?

Jérôme se leva, étourdi. Sauf erreur – et à moins que son intuition ne le trahisse –, on était en présence ici d'enquêtes croisées, aussi secrètes l'une que l'autre. Dès le moment où les passeports avaient été retrouvés, on avait cherché à remonter le fil pour découvrir les coupables. En parallèle, la découverte du tunnel souterrain et surtout la possibilité qu'une copie du *Protocole de 95* soit encore en circulation avaient déclenché une battue dont il avait plus particulièrement fait l'objet. Dans ce deuxième volet de l'histoire, la GRC et la Sûreté du Québec étaient devenues des sœurs ennemies, travaillant chacune pour son maître. L'objectif de la première étant de discréditer le gouvernement québécois de l'époque ainsi que sa thèse souverainiste. Celui de la seconde, de faire disparaître à jamais ce témoin gênant de l'histoire.

Jérôme en vint à la conclusion qu'il avait pris assez de risques comme cela. Surtout que son plan à lui ne correspondait pas tout à fait à celui des deux autres. Dans le noir, il se dirigea vers la Pontiac, glissa la clef dans la serrure et souleva le hayon arrière. Après avoir retiré le pneu de secours, il passa une main sur le plancher du coffre et sentit la surface rugueuse du sang séché. Comme un aveugle, il tâta du bout des doigts et mit la main sur le coffret contenant le CD. Revenant vers le foyer, il ouvrit le coffret contenant sa copie du *Protocole de 95* et la jeta dans le feu. Au bout de quelques secondes seulement, le disque se tordit puis se consuma.

Une petite fumée noire s'éleva au-dessus du brasier. Il y jeta ensuite le coffret. En deux minutes, il ne restait plus rien.

Pendant un long moment, il resta immobile, à regarder les flammes. C'était la bonne décision. Ce vieux secret n'était plus d'aucune utilité pour lui. Ce soir, il dormirait mieux. Alors qu'il allait rentrer pour se mettre au lit toutefois, son téléphone se mit à sonner. Il regarda l'afficheur. C'était un numéro caché. Pendant une fraction de seconde, il pensa que l'appel était de Pierre Leblanc. Après mûre réflexion, celui-ci avait décidé d'annuler leur rendez-vous. Sur le pied de guerre, il répondit d'un ton sec :

— Enquêteur Marceau.

Sa propre voix le surprit. Il y avait une éternité, lui semblait-il, qu'il ne s'était pas entendu dire : « Enquêteur Marceau. »

— T'as repris du service, toi ?

C'était O'Leary. Comment avait-il eu ce numéro ? Il ne fallait pas chercher midi à quatorze heures. La voix de l'Irlandais confirmait ce que le feu du foyer extérieur venait de lui souffler. Lorsqu'il avait parlé à Lynda, celleci se savait écoutée. Savait sa propre ligne interceptée par ceux qui la traquaient. O'Leary faisait sans doute partie de ceux-là. De là à ce qu'on retrace son numéro à lui, il n'y avait qu'un pas.

— Attends un peu, lui lança Jérôme. Laisse-moi deviner.

L'Irlandais chercha à prendre les devants, mais il ne lui en laissa pas le loisir.

— Ou bien tu fais enquête sur les passeports volés, ce qui m'étonnerait parce que vous savez déjà tout ce que vous avez besoin de savoir à ce sujet… entre autres que je n'ai rien à voir là-dedans. Ou bien tu es rendu avec la

Sûreté du Québec et tu cherches à récupérer ma copie du *Protocole.*

— Ne donne rien à la GRC, se contenta de dire l'Irlandais. Est-ce que tu m'entends ? Ne fais pas ça ou tu es un homme mort.

— Je ne peux pas te parler, O'Leary. Ma ligne est *tapée*. On nous écoute.

— Alors, laisse-moi au moins le temps de venir te rejoindre. Il faut que je te parle.

— Tu sais où je suis.

— Je vais être là. Demain.

— Bonne idée. On va t'attendre.

— Qui ça, on ?

— Bonne nuit, O'Leary.

Jérôme replia le téléphone et passa à l'intérieur. Sacré Irlandais, va ! Il était passé du côté de la SQ.

Haute-Aboujagane

Jérôme était arrivé au garage un peu avant l'heure. Il déplia le bout de papier sur lequel il avait pris des notes, le posa sur le comptoir et tenta de se remémorer le chemin qu'il avait emprunté lors de son expédition en forêt avec Léopold. Il attendait Leblanc vers neuf heures, mais le temps filait et l'agent du SCRS ne donnait aucun signe de vie. À quelques mètres de là dans le garage, Eymard Thibodeau était penché sur le moteur d'une voiture.

— T'es ben nerveux ! lança-t-il.

Refermant le capot d'un claquement sec, il rejoignit Jérôme dans le petit bureau alors que celui-ci glissait le bout de papier dans la poche de sa veste. D'une voix mal assurée, il s'enquit :

— Si j'avais besoin de Léopold ce matin, est-ce qu'on pourrait le trouver ?

Le garagiste se montra amusé.

— Il va venir tout à l'heure. J'ai des commissions à lui faire faire. Pourquoi ?

— Pour savoir, fit Jérôme.

Au même moment, une auto-patrouille et une camionnette de la GRC entrèrent dans la cour et s'arrêtèrent devant les pompes. Pierre Leblanc descendit et regarda autour de lui. À l'évidence, cette petite mise en scène ne l'amusait pas du tout.

— Ah, c'est eux que t'attendais ! marmonna Thibodeau en passant derrière son comptoir.

L'agent du SCRS entra dans le garage, s'arrêta devant Jérôme et le dévisagea de la tête aux pieds. Son regard s'attarda sur son petit bras, qu'il détailla avec curiosité.

— Alors ? fit-il.

Il était sur le pied de guerre, mais Jérôme eut tôt fait de calmer ses ardeurs.

— Avant de discuter de quoi que ce soit, j'ai quelque chose à vous montrer.

— Ah oui ? Où ça ?

Jérôme tourna les yeux vers la Pontiac stationnée sur le côté du garage.

— Il faut qu'on se parle ! On fera ça en route.

— En route vers où ? protesta Leblanc, de plus en plus réticent.

Jérôme se garda bien de répondre, s'intéressant plutôt à la camionnette aux couleurs de la GRC.

— Vous avez le chien ?

— Il est là, oui.

— Eh bien, allons-y !

— Nous allons vous suivre, proposa plutôt Leblanc, déterminé à avoir le dernier mot.

— Si vous me suivez, vous ne saurez pas ce que j'ai à vous dire !

Campé derrière son comptoir, Eymard Thibodeau suivait ce bras de fer en se demandant comment Jérôme s'en sortirait. Leblanc était odieux. Il le regardait de haut, s'opposait à tout ce qu'il disait, fixait son petit bras comme s'il n'en revenait pas qu'un manchot lui parle sur ce ton.

— Je vous ai dit que je me mettrais à table, mais je vous ai prévenu qu'il y avait des conditions.

Impassible, l'agent du SCRS lui tourna le dos et sortit discuter avec les deux agents et le maître-chien qui l'accompagnaient. Jérôme entendit la bête aboyer dans la camionnette. Au bout de quelques minutes, Leblanc rappliqua, l'air plus conciliant.

— Très bien ! Je vais monter avec vous. Mais est-ce que je peux savoir où nous allons, au moins ?

— Vous le saurez bien assez vite ! rétorqua Jérôme.

Il aurait pu le lui dire, cela n'avait pas d'importance au point où il en était, mais il préférait cultiver le mystère. Trop d'éléments lui manquaient pour que son histoire se tienne. Il n'avait d'autre choix que de se fier à son intuition.

— Allons-y ! grogna Leblanc en sortant du garage.

Thibodeau croisa le regard de Jérôme.

— Si t'as besoin de Léopold, il sera là.

— Je t'appelle.

Toujours aussi impatient, Pierre Leblanc l'attendait près de la Pontiac. Jérôme se glissa derrière le volant, l'agent du SCRS se hissa sur la banquette du passager et ils se mirent en route sans échanger le moindre mot. À la sortie de Cap-Pelé, ils empruntèrent la route 15 vers l'ouest et bifurquèrent sur la route 933 en direction de Haute-Aboujagane. Jérôme ne voulait consulter ses notes que si c'était absolument nécessaire. Lorsque la route devint cahoteuse et que la civilisation se fit un peu plus discrète, il perdit un peu de sa belle assurance. D'autant que Leblanc se montrait de plus en plus irascible :

— Voulez-vous bien me dire où diable nous allons ?

Jérôme ne répondit pas. Les yeux fixés sur le rétroviseur, il s'assura que l'auto-patrouille et la camionnette transportant le chien et son maître les suivaient toujours. Il allait s'arrêter et ressortir son petit bout de papier lorsqu'il aperçut l'embranchement de Babe Road. Soulagé, il desserra les lèvres.

— Quand j'ai compris que vous étiez un agent du Service canadien du renseignement de sécurité, j'ai su que cette affaire était pour vous.

— Quelle affaire ? demanda Leblanc.

Jérôme s'engagea sur le chemin de terre en roulant à vitesse réduite. Ce n'était pas à cause des nids-de-poule, qu'il évitait tant bien que mal, mais parce qu'il avait l'attention de son collègue. À ce point, tout était dans la manière de présenter la chose.

— Comme vous me l'avez rappelé hier au téléphone, le SPVM n'est pas le service le plus excitant où travailler. Et surtout, sa juridiction ne s'étend pas jusqu'à Haute-Aboujagane.

— Venez-en au fait, Marceau !

— D'accord, fit-il. C'est l'histoire d'un Indien. Un Indien de l'Inde, on s'entend.

— Mais encore ?

— En fait, c'est une histoire de famille. Une famille comme on ne les connaît pas ici. Vous allez comprendre.

Leblanc lui parut moins irritable tout à coup. Avec diplomatie, Jérôme enfonça néanmoins le clou :

— C'est un cadeau que je vous fais. Je suis sur cette affaire depuis un moment déjà, mais je ne pourrai pas la mener à terme. C'est au-delà de mon domaine de compétence. Alors, je vous passe le relais.

— On devait parler du *Protocole* !

— Vous la voulez cette affaire ou non ?

Jérôme effleura les freins, comme s'il était prêt à faire demi-tour, à laisser tomber et rebrousser chemin.

— Dites toujours, bredouilla Leblanc, nettement moins fantasque.

Au bout de Babe Road, Jérôme tourna à droite. Il y avait un plan d'eau sur la gauche. Un lac qu'il n'avait pas remarqué lorsqu'il était venu la première fois. Il crut un moment qu'il s'était trompé et une fois encore voulut sortir son bout de papier. Mais bien vite, il reconnut la bouillie de feuillus qui avait fait hésiter Léopold, puis la route défoncée un peu plus loin sur la droite. Ils y étaient presque.

— Alors, qu'est-ce qu'il a fait, cet Indien ?

— Une erreur tactique, s'empressa de dire Jérôme en se concentrant sur la route. Il s'est imaginé que le Canada était un pays si vaste qu'il lui suffisait de prendre la route, de rouler et de rouler jusqu'à ce qu'il n'atteigne nulle part.

— Et pour faire quoi, nulle part ? demanda Leblanc.

Jérôme hésita. Lui raconter la suite nécessiterait du temps et surtout de la concentration, ce qu'il ne pouvait faire en conduisant. Il opta pour la version courte.

— Pour tuer sa fille !

L'agent du SCRS grimaça. Serrant le volant de sa seule main, Jérôme s'était avancé sur son siège, comme l'avait fait Léopold quelques jours plus tôt. Il y avait trop d'arbres et surtout aucun repère sur lequel compter. Il retrouva pourtant la piste, le chemin qui jadis avait délimité le rang Beaubassin. Le sergent Leblanc se cramponna lorsqu'il lança la Pontiac sur le sentier. Voulant toujours donner l'impression qu'il savait ce qu'il faisait, Jérôme continua de parler :

— Les crimes d'honneur, ça vous dit quelque chose ?

— Oui, oui, je connais, acquiesça Leblanc en se tenant à son siège.

La voiture s'enfonçait dans les trous, faisait des bonds, caracolait. Les branches d'arbres chuintaient en égratignant la carrosserie. Lorsque le mur de conifères apparut au bout de la piste, Jérôme freina d'un coup sec :

— C'est ici !

Leblanc n'y comprenait plus rien. Il prétendait être de la région. De l'Acadie. Et voilà que ce Montréalais manchot le conduisait dans une forêt dont il ignorait même l'existence, affirmant qu'ils étaient arrivés à destination ! Mais quelle destination ? Pour ajouter l'injure à l'insulte, Jérôme se pencha vers lui, ouvrit le coffre à gants et attrapa un flacon de liquide anti-mouches, qu'il était allé acheter le matin même avant leur rendez-vous. Il l'agita devant les yeux de l'agent du SCRS.

— Ici, quelque part, Sanjay Singh Dhankhar a enterré sa fille. Elle avait vingt-deux ans, était magnifique et amoureuse d'un garçon que j'aime bien, qui s'appelle Gabriel Lefebvre. Ils devaient se marier le 15 août. Cette union aurait jeté la honte sur la famille Dhankhar. Persuadé qu'on ne le saurait jamais, son père l'a donc amenée ici et l'a tuée. Sauf qu'il s'est trompé. L'affaire n'est pas passée inaperçue. En tout cas, moi, je l'ai sue ! Avec l'aide du chien, nous allons la retrouver !

Jérôme se ravisa aussitôt :

— Je devrais plutôt dire, vous allez la retrouver. Parce que je ne suis pas chez moi, ici. Je ne suis que l'adjoint de l'enquêteure chef des homicides du SPVM.

Pierre Leblanc le dévisagea longuement. Il avait fait exprès de nommer Lynda… sans la nommer. Il ajouta aussitôt :

— Si elle est encore enquêteure chef, évidemment.

L'agent du SCRS fit un effort pour cacher son jeu, mais ce n'était pas la peine. Il voyait bien que Jérôme était au courant. Irrité que ce manchot l'ait mis en boîte, Leblanc ignora le flacon de liquide anti-mouches et descendit en ronchonnant :

— Attendez-moi une minute, je reviens !

Au même moment, la sonnerie du téléphone se fit entendre. Jérôme consulta l'afficheur. C'était un numéro caché, mais ça ne pouvait être que lui. Il répondit de sa voix des meilleurs jours :

— O'Leary ? Qu'est-ce que tu fais ? Je t'attends depuis ce matin !

Pris de court, l'Irlandais balbutia :

— Écoute, euh… je suis avec ta mère et une autre femme, dans le chalet que vous avez loué. Tu es où, là ?

— T'as une voiture ?

— Oui, oui, j'en ai loué une à l'aéroport. Il faut que je te parle !

— Moi aussi. Alors, voici ce que tu vas faire. Il y a un village tout près d'où tu es. Il s'appelle Cap-Pelé. À l'entrée de ce village, il y a un garage Sergaz. Le propriétaire s'appelle Eymard Thibodeau. Tu vas le voir et tu lui dis que Léopold doit te conduire dans la forêt, là ou nous sommes allés, lui et moi. Il va comprendre.

— Peut-être qu'il va comprendre, lui, mais moi je ne comprends rien ! se plaignit O'Leary. Tu ne dois parler à personne ! Surtout pas aux gens du SCRS !

— Je t'attends, se contenta de dire Jérôme.

— Ne vends pas ton âme, fit encore O'Leary.

— Je suis avec Leblanc. Pierre Leblanc, trancha Jérôme avec une assurance qui fit taire l'Irlandais. Tu fais ce que je t'ai dit ! Tu te rends dans ce garage et tu demandes Léopold. Il va te conduire ici. Je t'attends !

— Jérôme, tu m'essouffles !

— C'est ça, je t'essouffle, mais ramène ton cul ici et au plus vite ! J'ai besoin de toi !

Sans rien ajouter, Jérôme raccrocha. Par son rétroviseur, il épia Leblanc, les deux policiers et le maître-chien qui discutaient ferme. L'agent du SCRS s'était bien rendu compte qu'il parlait au téléphone. Au bout d'un moment, il rebroussa chemin, remonta dans la Pontiac et referma violemment la porte. Des mouches noires lui tournaient autour.

— Le chien, il lui faut quelque chose ! Un vêtement, n'importe quoi.

— J'ai tout ce qu'il faut, répondit Jérôme en lui offrant à nouveau le flacon de liquide anti-mouches.

Sans se faire prier, Leblanc attrapa la bouteille, versa le précieux liquide dans le creux de sa main et s'en couvrit le visage. Jérôme fit de même, se massa longuement les mains, reboutonna sa chemise jusqu'au cou et referma sa veste.

— On y va ?

Les trois collègues de Leblanc attendaient à l'arrière de la Pontiac. Au signal de celui-ci, le maître-chien alla chercher le berger allemand dans la camionnette. Avec la confiance de celui qui a pensé à tout, Jérôme souleva le hayon arrière, retira la roue de secours de son rangement et pointa la tache de sang séché. Le regard interrogateur, Pierre Leblanc tendit la main pour toucher.

— C'est le sang de Rashmi, précisa Jérôme. À mon avis, elle a été tuée ailleurs, pendant la nuit sans doute... peut-être au chalet où j'habite. Son père l'a transportée ici. Elle saignait beaucoup. Après, ils ont tout nettoyé, mais du sang s'est infiltré sous la roue de secours.

— Il est à vous, ce camion ? s'enquit Leblanc.

— Oui et non. C'est une pièce à conviction, maintenant.

Le berger allemand se mit à aboyer en descendant de la camionnette. Le tenant bien en laisse, son maître l'amena jusqu'à la Pontiac et l'incita à grimper dans le coffre. Le chien renifla longuement le sang séché en émettant des bruits, puis il descendit et se mit à tirer sur sa laisse en regardant dans tous les sens, comme s'il était désorienté. La forêt était vaste et son maître, perplexe. Si cette histoire était vraie, le corps de Rashmi pouvait se trouver n'importe où.

— J'espère qu'on n'est pas venus ici pour rien, fit remarquer Leblanc en chassant les mouches autour de sa tête.

Jérôme fit mine de ne pas entendre. Tandis que son maître le suivait, accroché à la laisse, le berger se mit à décrire de grands cercles autour des voitures, élargissant petit à petit le secteur de ses recherches. Jérôme et le sergent Leblanc remontèrent dans la Pontiac d'où ils suivirent la manœuvre en silence pendant un long moment.

— Vous êtes tombé comment sur cette affaire? demanda-t-il, circonspect.

Jérôme se pencha à nouveau vers le coffre à gants, prit les papiers de la voiture et les lui tendit.

— Le suspect s'appelle Sanjay Singh Dhankhar. Il est de l'État de l'Haryana, en Inde.

Dans la demi-heure qui suivit, il lui raconta dans le menu détail tout ce qu'il avait appris après avoir fait la découverte de cette tache de sang qu'il n'avait jamais pu faire analyser. Maintenant, il était convaincu que c'était celui de Rashmi bien qu'il n'en ait pas la preuve. Jérôme parla aussi de Gabriel Lefebvre, de son projet de mariage avec l'aînée des Singh Dhankhar et de son voyage en Inde où il avait découvert, à Jhajjar, que celle qu'il aimait n'y était pas et surtout qu'elle avait été condamnée par les sages de la *khap panchayat*.

— Mais à part cette tache de sang séché, vous n'avez rien, aucune preuve! fit remarquer Leblanc.

— La preuve, c'est ici que nous allons la trouver! répondit-il, téméraire.

Le berger et son maître s'étaient enfoncés dans la forêt. Méthodiques, ils continuaient de faire des cercles concentriques autour de l'ancienne route. Le sergent Leblanc ne voulait pas l'avouer, mais cette histoire commençait à le titiller. Il suggéra en se penchant au-dessus du tableau de bord et en regardant du côté droit de la route :

— Moi, en tout cas, si j'avais été à la place de Sanj… comment il s'appelle, déjà ?

— Sanjay.

L'agent du SCRS pointait un arbre plus imposant que les autres au fond de la forêt. Non loin de là, il y avait une dépression dans le terrain. Un affaissement de quelques mètres qui remontait un peu plus loin.

— Si j'avais été à sa place, c'est là que j'aurais creusé. Aucune chance de se faire repérer. D'ici, on ne voit rien !

Jérôme trouva l'observation judicieuse. C'est le genre de réflexion qu'il aurait eue dans les tunnels et les passages souterrains de sa ville. Quand on ne veut pas se faire surprendre, on se met à l'abri !

— Allons voir, proposa-t-il.

Leblanc acquiesça fièrement, comme s'il sentait le besoin de se mesurer à Jérôme. Tous deux descendirent alors que le maître-chien ramenait le berger vers la Pontiac, pour lui faire renifler une fois encore la flaque de sang séché. Marchant côte à côte, ils se rendirent jusqu'au grand arbre et se penchèrent au-dessus du fossé, qui devait avoir dix mètres de largeur. À priori, tout semblait normal, jusqu'à ce que Leblanc fasse remarquer en pointant du doigt :

— Là-bas ! On dirait que quelqu'un a passé un râteau dans les feuilles mortes.

Ce n'était pas le genre de détail que Jérôme aurait remarqué. Le sol de la forêt était recouvert de feuilles mortes accumulées au cours des années. Un tapis lisse et brunâtre à travers lequel perçaient ici et là un arbuste, un buisson. Effectivement, à l'endroit que pointait Leblanc, il y avait des striures, comme si on avait passé un peigne dans une chevelure hirsute.

— On ne passe pas le râteau dans la forêt !

Leblanc avait fait le commentaire pour rappeler à Jérôme qu'il était un urbain. Celui-ci aurait pu se vexer, mais c'était exactement ce qu'il voulait, ce qu'il souhaitait ! Que l'agent du SCRS s'approprie l'affaire comme si elle était sienne, qu'il prenne le relais. Et c'est ce qu'il fit, d'ailleurs. Se tournant vers la Pontiac, où le chien continuait de renifler le sang séché, il porta deux doigts à sa bouche et siffla. Son maître redressa la tête. Leblanc lança en pointant le fossé :

— Il y a quelque chose, là !

Le berger et son maître s'approchèrent. Ce dernier avait de plus en plus de mal à le tenir au pied. La bête dévala la petite côte sur ses pattes arrière puis, tirant frénétiquement sur sa laisse, se dirigea vers l'endroit où les feuilles avaient été raclées. L'animal était très excité maintenant, aboyant et grattant avec ses pattes avant. Les deux agents les rejoignirent et au bout d'un moment une voix s'éleva :

— C'est bon ! On a trouvé !

— Allez chercher des pelles ! ordonna Leblanc de sa position dominante au-dessus du vallon.

Jérôme recula légèrement et s'appuya au gros arbre qui leur avait servi de repère. Curieusement, il avait les jambes molles et les genoux qui cognaient. Pourtant, il avait l'habitude. Mais cette affaire n'était pas comme les autres. Pendant qu'un des agents allait chercher du matériel dans la camionnette, Leblanc descendit dans la tranchée et se mit à écarter les feuilles mortes avec ses pieds. Le berger était fou. Il creusait toujours avec ses pattes avant, déplaçait la terre fraîchement remuée, s'arrêtant à tout moment pour aboyer, comme si les choses n'allaient pas assez vite. Avant qu'il ne détruise quelque preuve, Leblanc s'agenouilla près de lui, le flatta puis se tourna vers son maître :

— Il peut aller se reposer maintenant.

Tirant sur sa laisse, le policier obligea le berger à remonter la petite côte afin qu'il regagne sa cage dans la camionnette. En route, ils croisèrent l'agent qui revenait avec des pelles. Celui-ci déboula dans le fossé, refila des gants de latex à son collègue et ils se mirent au travail, déplaçant la terre avec précaution, s'arrêtant à tout moment pour examiner de plus près. Leblanc était au téléphone et demandait des renforts tandis que Jérôme hésitait toujours à s'approcher. C'est alors qu'une voiture se pointa sur la route défoncée du rang Beaubassin. Elle s'arrêta derrière les deux véhicules de la GRC, et O'Leary en descendit, l'air complètement désorienté. Tournant le dos au fossé, Jérôme vint à sa rencontre.

— Qu'est-ce qui se passe ? demanda le nouveau venu.

— On l'a trouvée !

À la tête que tirait Jérôme, l'Irlandais comprit tout de suite que l'affaire était grave. Mais il ne savait pas de quoi il était question et surtout se demandait bien ce qu'il faisait dans cette forêt.

— C'est ton histoire… le type qui n'a pas encore tué.

— Il avait tué, finalement, lui renvoya Jérôme. Mais j'aurais de beaucoup préféré me tromper !

Léopold était toujours dans la voiture. Comme il allait descendre, Jérôme lui fit signe de rester là où il était. Pointant le gros arbre au fond de la forêt, il invita O'Leary à le suivre.

— C'est par là ! Allons voir !

Contre toute attente, l'Irlandais était insensible aux mouches. Elles lui tournaient autour mais ne le piquaient pas. Stoïque, il suivait Jérôme tête basse. Arrivés au gros arbre, ils dévalèrent la petite côte et s'approchèrent de Leblanc et des deux agents qui travaillaient ferme. L'un d'eux nota :

— Il ne l'a pas enterrée très profondément. On y est presque.

En disant ces mots, un bruit de métal se fit entendre. La pelle d'un des agents venait de frapper quelque chose de dur. Leblanc mit fin à sa conversation téléphonique et s'approcha. Le plus grand des deux policiers s'agenouilla pour dégager la terre de ses mains. Il tira sur un bout de métal.

— C'est le cric de la Pontiac, annonça Jérôme comme s'il savait déjà tout.

Le policier l'examina de plus près, s'attardant sur un mélange de sang séché et de terre collé au métal. C'est à voix basse cette fois que Jérôme précisa :

— L'arme du crime, sans doute.

L'hypothèse était vraisemblable. On glissa le cric dans un grand sac de plastique et le travail reprit. Trois pelletées de terre plus tard, on dégagea un bout de tissu blanc. Les policiers étaient à genoux maintenant, déplaçant la terre avec leurs mains gantées. De prime abord, on aurait dit un linceul. C'était en réalité un drap de lit. Sans doute celui qui avait disparu du chalet des Singh Dhankhar après leur départ. Jérôme aurait pu donner aussi ce détail, mais il n'en fit rien. Pour l'avoir vérifié, il savait que ces draps étaient identifiés. L'enquête le révélerait.

Le sergent Leblanc trépignait. À son tour, il se pencha au-dessus de la fosse. Ses agents venaient de découvrir une tache brunâtre sur le drap. Un peu plus haut, le tissu paraissait complètement imbibé de sang. Puis une mèche de cheveux apparut. Les cheveux noirs et soyeux de Rashmi. Jérôme détourna le regard. Il avait vu la mort en face plus d'une fois, observé des scènes de crimes atroces, examiné les détails de carnages qui auraient dégoûté les plus endurcis, mais ça, il ne voulait pas le voir. Tandis que Leblanc examinait le cadavre, il tourna le dos et s'éloigna quelque peu. En conduisant l'agent du SCRS dans cet endroit, il avait secrètement espéré qu'ils ne trouveraient pas l'amoureuse de Gabriel Lefebvre. Que son intuition, pour une fois, l'avait trompé. Mais il n'en était rien.

— On dirait effectivement qu'il l'a tuée à coups de cric, commenta O'Leary en s'approchant de lui. Il l'a quasiment décapitée!

Cette précision lui donna envie de vomir. Il imagina la suite. Le père emballant sa fille dans un drap de lit. Mais une blessure à la tête, c'est ce qui saigne le plus. Pris de panique, il l'avait jetée dans le coffre de la Pontiac et transportée dans cet endroit repéré avec Léopold. Au lever du jour, il avait creusé la fosse et enterré sa fille. Comme il ne savait que faire du cric maculé de sang, il l'avait jeté avec le corps puis avait remblayé le tout. Pour effacer les traces, il avait ensuite recouvert la fosse de feuilles mortes. Prem, sa femme, avait passé le chalet à l'eau de Javel pour effacer les traces du drame. Trois semaines plus tard, l'odeur de chlore planait toujours dans la maisonnette. Le coffre de la Pontiac aussi avait été passé à grande eau avant qu'on ne la mette en vente, mais par négligence on avait omis d'enlever la roue de secours pour nettoyer dessous.

— On ne touche plus à rien! déclara Leblanc en s'éloignant brusquement de la fosse comme s'il était lui aussi écœuré. Les gens des homicides vont arriver.

Ses deux acolytes remballèrent leurs pelles et délimitèrent un périmètre de sécurité. Jérôme et O'Leary remontaient la petite côte lorsque l'agent du SCRS les rejoignit.

— On va garder la Pontiac. Pièce à conviction.

— J'ai bien pensé.

Jérôme avait le souffle court lorsqu'il arriva en haut du petit vallon. Non que l'escalade l'ait fatigué, mais la découverte du corps de Rashmi l'avait accablé. Il consulta sa montre. L'avion de Gabriel Lefebvre se poserait à Montréal dans une heure. Personne ne serait là pour l'accueillir. Il ne fallait surtout pas que celui-ci se présente chez les Singh Dhankhar, sur l'avenue de Kent ! Il sonnerait l'alerte, ce qui inciterait Sanjay et sa femme à prendre la fuite. D'un coup, Leblanc le ramena à l'ordre :

— Nous avions une entente, je crois. Il y avait un certain nombre de conditions que j'ai respectées. Il est temps que nous parlions des vraies choses, maintenant !

L'agent du SCRS ignorait O'Leary, comme s'il était un buisson ou un essaim de mouches, juste bon à chasser du revers de la main. Il pointa l'auto-patrouille de la GRC, invitant Jérôme à le suivre.

— On y sera mieux pour parler.

Jérôme se braqua. La découverte macabre des restes de Rashmi lui avait momentanément fait perdre le fil. Il avait effectivement attiré Leblanc à cet endroit en lui faisant miroiter certaines révélations concernant le *Protocole de 95*. L'empressement du faux sergent, malgré la découverte qu'ils venaient de faire, l'irrita.

— Vous n'en avez pas assez ? Je ne vous en ai pas assez donné ? Occupez-vous de Sanjay Singh Dhankhar plutôt ! Faites-le arrêter avant qu'il ne se rende compte qu'il est coincé !

Continuant à snober O'Leary, Leblanc voulut prendre Jérôme par le bras et le forcer à le suivre. Manque de chance, il attrapa le moignon dans la manche vide de sa veste. Le bras flasque ne lui donnait aucune prise. Il en fut si surpris qu'il s'arrêta net.

— C'est du *Protocole* que vous voulez parler ?

— Euh... oui, oui, c'est pour ça qu'on est ici !

Jérôme prit bien son temps, s'assurant que l'Irlandais, qui était venu pour la même raison, entendait ce qu'il avait à dire sur le sujet.

— C'est vrai que j'en ai gardé une copie pendant toutes ces années. Mais hier soir, je l'ai jetée. J'ai jeté au feu le CD sur lequel se trouvait le dossier. Une question d'honneur ! Quand on m'a recruté pour faire partie de cette équipe, j'ai donné ma parole. Je me suis engagé à ne jamais rien dire ou révéler de cette affaire. Ce que j'ai fait. En prix de consolation, je vous donne Rashmi. Vous en prendrez le crédit. Je ne suis pas chez moi, ici.

Le visage de Leblanc se referma tandis qu'O'Leary réprimait un sourire. Ce que l'Irlandais venait d'entendre lui convenait parfaitement. Ce qui n'était évidemment pas le cas de l'agent du SCRS. Contrarié, Leblanc chercha une issue, mais il était piégé. Jérôme lui coupa les ailes en lui remettant le trousseau de clefs de la Pontiac et un bout de papier qu'il avait au fond de sa poche. Il y avait inscrit l'adresse de l'avenue de Kent ainsi que les noms de Sanjay Singh Dhankhar et de sa femme. Il faudrait faire vite. Leur départ était prévu pour le 21. Se tournant vers la voiture de location d'O'Leary, il pointa Léopold du doigt :

— Et lui, c'est un témoin. Il a conduit le père ici, soi-disant pour acheter le terrain. Il n'a rien à voir dans cette affaire, mais il pourra toujours servir, pour identifier Dhankhar.

Jérôme promit également un rapport détaillé de tout ce qu'il savait sur cette affaire, mais Leblanc l'entendit à peine. Il était cramoisi, humilié même de s'être fait berner par ce manchot sans grade. Mais il ne pouvait tout de même pas l'arrêter.

Sans façon, Jérôme se tourna vers O'Leary et lui demanda de le reconduire au chalet qu'il partageait avec sa mère. En s'éloignant, il agita le téléphone dont l'agent du SCRS lui avait fait cadeau et lui lança :

— S'il y a quelque chose, vous savez où me trouver !

***

O'Leary conduisait en silence. Lorsque Jérôme lui indiqua la sortie du village de Cap-Pelé, ils quittèrent la route 15, roulèrent encore un moment jusqu'à ce que l'Irlandais soit pris d'un fou rire :

— Non, mais tu as vu la tête qu'il a faite quand tu lui as dit que tu avais brûlé le CD !

Jérôme ne répondit pas. C'était la troisième fois qu'il consultait sa montre depuis qu'ils étaient sortis de la forêt. Son visage s'éclaira subitement :

— C'est vrai ! J'avais oublié ! Il y a une heure de différence entre ici et Montréal !

— Pourquoi tu dis ça ?

Il fouilla dans ses poches et en sortit d'autres bouts de papier froissés qu'il déplia, un à un. C'est sur le dernier qu'il trouva l'heure d'arrivée et le numéro de vol de Gabriel Lefebvre. Avec le décalage, cela donnait un peu plus d'une heure. Il n'était donc pas trop tard.

— Il faut que quelqu'un aille le chercher à l'aéroport ! Je n'en ai pas parlé à Leblanc tout à l'heure. Ça ne le regarde pas, mais…

— De qui parles-tu ?

En quelques mots, Jérôme le mit au parfum. Le voyage éclair de Gabriel Lefebvre en Inde, les comptes rendus sur son blogue, ce qui lui avait permis de découvrir que Rashmi, et non sa sœur Sangeeta, avait accompagné ses parents au Nouveau-Brunswick pour n'en jamais revenir. En descendant de l'avion, celui qu'il n'osait plus appeler Roméo se rendrait directement chez les Singh Dhankhar pour confronter Sanjay. Il était encore temps de prévenir ce faux pas.

— Je vais demander à Blanchet de s'en occuper, proposa l'Irlandais, comme si c'était dans l'ordre des choses.

— Absolument pas! le rabroua Jérôme. Il n'est pas question de la mêler à cette affaire! Gabriel, c'est…

Il fut incapable de terminer sa phrase. Les mots ne venaient pas. O'Leary attendait la suite. Jérôme pointa plutôt du doigt:

— C'est là!

Ils s'engagèrent sur la route du parc de l'Aboiteau.

— Accouche! Gabriel, c'est quoi? C'est qui?

— Je ne sais pas. C'est difficile à dire. Il était très amoureux de Rashmi. Il va falloir lui apprendre la nouvelle. Ça ne peut pas se faire n'importe comment.

— Je vais le dire à Blanchet. Elle va comprendre.

— Non, pas Blanchet! Tu comprends, le petit… j'ai envie de faire attention à lui. Ça va être très difficile, pour lui!

— Qu'est-ce que tu racontes, Aileron? Depuis quand tu fais attention?

Jérôme n'avait pas entendu le sobriquet tellement il était sous le coup de l'émotion. Dans le désordre, des images passaient devant ses yeux. La chevelure noire de Rashmi, qu'il avait entrevue dans la fosse avant de détourner le regard. Le cric, ce maudit cric qu'il avait tant cherché pour ensuite l'oublier! Sanjay Singh Dhankhar avait sans doute dû le tenir à deux mains pour le transformer en arme. Combien de coups avait-il donnés avant qu'elle ne cesse de bouger, avant qu'elle ne rende l'âme? Il faudrait épargner ces détails à Gabriel sinon il ne s'en remettrait pas. Il n'était pas question de confier cette tâche à Blanchet. Il n'avait pas confiance en cette femme.

— On a le temps, tu dis? Il arrive à midi moins quart. Suffit de demander aux douanes de l'intercepter. Blanchet est à l'aéroport dans une demi-heure. Elle accueille Gabriel, prépare le terrain et tu lui parles au téléphone. Tu lui annonces la nouvelle toi-même si tu préfères.

— Lynda, peut-être. C'est le genre de choses qu'elle sait faire...

O'Leary immobilisa la voiture tout près du chalet, coupa le moteur et se tourna vers Jérôme :

— Je croyais que tu avais compris. Que tu savais tout.

Pris par son émotion, Jérôme avait oublié. Il chercha le regard de l'Irlandais.

— C'est fini, Lynda. Elle est sous enquête depuis hier. Elle ne s'en sortira pas.

— C'est vrai, souffla-t-il faiblement.

— Tu sais combien ça vaut, sur la rue, cinq mille passeports ?

— Quarante millions.

— Au bas mot. Mais c'est vrai, tu sais tout.

Jérôme ignorait s'il s'agissait là d'un compliment ou d'une vacherie. Ils regardaient tous deux le marais devant eux sans trop savoir quoi dire.

— Il va falloir t'y faire ! osa l'Irlandais. Blanchet est aux homicides pour y rester. Et toi, tu vas y revenir. C'est comme ça ! Alors, baisse les armes ! On va la mettre de notre côté et ça va aller.

— Tu n'es pas avec la SQ, toi, maintenant ?

L'Irlandais parut gêné. Il s'éclaircit la voix en continuant de regarder droit devant.

— J'ai fait une petite collaboration, comme ça. Mais rien de très engageant.

— Juste le temps de faire tomber Lynda.

— Elle est tombée d'elle-même.

— Elle n'était pas seule dans le coup, quand même. Ce n'était pas son idée, les passeports ?

— Non. Des Pakistanais. Ils l'ont approchée lorsqu'elle était à l'hôpital. Une avance considérable au départ... et deux millions si le coup réussissait.

— Elle s'est laissé convaincre par des Pakistanais ?

— On dirait bien. Ils en ont arrêté trois… qui l'ont tout de suite dénoncée.

Écœuré, Jérôme baissa les yeux. Lynda avait cédé. Elle avait vendu son âme au plus offrant. Les jeux étaient faits. On ne la reverrait plus de sitôt.

— Et toi ? C'est quoi cette histoire avec ce garçon… Gabriel ?

— Rien, répondit-il, laconique. J'ai essayé de l'aider. Mais ça n'a pas marché.

C'est alors que Jérôme aperçut sa mère sur le trottoir flottant au milieu du marais. Appuyée sur sa marchette, elle était seule et regardait l'horizon. Il réprima un sourire. Ainsi donc, elle y était arrivée ! Seule, elle avait parcouru les quelque cent mètres séparant le chalet du milieu du plan d'eau, pour admirer la mer au loin. Pas si mal, quand même. Depuis une semaine, il avait vécu une affolante dégringolade, un plongeon qui s'était terminé au fond d'une fosse, dans un boisé à Haute-Aboujagane. En voyant Florence au milieu du marais, pâmée devant l'horizon, il sentait l'embellie. Tout compte fait, le Dr Tanenbaum s'était peut-être trompé. Sa mère ne partirait pas si vite. Ils auraient le temps de faire la paix, elle et lui, une fois pour toutes.

— O.K. ! Tu demandes à Blanchet d'aller le chercher à l'aéroport. Il arrive de Francfort sur Air Canada à 11 h 45. Elle s'arrange pour qu'il n'aille pas chez les Singh Dhankhar. J'attends son appel. Je préfère lui annoncer, pour Rashmi.

O'Leary fit un petit signe de tête en sortant son téléphone. Sourire en coin, il avait lui aussi les yeux rivés sur le trottoir flottant.

— C'est ta mère, là-bas ?

— Oui, fit Jérôme en descendant de la voiture. Elle va mieux.

L'Irlandais composa le numéro de Blanchet tandis que Jérôme s'approchait du chalet. Viola s'était endormie dans sa chaise berçante. La bouche ouverte et la tête renversée en arrière, elle était dans un autre monde lorsqu'il passa devant elle sur la terrasse. Le bruit de ses pas la réveilla.

— Ah, c'est toi, marmonna-t-elle avant de se tourner vers la chaise vide de Florence. Où est ta mère ?

— Là-bas ! fit Jérôme en pointant le trottoir flottant.

— Elle y est allée, finalement ! Tout l'avant-midi, elle m'a dit qu'elle voulait se délier les jambes. Je vais aller la rejoindre.

— Non, non, ça va ! J'y vais, moi. J'ai quelque chose à lui dire.

Les yeux de Viola se mirent à briller.

— Ça y est ? Tu as trouvé ? Tu as trouvé ce que tu cherchais ?

Jérôme se contenta de hocher la tête en descendant les marches. Il n'y avait pas de quoi se réjouir, mais il avait effectivement trouvé. Puis, en se dirigeant vers l'accès au trottoir flottant, une idée lui traversa l'esprit. Florence et Viola s'entendaient tellement bien qu'il serait dommage de les séparer, une fois les vacances terminées. Comme sa mère aurait besoin de quelqu'un pour prendre soin d'elle, pourquoi n'inviterait-il pas l'infirmière à Montréal ? L'idée lui semblait si bonne et si naturelle qu'il faillit rebrousser chemin pour lui en parler. Mais il se ravisa. Il était sans doute préférable d'en glisser un mot à Florence d'abord.

Alors qu'il s'avançait sur le trottoir, sa mère se tourna vers lui. À distance, il crut déceler de l'inquiétude dans son regard, comme si elle ne le reconnaissait pas. Lorsqu'il lui parlerait de Rashmi, la fille de Sanjay Singh Dhankhar, elle retrouverait ses esprits. À moins que la nouvelle ne la fasse sombrer plus profondément encore.

Mais au fait, quel intérêt y avait-il à lui dire qu'on avait retrouvé le corps de la jeune femme dans la forêt de Haute-Aboujagane ? Arrivé à mi-chemin, il se résolut plutôt à lui parler de Lynda. Florence avait eu raison sur toute la ligne. La patronne ne s'était-elle pas fait prendre la main dans le sac ? Mais là aussi, il se ravisa. C'était une histoire désolante qui ne méritait pas d'être racontée, même à une vieille dame qui devinait tout. Restait le *Protocole*, mais elle ne savait rien de cette affaire. Ou du moins le croyait-il. Affichant son plus beau sourire en arrivant à sa hauteur, il lui confia plutôt :

— Tu sais, maman, tu avais raison.

Elle n'eut pas la moindre réaction. L'entrée en matière était sans doute trop vague. Il précisa :

— C'est vrai que... j'ai toujours peur qu'on me lâche. Je pense toujours qu'on va m'abandonner. Ça fait partie de moi, je crois. Je suis comme ça.

Elle le regardait, sans comprendre.

— Ça vient de très loin. Probablement parce que je n'ai pas été capable d'attraper ce ballon lorsque papa me l'a lancé. Après, il est parti et je ne l'ai plus jamais revu.

Florence semblait encore plus embarrassée. Elle lui demanda, d'une toute petite voix :

— Qui êtes-vous, monsieur ?

Jérôme glissa son bras gauche autour de l'épaule de sa mère et se tourna vers la dune. Tout compte fait, il proposerait à Viola de rentrer à Montréal avec eux. Les symptômes de Florence n'iraient qu'en s'accentuant. Après les vacances, ils ne seraient pas trop de deux pour l'accompagner jusqu'au bout de la route.

Remerciements

Pour leurs conseils, leur encouragement et leur amitié, je souhaite remercier Nicole Bouchard, Roger Langlois, Gilles Savoie, Margo Tran Luy, Jean-Gabriel Vigneault, Dre Marie Bouchard, Martin Bélanger, André Bastien et Chrystine Brouillet, qui m'a appris que j'écrivais des romans policiers.

Suivez les Éditions Libre Expression sur le Web :
www.edlibreexpression.com

Cet ouvrage a été composé en Adobe Caslon Pro 12,25/14,75
et achevé d'imprimer en mars 2012 sur les presses
de Imprimerie Lebonfon, Val-d'Or, Canada.

certifié

procédé sans chlore

100 % post-consommation

archives permanentes

énergie biogaz

Imprimé sur du papier 100 % postconsommation, traité sans chlore,
accrédité Éco-Logo et fait à partir de biogaz.